ISBN 978-0-483-13477-5
PIBN 10730192

16. September 1901.

herausgegeben von

Valentin Kehrein,

...lerin-Augusta-Gymnasium in Koblenz.

...uster in Westfalen.

on Heinrich Schöningh.

1901.

Handle, wie Du lehrest,
und lehre, wie Du handlest.

(Entlassungsrede 1858.)

Joseph Kehrein

der Germanist und Pädagog.

Nebst einer Auswahl seiner Gedichte.

Aus Anlaß

der Enthüllungsfeier seines Denkmals in Montabaur

am 16. September 1901

herausgegeben von

Dr. Valentin Kehrein,

Professor am Kaiserin-Augusta-Gymnasium in Koblenz.

—◦—❮❯—◦—

Münster in Westfalen.

Verlag von Heinrich Schöningh.

1901.

...seph Kehrein

... Germanist und Pädagog.

...einer Auswahl seiner Gedichte.

Aus Anlaß

...ungsfeier seines Denkmals in Montabaur

am 16. September 1901

Handle, wie Du lehreſt,
und lehre, wie Du handleſt.

(Entlaſſungsrede 1858.)

Joseph Kehrein

der Germanist und Pädagog.

Nebst einer Auswahl seiner Gedichte.

Aus Anlaß

der Enthüllungsfeier seines Denkmals in Montabaur

am 16. September 1901

herausgegeben von

Dr. Valentin Kehrein,

Professor am Kaiserin-Augusta-Gymnasium in Koblenz.

Münster in Westfalen.

Verlag von Heinrich Schöningh.

1901.

Vorwort.

Obgleich ich schon lange die Absicht hatte, eine Biographie meines seligen Vaters zu veröffentlichen, hielten mich doch stets große Bedenken davon ab. Vor allem ist es für einen Sohn schwer, bei einer solchen litterarischen Arbeit strenge Objektivität mit kindlicher Pietät zu vereinigen; dazu liegt die Gefahr nahe, als Panegyriker zu erscheinen; und um diese zu vermeiden, ist große Selbstentsagung erforderlich, so daß manches unerwähnt bleiben muß, was ein dritter ohne Bedenken mitteilen darf. Als ich aber von verschiedenen ehemaligen Kollegen und Schülern des Verewigten in bereitwilliger Weise höchst schätzenswerte Beiträge zur Zeichnung eines Lebensbildes erhielt, gebot es mir die Pietät, dem teuren, unvergeßlichen Vater zur bevorstehenden Enthüllungsfeier seines Denkmals zu Montabaur, der letzten und langjährigen Stätte seiner Wirksamkeit, ein geistiges Denkmal zu errichten durch Anfertigung einer Biographie, die neben seiner amtlichen Wirksamkeit in eingehender Weise seine litterarische Thätigkeit berücksichtigt. Zu Grunde gelegt habe ich hierbei seine Selbstbiographie, die in dem „Kalender für Lehrer und Schulfreunde auf das Jahr 1869. Von Dr. J. B. Heindl. Sulzbach, Verlag der J. E. v. Seidelschen Buchhandlung" Seite 3—10 abgedruckt und vom 22. Juni 1868 datiert ist. Eine kürzere Selbstbiographie bietet sein „Biographisch-

1*

litterarisches Lexikon", Band 1, S. 185 ff. Dazu hat
Dr. H. Heskamp in seinem Lehrerkalender für das Jahr
1883 (Aachen, Rudolf Barth) Seite 185—193 ein Lebens-
bild entworfen, wozu ich dem Verfasser einzelne Notizen
geliefert habe. Oberschulrat a. D. Dr. Schwartz (Wiesbaden) hat außerdem einen Artikel „Kehrein" geliefert
(1884) in die „Allgemeine Encyklopädie" von Esch und
Gruber, Sektion II, Band XXXV. Schließlich finden sich
biographisch-litterarische Mitteilungen bei H. E. Scriba,
Biographisch-litterarisches Lexikon der Schriftsteller des Groß-
herzogtums Hessen. II. Band. Darmstadt 1843, S. 368 ff.;
J. A. Moriz Brühl, Geschichte der katholischen Litteratur
Deutschlands 2c. Leipzig 1854, S. 806 ff. u. a. Zum
Schlusse fühle ich mich verpflichtet, allen ehemaligen Kollegen,
Schülern und Bekannten des Verewigten, insbesondere den
Herren Domkapitular und Seminarregens Dr. Holzammer
(Mainz), Domkapitular Tripp (Limburg), Dekan a. D.
Schmitt (Neustadt i. Odenw.), Geh. Oberschulrat Direktor
Weihrich (Mainz), Professor a. D. Hillebrand (Hada-
mar), Konrektor a. D. Brandscheid (Wiesbaden), Haupt-
lehrer a. D. Usinger (Wiesbaden) sowie den Herren
Lehrern Berninger (Wiesbaden), Grill (Limburg) und
Speyer (Wiesbaden), die mich bei der Abfassung der
Biographie in zuvorkommendster Weise unterstützt haben,
auch an dieser Stelle den gebührenden Dank abzustatten.

Koblenz den 19. Mai 1901.

Dr. Valentin Kehrein.

Erſter Teil.
Lebensbild.

I. Die Kindheit.

Umgeben von lieblichen Rebengeländen liegt drei Stunden unterhalb des goldenen Mainz das Dorf Heidesheim. Hier erblickte Joseph Kehrein am 20. Oktober 1808, in der Zeit, wo Deutschland in der tiefsten Erniedrigung schmachtete, das Licht der Welt. In stiller Bescheidenheit bauten seine Eltern ihr Landgütchen, und Glück und Zufriedenheit wohnte in dem Häuschen, wo seine Wiege stand; denn die Religion breitete ihren Palmzweig immergrünend über Eltern und Kinder aus. Selbst bieder und fromm, erzogen die Eltern den kleinen Joseph in Gottesfurcht und Frömmigkeit; alle ihre Liebe vereinigten sie auf dem Haupte ihres einzigen, stillen Knaben, der fünf Schwestern hatte (während vier Geschwister bereits gestorben waren).

Die Schulzeit währte damals bei Knaben 7, bei Mädchen 6 Jahre; die Aufnahme erfolgte zu Ostern des Jahres, wo die Kinder das 7. Lebensjahr erreichten. Joseph lief schon im 6. Jahre mit seiner älteren Schwester in die Schule. „Seine geistige Energie," schrieb mir Herr Dekan a. D. Jak. Schmitt[1]) zu Neustadt i. Odenwald, „zeigte

---

[1]) Brief vom 16. Januar 1901, worin er bemerkt, daß Kehreins alte Mutter diesen Vorfall in seiner Gegenwart erzählt habe.

sich in anderer Weise schon in seiner sechsjährigen Knaben-
zeit. Zur Zeit, als die Aprikosen reiften, und der kleine
Joseph allein zu Haufe war, holte er in der Holzhalle das
Beil und hieb damit ein junges Aprikosenbäumchen um,
das mit seiner schönen Frucht vor der Hofthür stand."
Lehrer Stoll, bei dem schon seine Eltern in die Schule
gegangen waren, hat über 50 Jahre in Heidesheim (sonst
in keiner Schule) gewirkt. Er war für seine Zeit ein
tüchtiger Lehrer, den in der starken Schule die älteren
Knaben und Mädchen als sogenannte Helfer vielfach
unterstützten. Das stille, sinnige Wesen, das Joseph in
der Schule zeigte, trat bei dem Knaben auch außer der
Schulzeit, ja sogar während der großen Pause hervor;
denn öfters mahnte er die wild sich tummelnden Kameraden
mit den Worten: „Nehmet euere Bücher, um lesen, schreiben
und rechnen zu lernen. Das ist besser, als so wild zu
spielen." Eine ihm angenehme Art von Erholung war
das Versemachen, worin er schon früh sich übte und die
Aufmerksamkeit seines Lehrers auf sich lenkte.

Während seiner Schuljahre nahm der Knabe nach
Kräften an den Haus- und Feldarbeiten seiner Eltern teil,
mehr noch nach seiner Entlassung aus der Schule. Besonders wurde er angeleitet zu den Arbeiten in Weinberg
und Baumschule. Die gewöhnlichen Arten des Veredelns
der Bäume lernte er praktisch, was ihm in seiner späteren
Stellung am Lehrerseminar, wo er dieses Lehrfach zu über-
wachen hatte, von Nutzen werden sollte.

Im Jahre 1822 kam Pfarrer Wann nach Heidesheim. Ihm offenbarte Joseph eines Tages in der Sakristei
nach der hl. Messe, bei welcher er, wie sehr oft, Meß-
diener gewesen, seinen Wunsch zu studieren, da einer seiner
Kameraden bei dem würdigen Pfarrer Privatunterricht
bekam, außerdem schon vier ältere Jünglinge aus Heidesheim seit einigen Jahren zu Mainz „im Studium waren".

Der seeleneifrige Pfarrer erkannte bald das schlummernde Talent des Knaben und erklärte sich bereit, ihm Privatunterricht zu erteilen. Die Eltern hätten ihren einzigen Sohn lieber zu Hause behalten, weil sie ihn bei der Arbeit brauchten, und weil ihnen die Kosten des Studiums zu groß erschienen; da aber der hochgeachtete Schullehrer sie schon früher öfters gemahnt hatte, „das große Talent des Knaben doch nicht zu vergraben", so gaben sie, wenn auch schweren Herzens, auf das ernste Zureden des Pfarrers ihre Einwilligung. Joseph besuchte nun jeden Tag eine Stunde den lateinischen Privatunterricht im Pfarrhause und lernte die aufgegebene Lektion am späten Abend oder auf der Viehweide, da es Brauch war, mit dem Zugvieh am Vormittag bis 9, am Nachmittag bis 4 Uhr zu arbeiten und es dann zu weiden.

Am Schlusse dieses ersten Lebensabschnittes möge eine kleine Abschweifung gestattet sein. Überall, wo noch ursprünglicher Volksgesang vorhanden ist, werden die neuen unter dem Volke umgehenden Lieder von Gesellschaften verfaßt. Einer dichtet oder singt vielmehr eine Strophe; ein anderer setzt unwillkürlich die zweite, ein dritter die weitere hinzu, wie es gerade die heitere Stimmung und Lust mit sich bringt. Zu jenen glücklichen deutschen Gauen, wo noch das Volk singt, und natürlich schöne, sinnige Liedchen entstehen, gehören neben Tirol vor allem die Rheinlande. Auch in Josephs Heimat, zumal in jener Zeit, wo man noch nichts von moderner Kultur wußte, entstanden viele Volkslieder auf oben angedeutete Weise; nur eine Eigentümlichkeit möge hier erwähnt werden. Auf dem Markt („Höfchen") in Mainz saß in Kehreins Jugendzeit eine alte Frau vor einem alten Tischchen, auf welchem die bekannten Volksbücher „gedruckt in diesem Jahr" und sogenannte fliegende Blätter mit „zwei, drei, vier neuen Liedern" feil lagen. In der Gegend von

Heidesheim wurde damals die Kirschenzucht sehr gepflegt. Den Mädchen, welche die Kirschen nach Mainz auf den Markt trugen, galt es als Ehrensache, von diesen „neuen Liedern" zu kaufen, die dann im Spätherbst und Winter in den Spinnstuben verändert und erweitert, heimat- und mundgerecht gemacht und gesungen wurden. Kehrein nahm infolge seiner Vorliebe zum Versemachen, nach eigenem Geständnis als Knabe an dieser „Dichterei" lebendigen Anteil. Die deutschen Volksbücher waren zu jener Zeit in den Ortschaften der näheren und weiteren Umgebung von Mainz sehr verbreitet; sie wanderten, stark abgegriffen und zerlesen, von Haus zu Haus. Eine andere beliebte Lektüre bildeten die „Kalender". Die einzelnen Familien kauften gegen Neujahr verschiedene Kalender, die dann die Runde machten. Besonders beliebt waren „Der Straßburger hinkende Bote" und „Der rheinische Hausfreund". Wie wunderte sich Kehrein später, als ihm die genannten Dinge in der deutschen Litteraturgeschichte begegneten! Übrigens war das erwähnte „Helferwesen" in der Schule, diese „Dichterei" und „Leserei", wie Kehrein später oft bekannte und auch aus dem weiteren Verlaufe dieser Biographie erhellen wird, nicht ohne Einfluß auf seinen späteren Bildungsgang.

II. Die Studienjahre.

In Mainz bestand damals neben dem „Gymnasium" das „kleine Seminar", welches, vom Bischof Colmar im Jahre 1806 gegründet, bis zum Jahre 1824 unter der Direktion des Superiors Liebermann, später des Generalvikars Joh. Bapt. Humann stand. Es war ein Gymnasium mit acht Klassen, nur mit der Eigentümlichkeit, daß alle Schüler katholisch und alle Lehrer katholische Geistliche waren. Die Lehrzimmer waren in dem alten Augustinerkloster, nur die zwei untersten (8. und 7.) Klassen waren des beschränkten Raumes wegen außerhalb des-selben. Die Schüler wohnten in der Stadt, die Lehrer hatten neben der sehr bescheidenen Besoldung von nur hundert Gulden jährlich zur Wohnung ein Zimmer und dazu die Kost im Klostergebäude. In demselben war auch (und ist heute noch) das Klerikalseminar für junge Theologen, deren Anzahl in den zwanziger Jahren des verflossenen Jahrhunderts zeitweilig an und über achtzig stieg. Von den Überresten des Tisches der Alumnen und der Professoren wurden jeden Mittag im „Pförtnerstübchen" mehrere arme Schüler gespeist. Diese Unterstützung der Armen, das sehr geringe Schulgeld (das noch oft ganz oder teilweise erlassen wurde), das Leihen von Schulbüchern aus der Seminar-bibliothek, besonders aber das Vertrauen der Katholiken zu dem „Seminar" bewirkten, daß die Schülerzahl eine sehr große war. So zählte die unterste Klasse bei Kehreins Eintritt 68 Schüler.

Das Schuljahr begann (nach echt französischer Weise) mit Allerseelen (2. November) und dauerte dann ununter-brochen fort bis in die letzte Woche des Monats August, wo es mit der öffentlichen Prüfung,[1]) mit Deklamationen und Reden und der feierlichen Verteilung von Preisbüchern schloß. Der Unterricht war vormittags von 8—10$\frac{1}{2}$ und nachmittags von 2—4 Uhr; der Dienstag-Nachmittag war frei; am Donnerstag-Vormittag war „Engelamt", dann der Rest des Tages frei. Jeden Tag besuchten die Schüler um 10$\frac{1}{2}$ Uhr vormittags die hl. Messe und um 4 Uhr

---

[1]) Dieselbe wurde im Beisein der Lehrer von den eingeladenen Gästen an der Hand der zur Einsicht offen liegenden Lehrpensen vor-genommen.

nachmittags das „Salve" (Muttergottes-Andacht), an Sonn-
und Feiertagen den Vor- und Nachmittagsgottesdienſt in
der Seminarkirche. Fand hier keine öffentliche Predigt
ſtatt, ſo wurde in einem großen Saale eine kurze Exhortation
an die Schüler von einem Profeſſor gehalten. Der Empfang
der hl. Sakramente von ſeiten der Schüler fand monatlich
ſtatt; das Kommunizieren war freigeſtellt, zur Beichte aber
mußte jeder gehen, was durch Abgabe eines Zettels mit
den Worten: Ego . . . discipulus classis . . confessus
sum die . . kontrolliert wurde. Die Unterrichtsgegenſtände
waren, wie dies die am Schluſſe jedes Studienjahres ver-
öffentlichten Programme auswieſen, nicht ſo zahlreich, wie
in dem heutigen Gymnaſium. Schönſchreiben, Zeichnen,
Naturwiſſenſchaft wurden nicht gelehrt, das Deutſche be-
ſchränkte ſich auf Überſetzen aus fremden Sprachen und
auf ſeltenes Anfertigen von Aufſätzen und (in den mittleren
Klaſſen) Gedichten. Es erklärt ſich dieſer etwas zu be-
ſchränkte Lehrplan zum Teile daraus, daß das Klaſſen-
ſyſtem herrſchte, alſo jeder Lehrer alle Gegenſtände ſeiner
Klaſſe zu lehren hatte.

Auffallend mag es uns erſcheinen, daß der Religionsunterricht (nach franzöſiſcher Weiſe) mit dem Empfang
der erſten hl. Kommunion aufhörte und dann auf die
bereits erwähnte Predigt oder kurze Anſprache an den
Sonn- und Feſttagen beſchränkt war. Man huldigte der
Anſicht, die Schüler „übten die Religion", und das ſei
hinreichend. — Daß an dieſem Seminar tüchtige Lehrer
wirkten, und daß tüchtige Schüler daraus hervorgingen,
beweiſen die vielen in der Litteratur bekannten Namen,
z. B. die Geiſtlichen Berthes, Dupuis, Geiſſel,
Himioben, Hungari, Klee, Kullmann, Lennig,
Lüft, Moufang, Joſeph und Markus Adam
Nickel, Räß, Riffel, Weis u. a., und die Weltlichen
Külb, Sauſen u. a.

Am Allerseelentage (2. November) des Jahres 1823, bei kaltem Regenwetter, ging Joseph Kehrein, vom Segen der Eltern begleitet, gegen 10 Uhr morgens von Heidesheim (wo um 8 Uhr die Traubenlese begonnen hatte) aus den Weinbergen weg nach dem 3 Stunden entfernten Mainz; er trug zwei Reben mit Trauben in den bald halberstarrten Händen für seine „Hausleute", bei denen er aber nur das Mittagessen, kein Logis haben sollte; denn aus Billigkeitsgründen war es geboten, daß der junge Student täglich von Heidesheim aus zur Schule ging und abends nach Hause zurückkehrte, also täglich etwa 6 Stunden zu Fuß machen mußte. Erst nach längerer Zeit bezog er eine Wohnung in Mainz, kam aber dann alle 4 Wochen Sonntags nach Hause. Am Nachmittage des 2. November wurde er um 2 Uhr von Rektor Joh. Jak. Humann in die unterste Klasse des Seminars aufgenommen. Als Lehrer hatte er von 1823—1829 Joh. Bapt. Lüft 4 Jahre, W. Adam Nickel 1 Jahr und Ludwig 1 Jahr. Alle drei waren, jeder in seiner Weise, tüchtige Lehrer und Erzieher. Ungemein angezogen fühlte sich Kehrein von den Geschichtsvorträgen Lüfts, während bei Nickel und Ludwig seine Liebe zur Poesie reiche Nahrung fand. „Privatim las ich," so bekennt er selbst, „freilich nicht in der rechten Weise, nach und nach eine Unmasse von lyrischen, epischen und dramatischen Gedichten, während ich den Romanen keinen Geschmack abgewinnen konnte. Von seiten einiger befreundeten Familien vor Goethe »als unmoralisch und der Jugend höchst verderblich« und vor Schiller »als zu ideal und gewaltig« gewarnt, las ich diese Dichter in meinen Gymnasialjahren nicht (ausgenommen einzelne Gedichte in Lesebüchern), und ich bereue es nicht. Sie traten mir später, als ich auf der Universität ihre Lektüre begann, in ganz anderem Lichte entgegen, als dies bei so manchen jungen Leuten der Fall ist."

Die Anfertigung lateinischer und deutscher Verse (vom 4. Schuljahre an) galt als ein wichtiger Zweig des Unterrichts und war zudem für Kehrein eine Lieblingsbeschäftigung. Bei der jährlichen Schlußfeier wurden von den Schülern der vier Oberklassen vielfach von ihnen selbst verfaßte Gedichte und Reden vorgetragen. Sein erstes Produkt der Art war eine aus hundert deutschen Hexametern bestehende Schilderung der Cimbernschlacht bei Aix (102 v. Chr.), wobei nach seinem eigenen Bekenntnis die Vossische Übersetzung der von Homer geschilderten Schlachten stark ausgebeutet worden war. Dieses, wie alle anderen in jener Zeit von ihm verfaßten Gedichte meist religiösen, naturschildernden und geschichtlichen Inhalts sind nicht mehr vorhanden. Erhalten ist nur ein aus 13 zehnzeiligen Strophen bestehendes Gedicht „Otto von Wittelsbach", das er im August 1829 verfaßte und bei der Schlußfeier vortrug. Nach Ausweis der Zensurlisten, die im Archiv des Mainzer Seminars noch vorhanden sind, erhielt Kehrein bei der Preisverteilung, wie im vorhergehenden Jahre, für sein Gedicht den ersten Preis.

Das in seinem fünften Studienjahr auf eigene Kosten begonnene Erlernen des Klavierspieles gab er vor Jahresfrist wieder auf, weil er Zeit und Kosten nur sehr schwer erübrigen konnte, ganz besonders aber deshalb, weil seine Eltern es wünschten, die der besorgte Ortspfarrer belehrt hatte, das Klavierspielen könnte ihren Sohn leicht von ernsten Studien abziehen.

Im Herbst 1829 wurde das bischöfliche Gymnasium aufgehoben. Wer daher von den Schülern in Mainz fortstudieren wollte, mußte in das Staats-Gymnasium übertreten. Dies thaten aus Kehreins Klasse nur 6 Schüler. Er besuchte noch 1½ Jahre die II. und I. Klasse dieser Anstalt und machte dann mit noch 3 Mitschülern die Abiturientenprüfung, was damals nach Verlauf des ersten Semesters in Prima (wie ihm gesagt wurde) nur den 4 ersten Schülern dieser Klasse gestattet wurde. [1])

Neue Lehrgegenstände in dem Staats - Gymnasium waren: deutsche Lektüre mit etwas Litteraturgeschichte, hebräische Sprache, Zeichnen und eine Art philosophischer Propädeutik. Daneben nahm Kehrein teil am Privat-unterricht in der Experimentalphysik bei Vikar Franz Xav. Christoph Arens und in der italienischen Sprache bei Doria, der beim Unterricht nur französisch sprach.

Seine Vorliebe für die Poesie wurde durch Gymnasial-professor F. Baur, der ihn in den Geist mancher Ge-dichte einführte, die ihm bisher bloß ihrer äußeren Form wegen gefallen hatten, auf das kräftigste genährt und zu-gleich auf kritischem Wege immer fester begründet. Seine Lieblingsdichter waren damals die allerdings sehr von einander verschiedenen Matthisson, Salis, Hölty, Schubart, Kosegarten und Klopstock, von welchen auch später noch Salis, Hölty und Klopstock ihr altes Recht bei ihm behaupteten, während Matthisson, Kose-garten und Schubart ihn nur noch in einzelnen Ge-dichten ansprachen. Der Gymnasialdirektor Dr. J. B. Steinmetz führte ihn in den Geist des Horaz, und der ihm unvergeßliche Professor G. Braun in den Geist des Sophokles und der griechischen Tragödie ein.

---

[1]) In diese Zeit fällt die Einführung der Abiturientenprüfung im Großherzogtum Hessen; denn gegen Ende des Wintersemesters 1830/31 erklärte der Gymnasialdirektor Dr. Reiter den Primanern, diese Prüfung sei von jetzt an vorgeschrieben, worauf die Lehrer schriftliche Arbeiten im Deutschen, Lateinischen, Griechischen, Fran-zösischen und in der Mathematik anfertigen ließen. Die bez. 4 Schüler sahen nnd hörten von diesen Prüfungsarbeiten nichts mehr, sondern wurden zu Ostern dahin beschieden, sie seien reif für die akademischen Studien. Schon im folgenden Jahre 1832 (1. Oktober) erschien eine allerhöchste Verordnung, wodurch die neu eingeführte Prüfung im ein-zelnen geregelt wurde.

Seine Privatbeschäftigung mit der Poesie dauerte fort. Es sind aus dem Jahre 1830/31 noch ein ziemlich starkes Bändchen kleiner Gedichte, ferner „Die Brautwerbung, eine Posse mit Gesang in 1 Aufzug", „Thusnelda, ein Trauerspiel in 5 Akten" und „Musa, ein Trauerspiel in 5 Akten" in Kehreins Nachlaß vorhanden. Gedruckt wurde damals in einer Zeitschrift nur eine „Elegie auf den Tod Matthissons" (gest. 12. Dez. 1831), alles andere lag bis jetzt im Manuskript, darunter eine Ode „An die Muse" aus Anlaß der Verleihung der theologischen Doktorwürde an seinen früheren Lehrer, Professor J. B. Lüft. Der Verfasser selbst erklärte öfters all diese poetischen Versuche für „Jugendarbeit" und wollte sie dem Feuer übergeben, woran ich ihn verhinderte. Er meinte, sie seien, vielleicht mit Ausnahme einiger kleiner Gedichte, des Druckes nicht würdig.

Hier am Schlusse von Kehreins Gymnasialzeit sei ein kurzer Rück- und Seitenblick gestattet. So lange seine Lehrer an beiden Anstalten lebten, stand er mit den meisten in regem Briefwechsel (am längsten mit Lüft, gest. 1870, und M. A. Nickel, gest. 1869); allen aber bewahrte er ein um so dankbareres Andenken, als er, wie er sich selbst öfters äußerte, infolge seiner Lehrthätigkeit aus eigener Erfahrung wußte, welche Opfer ein gewissenhafter Lehrer in seinem wichtigen Amte zu bringen hat.

Kehreins Vermögensverhältnisse nötigten ihn, während seiner Gymnasialzeit die Wohlthaten edler Menschenfreunde in Anspruch zu nehmen. Er äußert darüber selbst folgendes: „Wenn das Erbitten und Genießen von Unterstützungen auch drückend sein, wenn der Charakter des die Unterstützungen Genießenden in seiner freien Entwickelung auch leiden mag, was beides unter Umständen (nicht unbedingt) zuzugeben ist; so ist es aber auch erhebend, einem edlen Menschenfreund für seine Wohlthaten zu danken und sich angespornt zu fühlen, durch Betragen und Fleiß sich der empfangenen Wohlthat einigermaßen würdig zu machen. Im Seminar und Gymnasium wurden damals am Schlusse des Schuljahres Preisbücher feierlich verteilt. Die Ansichten über solche Preisverteilungen sind bekanntlich verschieden: im allgemeinen sind die Franzosen dafür, die Deutschen dagegen. Ich habe während meiner Gymnasialzeit 23 Preisbücher und eine silberne Uhr erhalten; ich habe 2 Jahre den dritten, 1 Jahr den zweiten und 5 Jahre den ersten Rangplatz gehabt. Das Streben, meinen Wohlthätern zu zeigen, daß sie ihre Wohlthaten einem nicht ganz Unwürdigen spendeten, war ein stark mitwirkender Faktor bei meiner Schülerthätigkeit." Dieses schlichte Selbstbekenntnis möge eine Ergänzung erhalten durch das Urteil, welches der jetzige Herr Bischof von Mainz Dr. Heinrich Brück in seinem Lebensbilde des Theologie-Professors Dr. Joh. Joseph Hirschel (Mainz, Fl. Kupferberg 1885, S. 4) über Kehrein gefällt hat: „Damals (im Jahre 1830) studierte dort (in Mainz) ein mit der Familie Hirschel befreundeter Jüngling aus Heidesheim, Joseph Kehrein, dessen Obhut der Vater Hirschel seinen Sohn anvertraute. Der überaus fleißige und gewissenhafte Studiosus übernahm gern die Leitung seines jungen Zöglings und war bemüht, auf die wissenschaftliche und moralische Entwickelung desselben einzuwirken, was auch vortrefflich gelang. Durch die Worte und das Beispiel Kehreins angeregt, überwand der neue Gymnasiast die verschiedenen Schwierigkeiten, welche sich ihm anfangs entgegenstellten, und machte in allen Fächern solche Fortschritte, daß er während seiner Gymnasialstudien immer zu den ersten in seiner Klasse zählte."

Weil Kehrein auch durch eigene Arbeit die immerhin noch großen Ausgaben seiner Eltern verringern helfen wollte, so gab er Privatunterricht, wozu das „Helferwesen" in der Elementarschule schon eine kleine Vorübung war.

In seinem fünften Studienjahre gab er zwei sieben- bis
achtjährigen Kindern täglich 1 Stunde Elementarunterricht
und erhielt als Honorar für die Stunde zwei und nach
einigen Monaten drei Kreuzer! Von seinem sechsten Studienjahre an gab er Schülern der unteren Klassen (darunter seinen beiden Heimatgenossen, dem oben genannten
Hirschel und Waldeck, der später als Pfarrer in Gau-
algesheim wirkte) Unterricht im Lateinischen und Griechischen; daneben leitete er in den zwei letzten Jahren in
dem Volz'schen Institut das sog. Silentium, wo jeden
Nachmittag von 5—7 Uhr Gymnasiasten der unteren und
mittleren Klassen unter seiner Aufsicht und Beihilfe ihre
Schülerarbeiten machten. So war er von frühen Jahren
an Schüler und Lehrer, und es ist darum leicht begreiflich,
daß er später auf der Universität Philologie studierte. Freilich hätte er sich gern dem Studium der Theologie gewidmet, was auch seine Eltern wünschten; allein zu den
mit der Seelsorge notwendig verbundenen Krankenbesuchen
fühlte er sich nicht geschaffen, darum wandte er sich dem
höheren Schulamte zu. Er hatte sich darin nicht getäuscht,
denn Krankenbesuche waren für ihn stets Ursache der
größten körperlichen und geistigen Erregung.

Ostern 1831 bezog Kehrein die Landesuniversität zu
Gießen, wo er sich drei Jahre lang dem Studium der
Philologie widmete. Neben den pflichtmäßigen Fachkolle-
gien hörte er noch Kollegien über folgende Fächer: Psy-
chologie und Logik (doppelt) bei den Professoren Koch
und Hillebrand, Religionsphilosophie in Verbindung
mit der Geschichte der hauptsächlichsten philosophischen
Systeme alter und neuer Zeit, Ästhetik, Allgemeine Geschichte der Kunst und Litteratur, Deutsche Litteraturgeschichte und Naturrecht bei Professor Hillebrand, Pädagogik und deutsche Stilistik bei Professor Braubach,
Mathematik bei Professor Schmidt und Umpfenbach,

Allgemeine und Neuere Geschichte bei Professor Schmitthenner, Englisch und Italienisch bei Dr. Adrian und
Botanik bei Professor Wilbrand. Osann führte ihn
vor allem in den Geist der altklassischen Philologie ein,
Hillebrand förderte durch seine geistreichen Vorträge bei
ihm die Liebe zur deutschen Litteratur, deren Kenntnis er
zugleich erweiterte und vertiefte; Schmitthenner wußte,
in seinen historischen Vorlesungen durch seine pragmatische
Darstellung sowie durch seinen lebendigen, geistvollen Vortrag die Aufmerksamkeit seines Schülers zu fesseln, während
Dr. Adrians Vorlesungen über Shakespeare, Ariost, Tasso
u. s. w. ihm eine gute Anleitung zum Studium dieser
Dichter abgaben. Übrigens hütete sich Kehrein während
seiner Universitätsstudien vor dem ‚iurare in verba magistri‘,
zumal in religiöser Hinsicht; er folgte vielmehr dem Beispiel des Kirchenvaters Johannes Chrysostomus (gest. 407
n. Chr.), der als Schüler des geistvollen heidnischen Scho-
lars Libanius (315—391 n. Chr.) zu Antiochien dessen
Unterweisungen in der Redekunst sich gern zu nutze machte,
seine heidnischen Ideen dagegen ablehnte. So äußerte
Kehrein eines Tages einem Studienfreunde gegenüber: „Es
wird gut sein, wenn wir zuweilen den Katechismus zur Hand
nehmen, damit der Herr Professor uns nicht den Glauben
hinwegdisputiert." Auffällig könnte es erscheinen, daß
Kehrein als Philolog Vorlesungen über Botanik hörte.
Auch Professor Wilbrand wunderte sich darüber und erklärte dem Studenten, dieser Fall sei ihm noch nicht vor-
gekommen. Der Jünger der Philologie antwortete, dieses
Fach sei ihm im Seminar (wo es gar nicht) und im Gymnasium (wo es nur in den unteren Klassen gelehrt wurde)
fremd geblieben, und doch erscheine ihm die Kenntnis desselben bei der Lektüre der alten und neuen Klassiker als
notwendig, wenigstens als nützlich; auch wolle er Einsicht in die Zucht der Gartenblumen gewinnen.

Der Herr Professor erklärte lächelnd, letzterer Zweck könne
kaum erreicht werden, da er über forstbotanik Vorlesungen halte. Ein besonderes Studium widmete Kehrein
in Gießen den Gipsabdrücken antiker Bildwerke, wie später
in Darmstadt und Mainz den Werken der Malerei.

Seine Universitätsjahre wurden durch die äußerst liebevolle Aufnahme in dem Hause des Professors Osann,
Direktors des philologischen Seminars, und durch den
Umgang mit einigen biedern, den Wissenschaften mit Eifer
obliegenden freunden gewürzt, was ihn für das durch seine
beschränkten Vermögensverhältnisse gebotene Entbehren
reichlich entschädigte. Konnte er doch nicht einmal wie
andere Studenten die Reisen aus der Heimat zur Hoch-
schule im Postwagen (Eisenbahnen waren damals noch
unbekannt) machen; vielmehr gleich den „fahrenden Schülern" früherer Jahrhunderte legte er, den Ranzen auf dem
Rücken und den Stock in der Hand, den 22 stündigen Weg
zwischen Heidesheim und Gießen stets zu fuß zurück. freilich
gab es dabei öfters Blutblasen auf den fußsohlen; doch
er achtete ihrer wenig und gönnte sich auf dem Wege nur
eine Rast, und zwar gewöhnlich im Dorfe Esch (bei Idstein im Taunus), wo er übernachtete. In Gießen wohnte
er während seiner Studentenjahre bei Rentamtmann Bott,
in dessen familie er ein trautes Heim hatte. In der familie Osann wurde er wie ein Sohn behandelt, und er leistete
seinem verehrten Professor als sogen. Amanuensis manche
Dienste; zugleich nützte ihm aber der persönliche Umgang
mit diesem tüchtigen Philologen ebenso viel zu seiner
wissenschaftlichen Ausbildung als dessen Vorlesungen in
dem akademischen Hörsaale. Zu seinen näheren freunden
aus der Studentenschaft zählte außer Joh. Bapt. Seipp
aus Mainz. Reinhard Vogler aus Kostheim und
Hermann Wiener aus Darmstadt in erster Linie Heinrich Rumpf, mit dem er zeitlebens in regem Briefwechsel

blieb: beide erwiesen sich, zumal in litterarischer Hinsicht, manchen freundesdienst.

In Gießen erteilte Kehrein Gymnasiasten Privat- unterricht. Die Beschäftigung mit der Litteraturgeschichte neben fortdauernder Lektüre deutscher und fremder Dicht- werke hielt auch sein „Versemachen" in Übung, und in diesen Jahren (1832—1834) ließ er mehrere kleine Gedichte in der „Didaskalia" und im „Abendblatt" drucken. Dazu erschien im Sommer 1834 (auf Subskription) bei J. Ricker in Gießen das allegorische Lehrgedicht „Amor und Psyche" in 6 Gesängen. Es ist eine freie poetische Bearbeitung (in achtzeiliger Stanzenform) der gleichnamigen prosaischen Allegorie, welche der Neuplatoniker und Scholar L. Apu- lejus (etwa 160 n. Chr.) aus Madaura (Afrika) seinen „Metamorphosen" (Buch 4—6) eingeflochten hat, und worin das Schicksal der durch mannigfache Prüfungen ge- läuterten menschlichen Seele geschildert wird. Trotz vieler Mühen, welche das Original bereitete, das in einer oft schwülstigen Prosa abgefaßt und mit rhetorischen figuren überladen ist, empfand der Bearbeiter große freude und widmete dieses erste größere poetische Erzeugnis seinem unvergeßlichen Lehrer franz Baur in Mainz unter folgenden Begleitversen:

„Empfange, Teurer, hier die ersten Laute,
Vernehme meiner Lyra zarten Klang!
Da ich die Saiten nicht zu greifen traute,
Doch gern vernahm Apollos festgesang:
Da gabst Du mir die Hand; gestärket schaute
Ich Dir ins Aug', jetzt war mir nicht mehr bang.
Dem jungen Spiel, das nicht im Sturme rauschet,
Vielleicht ein Ohr in stiller Wonne lauschet.

Doch nicht als mein sollst Du das Lied empfangen,
Mir höret nur der Dichtung neu Gewand.
Vom sinn'gen Griechen ist sie ausgegangen,
Und Roma nahm sie froh aus Hellas' Hand;

Und von Italien herüber klangen
Die Harmonien ins deutsche Vaterland.
Im Vaterland der innig-frohen Lieder
Läßt sich die Muse ja so gerne nieder."

In demselben Sommer verfaßte er im Namen der
Mitglieder des philologischen Seminars zum Geburtsfeste
des Professors Osann (21. Aug.) ein Gratulationsgedicht
(Ode) in lateinischer und deutscher Sprache. Auch die Ent-
stehung der 43 lyrischen Gedichte, die er seiner Braut
Elise Holz widmete (ein Bändchen von 85 geschriebenen
Seiten kl. 8°), fällt in jene Zeiten.

Im philologischen Seminar wurden damals jedes Jahr
drei goldene Medaillen von verschiedenem Werte unter die
tüchtigsten und würdigsten Mitglieder verteilt; er erhielt im
zweiten Jahr die dritte, im dritten die zweite.

Bei einer Bücherversteigerung erstand er eine Ausgabe
des Martial (Venetiis 1739. 4°), worin die Varianten
verschiedener Handschriften beigeschrieben sind. Er kannte
den Wert dieses römischen Epigrammendichters (42—102
n. Chr.) bereits aus Lessing und aus Osanns Vorlesungen über die Geschichte der römischen Litteratur. Diese
Umstände und die weise Mahnung des Professors, einen
einzelnen Schriftsteller zum besonderen Studium zu wählen,
bestimmten Kehrein, mehrere Jahre sich mit Martial zu
beschäftigen. Da lange keine brauchbare Ausgabe erschienen
war, so dachte er an die Ausarbeitung einer solchen und
verglich zu diesem Zwecke die meisten älteren Ausgaben
und machte Auszüge aus den vorhandenen Kommentaren.
Eine Abhandlung über das „Buch der Schauspiele, liber
spectaculorum" (geht den Epigrammen Martials voraus),
die er noch vor seiner Anstellung am Gymnasium in Darmstadt in Jahns Jahrb. Suppl. IV. 4, S. 541—553 ab-
drucken ließ, fanden Bähr und später Teuffel in ihren
römischen Litteraturgeschichten der Erwähnung wert. Ab-

geschreckt durch das Martials Epigrammen vielfach man-
gelnde Gefühl für Sitte und Anstand, wollte Kehrein eine
sogenannte purgierte Ausgabe veranstalten, konnte sich aber
mit dem Verleger darüber nicht einigen. Als daher die
Ausgabe von F. Wilh. Schneidewin (der ihn auf seiner
Durchreise nach Paris in Mainz besuchte) 1842 zu Grimma
erschien, schnürte er seine Sachen zu, und sie sind noch heute
zugeschnürt.

Bald nach seinem Abgang von der Universität wurde
Kehrein im Herbst 1834 Hofmeister bei dem einzigen Sohne
des Barons von und zu Weichs in Darmstadt, wo er
das Leben von einer ihm unbekannten Seite kennen lernte.
Seine Stellung brachte ihn in Berührung mit anderen
Hofmeistern, mit verschiedenen vornehmen Familien, auch
mit einigen Gliedern der großherzoglichen Familie. Die
gewonnenen Lebenserfahrungen hielt er nicht für zu teuer
erkauft, wenn er zuweilen auch nur als der erste Bediente
im Hause angesehen wurde. Er hatte bei seinem Zögling naturgemäß mit Unarten zu kämpfen, während derselbe von seinen Eltern mit großer Nachsicht behandelt
wurde. Da der Baron meinte, der Hauslehrer verstehe
kein Französisch; so wurde bei Tisch manches in französischer Sprache ausgetauscht. Als aber dabei mehrmals
etwas für den Hofmeister Unangenehmes berührt wurde,
so hielt ihm dieser es freimütig vor. Der Baron drückte
seine Verwunderung über seines Hauslehrers Verständnis
der französischen Sprache aus, worauf dieser ihm erklärte,
er wisse so viel Französisch, daß er ihn verstanden habe,
und seine Stellung kündigte.

Während seiner Hofmeisterthätigkeit bereitete Kehrein
sich auf das philologische Staatsexamen vor, dem er sich
im Laufe des Monats März 1835 vor der Prüfungskommission in Gießen unterzog. Er traf hier seinen hoch-
verehrten Professor Osann wieder, und zwar als Haupt-

examinator. Die Prüfung war eine schriftliche (Klausur-
arbeiten) und mündliche. In ersterer erhielt er unter anderen eine Frage über das Steuerwesen in Athen, wobei
er Osann gegenüber scherzend bemerkte, in Hessen zahle
man doch keine athenischen Steuern; in letzterer erlaubte er
sich dem Examinator gegenüber bei Erklärung des hebrä-
ischen S c h w a die scherzende Äußerung, daß einige auch
S c h ē w a sagten. Osann lächelte und bedeutete nach der
Prüfung dem Kandidaten, er hätte sehr genau die betreffende Bemerkung aus dem Kolleg behalten. Daß Osann
den jungen Philologen, den er herangebildet, aufrichtig liebte
und schätzte, ist unter anderem daraus ersichtlich, daß er
zeitlebens ihm alle seine akademischen Abhandlungen, sobald sie im Druck erschienen waren, zum Geschenk machte.
Nach Bestehung des Staatsexamens wurde Kehrein am
18. April desselben Jahres von dem großherzoglichen
Ministerium unter die „Zahl der Kandidaten des Gym-
nasiallehramtes" aufgenommen.

III. Die Zeit des Wirkens an den Gymnasien zu Darmstadt und Mainz (1835—1845).

Am 31. Oktober wurde Kehrein „der Acceß am Gymnasium zu Darmstadt, jedoch ohne Anspruch auf eine dem-
nächstige Remuneration, gestattet." Da Gymnasiallehrer
Heinrich Hattemer, dem er zunächst zugewiesen war,
schon einige Wochen nach dessen Antritt nach St. Gallen
als Professor der Kantonsschule übersiedelte; so wurden
ihm dessen meiste Lehrstunden in den Unterklassen zugeteilt.
Um seine Subsistenzmittel zu gewinnen, gab er Privatstunden und richtete mit Genehmigung des Gymnasial-
direktors Jul. Friedr. Karl Dilthey (gest. 17. Febr. 1857)

ein sog. Silentium ein. Da ihm der Direktor gegen Ostern
1836 eine jährliche Remuneration von 300 Gulden in
Aussicht stellte, er also eine Einnahme von 6–700 Gulden
vor sich sah; so vermählte er sich am 5. April 1836 mit
Elisabeth Holz vom Wachholderhof bei Erbach im
Rheingau. Aber der Mensch denkt, und Gott lenkt!
Kehrein war vier Wochen verheiratet, als er mit mehreren
Schülern seiner Klasse einen Spaziergang nach Oberram-
stadt, dem Geburtsorte des Humoristen Lichtenberg,
machte. Auf dem Rückwege verirrten sich die Spazier-
gänger im Wald; Kehrein kam, naß vom Schweiß und
Regen, am späten Abend nach Hause, ging am folgenden
Morgen zur Schule, mußte aber nach der ersten Stunde
nach Hause zurückkehren und sich zu Bette legen, in welchem
ihn dann ein Nervenfieber mehrere Wochen festhielt. Während seiner Krankheit und allmählichen Wiedergenesung
suchten seine früheren Privatschüler sich andere Lehrer, das
Silentium trat nicht wieder ins Leben, die in Aussicht ge-
stellte Remuneration blieb aus, und — das Vermögen
seiner Frau mußte den Ausfall aller Einkünfte decken.
„Es waren harte Tage," erklärte er später öfters, „aber
der Allmächtige hat sie uns überstehen helfen." Zum besonderen Troste gereichte der jungen Familie die liebevolle
Aufmerksamkeit vonseiten des katholischen Stadtpfarrers
Joh. Bapt. Lüft, des ehemaligen Lehrers am Mainzer
Seminar, der seit dem 18. Juni 1835 in Darmstadt neben
dem Pfarramte im Oberschulrat als Mitglied wirkte.
Er brachte stundenlang am Krankenbette seines früheren
Schülers zu und ging der so schwer heimgesuchten Familie
mit Rat und That zur Hand.

In die Zeit von Kehreins Wirksamkeit am Gymnasium in Darmstadt fällt der Beginn seiner deutschen
grammatischen Studien. Gymnasiallehrer Nodnagel
(gest. 30. Januar 1853), durch verschiedene Schriften über

deutſche Litteratur rühmlich bekannt, ermunterte ihn auf
einem Spaziergange, ſich der „deutſchen Philologie" zu
widmen. Die Sache klang ihm fremd, da er nur „Philologie", d. h. altklaſſiſche kannte. Auf ſeines Kollegen
wiederholtes Zureden erbat er ſich endlich auf der Hofbibliothek Grimms deutſche Grammatik, aber nach
eigenem Geſtändnis ging es ihm damit, wie dem Affen
mit der Uhr. Nach einigen Tagen brachte er die Grammatik auf die Bibliothek zurück, holte ſie aber bald wieder
und ſuchte nun, durch anhaltendes Studium in dieſelbe ein-
zudringen. Bei den Abſchnitten über die neuhochdeutſche
Sprache kam ihm ſeine Lektüre der deutſchen Klaſſiker
ſehr zu ſtatten, aber wie oft wünſchte er ſich bei den früheren Perioden unſerer Sprache einen Führer! Was ein
tüchtiger Lehrer ihm in wenigen Stunden klar gemacht
hätte, dazu bedurfte er oft vieler Tage, und auch ſo gelang
es nicht immer.

In dieſe Zeit fällt noch eine andere Beſchäftigung.
Er hatte auf der Univerſität Gießen fleißig deutſche Litteraturgeſchichte ſtudiert, hatte ſeit Jahren viele dramatiſche Er-
zeugniſſe geleſen, und jetzt las er irgendwo die Äußerung
eines engliſchen Staatsmannes, er habe aus Shakeſpeares
hiſtoriſchen Stücken mehr Geſchichte gelernt, als aus einer
Reihe engliſcher Hiſtoriker. Dazu kam die Lektüre des
Buches von K. E. Wagner: „Teutſche Geſchichten aus
dem Munde teutſcher Dichter." Darmſtadt 1831 u. ö.
Kehrein faßte nun den Entſchluß, jene deutſchen drama-
tiſchen Stücke zu leſen, welche ihren Stoff aus der deutſchen
Geſchichte genommen haben. Bücher fand er reichlich in
der Hofbibliothek, in der Theaterbibliothek und in verſchiedenen Leihbibliotheken. Er las dazu jedesmal den
betreffenden Abſchnitt in einem Geſchichtswerke, um über
das Verhältnis des Stückes zur Geſchichte klar zu werden.
Eine Zuſammenſtellung der hierher gehörigen Stücke hat

er später in Herrigs „Archiv für das Studium der neueren Sprachen und Litteraturen" 8. Bd. S. 291—312 gegeben unter der Überschrift: „Die deutsche Geschichte aus dem Munde deutscher Dramatiker." Wir werden später auf diese Studie zurückkommen.

Seine Liebe zum Versemachen, welche durch die gar prosaischen Verhältnisse in Darmstadt wenig Nahrung fand, zeigte sich aufs neue bei zwei wichtigen Anlässen. Er verfaßte anonym ein kleines Singspiel: „Wilhelmine, die Allgeliebte, Allbeweinte, für Hessens Wohl zu früh verschieden am 27. Januar 1836." Darmstadt 1836. Bald darauf verherrlichte er (nach Horazens Weise im carmen saeculare) die Vermählungsfeier des Prinzen Karl Wilhelm Ludwig von Hessen mit der Prinzessin Elisabeth Maria Karoline Viktoria von Preußen durch ein lateinisches Gedicht in sapphischem Versmaß.

Professor Baur, der am Gymnasium zu Mainz den deutschen und geschichtlichen Unterricht in den vier Oberklassen gab, war kränklich und verlangte Erleichterung. Im Jahre 1836 oder 1837 erging eine Entscheidung der großherzoglichen Regierung, wonach am Gymnasium zu Darmstadt nur protestantische, an jenem zu Mainz nur katholische Lehrer wirken sollten. Da Kehrein der einzige katholische Lehrer am Gymnasium zu Darmstadt war, so wurde er durch Dekret vom 18. Februar 1837 als „provisorischer Gymnasiallehramts-Accessist mit einer jährlichen Remuneration von 300 Gulden" nach Mainz versetzt, während der mit ihm tauschende Kollege 500 Gulden Remuneration erhielt. Zunächst erfolgte seine Versetzung ans Gymnasium zu Mainz (wie ihm mündlich mitgeteilt wurde) zu dem Zwecke, den Professor Baur zu erleichtern, der ihm den gesamten deutschen Unterricht abtreten wollte. Für später war auch die Abtretung des Geschichtsunterrichts in Aussicht genommen. So glaubte Kehrein, das

Ideal, das ihm stets vorgeschwebt, erreicht zu haben:
Gymnasiallehrer in Mainz zu werden. Doch die ideale
Auffassung von der Stellung und Aufgabe eines Gym-
nasiallehrers in Mainz sollte bald eine andere werden.
Er traf zur Frühlingsprüfung (10.—13. April) in Mainz
ein, in den Ferien starb der Gymnasialdirektor Reiter sowie
der Gymnasiallehrer Berdelle, und mit Beginn des
neuen Schuljahres 1837/38 wurde Kehrein unter der
Direktion von Dr. Joh. Bapt. Steinmetz (gest. 29. Juli
1851) als jüngster Lehrer Klassenführer (Ordinarius) der
Quarta. Als solcher hatte er nach dem damals herrschenden
„Klassensystem“ hier den Hauptunterricht, d. h. deutsche,
lateinische und griechische Sprache, Geschichte und Geographie. Dazu bestand am Mainzer Gymnasium die
Einrichtung, daß in sehr konservativer Weise die beiden
Klassenführer der beiden Unterklassen ihre Schüler 2 Jahre,
die der drei Mittelklassen die ihrigen 3 Jahre führten,
während die Lehrer der drei Oberklassen in ähnlicher
Weise mit der Klassenführung wechselten. Da aber außerdem bei der Verteilung des Unterrichts und der Klassenführung die Anciennetät eine hervorragende Rolle spielte,
so war es Kehrein nur in zwei Schuljahren beschieden, in
den Mittelklassen zu unterrichten, sonst mußte er sich fast
ausschließlich mit den beiden Unterklassen begnügen, wo
er infolge des hier noch strenger beobachteten Klassen-
systems auch den mathematischen Unterricht erteilen mußte.
So war Professor Baur genötigt, seine Last allein zu
tragen, bis ihn der Tod am 1. Februar 1849 davon befreite. Am 17. Oktober 1837 wurde Kehreins Remuneration auf 500 Gulden erhöht, und am 22. November
1839 wurde er „definitiv als ordentlicher Gymnasiallehrer
mit einem Gehalte von 700 Gulden nebst freier Dienstwohnung“ angestellt, welche Summe durch Dekret vom
28. Februar 1843 auf 800 Gulden erhöht wurde.

Über seine Lehr- und Erziehungsmethode am Mainzer Gymnasium hat mir sein ehemaliger Schüler Jakob Schmitt interessante Mitteilungen gemacht. Er schreibt: [1] „Bei meinem Eintritt in das Gymnasium im Jahre 1839 wurde ich Schüler Kehreins, der damals Ordinarius der Oktava war. Ich kam als Schüler einer Dorfschule, an der bäuerlichen Kleidung als solcher kenntlich, unter die Stadtschüler, die mich sofort mit dem Zurufe »Bauer« begrüßten und wegen meiner ängstlichen Haltung verlachten. Ich wurde nach Tagen und Wochen nicht verschont und wagte es endlich, dem Ordinarius es zu sagen. Die betreffenden Spötter erhielten einen sehr ernsten Verweis, wobei Kehrein die Bemerkung machte, auch er sei der Sohn eines Landmannes, und jeder brave Bauer sei ein Ehrenmann, der für die Ernährung auch der Städter arbeite. Bei einem weiteren ähnlichen Anlaß, wo sich ein feines Stadtbübchen durch Spotten besonders hervorthat, wurde dasselbe von Kehrein vor die Thür gewiesen, worauf er vom Katheder aus das Gedicht von Claudius »Der glückliche Bauer« deklamierte. Bald darauf aber erhielt ich die Einladung meines Ordinarius, jeden Sonntag Mittag 12 Uhr bei ihm zu sein, um an der Mahlzeit teilzunehmen. Dies dauerte so lange, als ich sein Klassenschüler war. [2] Als ich zum erstenmal zum Essen erschien, saß die Familie bereits am Tisch. Ich stellte mich hin und betete. Als ich das Tischgebet vollendet hatte, sagte mein Lehrer: Jakob, das ist schön. Dann wandte er sich zu seiner Frau mit den Worten: Elise, dies hatten wir übersehen. Von jetzt an beten wir

---

[1] Brief vom 11. Januar 1901. Es ist der bereits oben erwähnte Dekan a. D. zu Neustadt i. Odenwald.

[2] d. h. 2 Jahre

zu Tisch, und Franz [1]) betet vor. Sieh, da haben wir
schon den Segen dafür, daß Jakob mit uns speist.

Eine Freude war es uns, seine Schüler zu sein. In
seiner Unterrichts- und Erziehungsmethode ließ sich seine
väterliche Liebe zu den schwachen und gering beanlagten
Schülern herab. Niemals kam ein hartes, verletzendes
Wort gegen dieselben aus seinem Munde. Den glim-
menden Docht blies er nicht aus durch aussichtslose Ent-
mutigung der Schwachen. Nur bei verschuldeten Fehlern
erwähnte er öfter das lateinische Sprichwort: Geminat
peccatum, quem delicti non pudet. (Wer sich seiner Fehler
nicht schämt, verdoppelt sie.) Während der Unterrichtsstunden hatte Kehrein kein Buch in der Hand, er wußte
die betreffenden Lektionen Punkt für Punkt auswendig; [2])
nur den kleinen Pultschlüssel drehte er zwischen den Fingern,
und wenn die Antworten der Schüler versagten, klopfte er
mit dem Schlüssel auf seine linke Hand, als sei darin die
richtige Antwort verschlossen. Großes Gewicht legte er
auf die Repetition des früher Gelernten, wobei er die
Sprichwörter anwandte: Der Baum fällt nicht auf den
ersten Hieb. Die Edelsteine liegen nicht auf der Oberfläche."

Diesen Erinnerungen füge ich zur Ergänzung diejenigen eines anderen ehemaligen Schülers, des Domkapitulars
und Seminarregens Dr. Holzammer zu Mainz, hinzu.
Er schreibt: [3]) „Kehrein war mein erster Klassenführer im
Gymnasium im Jahre 1842 und nahm mich in die
Septima auf, wodurch ich ein Jahr gewann. Dies war
für mich von hohem Werte, da ich bereits 14 Jahre alt

---

[1]) Das älteste Kind, geb. 1837.

[2]) Ich besitze noch eine Anzahl Hefte schriftlicher Vorbereitungen
auf den deutschen, geschichtlichen, lateinischen, griechischen und mathematischen Unterricht.

[3]) Brief vom 15. Januar 1901.

war. Er war ein gewissenhafter, unparteiischer Lehrer, der mit seiner großen Gestalt, seinem Ernst und langen spanischen Rohr uns 54 Buben gewaltig imponierte, als echter Katholik und durch seine gelehrten Arbeiten, wie ich später erfuhr, in weiten Kreisen bekannt und geachtet war."

Einen tiefen Einblick in Kehreins Erziehungsgrundsätze gewährt eine von ihm verfaßte kleine Abhandlung, welche in der von ihm und seinem Kollegen Professor Fr. Baur herausgegebenen Zeitschrift „Gymnasialblätter" (I. Band, Mainz 1845 S. 34—38) erschienen ist und die Überschrift trägt: „Wie ist eine wahrhaft religiöse Gesinnung auf Gymnasien zu erzielen?" Darin heißt es:

1. Kann der Religionsunterricht bei wöchentlich zwei Stunden seine wichtige, umfangreiche Aufgabe lösen? Schwerlich dürfte auch der gewandteste Lehrer hier mit einem unbedingten Ja antworten. — Wie ist der Religionsunterricht zu erteilen? Diese Frage zu erörtern, kommt zunächst Männern vom Fach zu. In aller Bescheidenheit sei nur bemerkt, daß neben dem Moralischen und Dogmatischen auch das Liturgische, Ascetische und Apologetische der christlichen Lehre besonders zu berücksichtigen sein dürfte, um den Unglauben und Indifferentismus immer mehr zu verbannen. In dem Gemüte des studierenden Jünglings muß die wahre Frömmigkeit (nicht falscher Pietismus) tiefe Wurzeln schlagen; er muß frühe und mit hohem Ernste und heiliger Weihe von den Lehren, von den Wahrheiten seiner Religion reden und reden hören; er darf sich nicht schämen, seinen Glauben zu bekennen, seine Religion zu verteidigen, — soll er den gewaltigen Eindrücken des Irreligiösen und einer pietistischen Scheinheiligkeit in der Welt Widerstand leisten und einst als Diener der Kirche und des Staates für das wahre Wohl seiner Mitbürger zu wirken imstande sein.

2. Die Schriften des klaſſiſchen Altertums ſollen aus den Gymnaſien nicht ausgeſchloſſen, wohl aber muß das wahrhaft Edle und Große, Schöne und Gute . . . in denſelben bei der Erklärung mehr hervorgehoben werden, als dies bisher an manchem Orte geſchehen ſein mag. Beim Pflücken der Roſen, ſagt Baſilius der Große,[1]) hüten wir uns vor den Dornen: ebenſo ſollen wir beim Leſen der heidniſchen Schriftſteller alles Nützliche pflücken, das Schädliche aber unberührt laſſen . . .

3. Neben den heidniſchen Klaſſikern ſind auch chriſtliche Schriftſteller in den Gymnaſien zu leſen. Soll es für chriſtliche Geiſter kein Heil geben, als nur im Heidentum? Oder ſollten in den homiletiſchen, apologetiſchen und andern Erzeugniſſen der Kirchenväter, unter den poetiſchen Produktionen chriſtlicher (lateiniſcher und griechiſcher) Dichter keine zu finden ſein, die es nach Inhalt und Form verdienten, von dem ſtudierenden chriſtlichen Jünglinge gekannt zu werden? . .

4. Bei dem Unterricht in der politiſchen, in der Kultur- und Litteraturgeſchichte muß im allgemeinen, wenn auch hier und da etwas modifiziert, der bei Nr. 2 angegebene Geſichtspunkt feſtgehalten werden.

5. Bei dem Unterricht in der Naturkunde und Aſtronomie (wo letztere etwas gelehrt wird, und ſie ſollte nirgends ganz ausgeſchloſſen ſein) darf nicht bei dem Äußeren ſtehen geblieben werden, ſondern das Auge des ſtudierenden Jünglings muß zur Idee, zum Göttlichen durchzudringen angeleitet werden.

6. Daß überhaupt der ganze Unterricht von einem echt religiöſen, wahrhaft humanen Geiſte belebt ſein müſſe,

---

[1]) In ſeiner Schrift (homil 24): Πρὸς τοὺς νέους, ὅπως ἂν ἐκ τῶν Ἑλληνικῶν ὠφελοῖντο λόγων. (Wie die Jünglinge mit Nutzen die heidniſchen Schriften leſen können.)

wenn anders nicht nur der Kopf mit Kenntnissen bereichert werden, das Herz aber leer ausgehen soll, bedarf keiner weitern Erörterung.

Die Persönlichkeit des Lehrers ist in jedem Betracht, im Reden wie im Handeln, in der Schule wie im Leben, als das wichtigste Förderungsmittel des Guten anzusehen. Ist es ihm, bei schönen Worten, nicht wahrhaft Ernst mit der guten Sache, so verhallen seine Ermahnungen.

> Sic agitur censura, et sic exempla parantur,
> Cum iudex, alios quod monet, ipse facit.

Wie hier Ovid, so dringt auch Goethe (im Faust) auf ein Selbstthun, auf ein eigenes Ergriffensein:

> Wenn ihr's nicht fühlt, ihr werdet's nicht erjagen,
> Wenn es nicht aus der Seele dringt
> Und mit urkräftigem Behagen
> Die Herzen aller Hörer zwingt.

Erhabener heißt es in dem Buch der Bücher: Ihr seid das Salz der Erde; ihr seid das Licht der Welt. So leuchte euer Licht vor den Menschen, auf daß sie eure guten Werke sehen. (Matth. 5, 13—16.)

Kehreins Privatbeschäftigung war in Mainz eine vielfältige und angestrengte. Dreihundert (auch fünfhundert) Gulden reichen für eine auch noch so kleine Familie in einer Stadt nicht aus, wo man damals für eine Wohnung, die aus zwei Zimmern und einer Küche bestand, hundert Gulden bezahlen mußte. Kehrein war also wieder auf Privatstunden angewiesen. Neben seinen 26—28 Stunden im Gymnasium gab er allmählich mehr und mehr Privatstunden, so daß die Gesamtzahl seiner wöchentlichen Stunden zwischen 36 und 48 auf- und abschwankte, eine Zeitlang auf 58 stieg und vom Jahre 1843 an wieder auf 36 herabsank. Und wem und worin gab er Privatunterricht? Hören wir

ihn selbst darüber! „Natürlich zuerst Gymnasiasten in verschiedenen Gymnasialgegenständen; dann deutschen Unterricht in drei Mädcheninstituten (mit 8—14jährigen Mädchen);
deutsche Aufsatzübungen (besonders Briefschreiben) und
deutsche Litteraturgeschichte in einem Kränzchen von Damen,
die, um mit Goethes Faust zu reden, »über 14 Jahre
alt waren«; deutschen und geschichtlichen Unterricht den
zwei 16= und 17jährigen Kindern (Sohn und Tochter)
einer adeligen Familie; deutschen Unterricht (Lesen und
Aufsatzschreiben) einem schon verheirateten k. k. Offizier,
der (irre ich nicht), auf einer der spanischen Inseln in
Amerika geboren, sehr gebrochen deutsch sprach; deutschen
Unterricht (Sprechen, Lesen, Schreiben) einem Engländer,
mit welchem ich aber anfangs lateinisch sprechen mußte,
wobei wir, da die Engländer das Lateinische vielfach
anders aussprechen als die Deutschen, erst mehrere Stunden
in einem lateinischen Schriftsteller lasen, um unsere Aus-
sprache wechselseitig einander verständlich zu machen.
Einem andern noch jungen k. k. Offizier, dem Sohne des
österreichischen Kommandanten von Piret gab ich etwa
zwei Jahre lang täglich 4 Stunden im Deutschen (Lektüre
und Aufsatz), in Geschichte und Geographie. Zwei Stunden
davon waren täglich für das Lesen, besonders dramatischer
Stücke bestimmt, wobei die gerade auf dem Bühnen-
repertoir stehenden Stücke immer zuerst gelesen und dann
besprochen wurden.“ Kehrein schrieb sich jedesmal ein
litterarästhetisches Referat nieder, was ihm neben der oben
angeführten Lektüre historischer Dramen bei der Ausarbeitung seiner „Geschichte der dramatischen Poesie der
Deutschen“ trefflich zu statten kam.

In Darmstadt und Mainz besuchte er öfters das
Theater, Deklamationsvorträge und (in Mainz) öffentliche
Gerichtsverhandlungen (besonders wenn bedeutende An-
klagen und Verteidigungsreden zu erwarten waren), um

neben Unterhaltung und sonstiger Belehrung für den münd-
lichen Gebrauch des Wortes in und außer der Schule, für
die Haltung bei öffentlichem Auftreten u. s. w. zu gewinnen. Dies erschien ihm um so notwendiger, als er
auch ein eifriges Mitglied des „Vereins für Kunst und
Litteratur" sowie des „Vereins zur Erforschung der rheinischen Geschichte und Altertümer" [1]) war und in den
zwei Wintern 1837/38 und 1838/39 im sog. Gutenberg-
saal öffentliche Vorträge hielt über deutsche Litteratur im
allgemeinen und dramatische im besondern. Der Verein
für Kunst und Litteratur zählte damals 160—170 Mitglieder, darunter die hervorragendsten Künstler und Gelehrten der Stadt Mainz. Dem Vereinsprotokoll [2]) zufolge
gehörte Kehrein drei Jahre lang (1838—1840) zum Ausschuß des Vereins und wurde am 10. April 1840 nebst
8 anderen Mitgliedern mit der Besorgung des Gutenberg-
Albums betraut, das im Jahre 1841 erschien [3]) unter dem
Titel: „Gedenk-Buch der vierten Jubelfeier der Erfindung
der Buchdruckerkunst in Mainz. 1840." Dasselbe Pro-
tokoll erwähnt aus der Zeit vom 22. Dezember 1837 bis
zum 15. Februar 1839 folgende Vorträge Kehreins:
1. Über den Entwickelungsgang der dramatischen Poesie
der Deutschen (in drei Vorträgen). 2. Über Schiller und
Goethe (Damen anwesend). 3. Ästhetische Bemerkungen
über Lust- und Trauerspiel. 4. Ästhetische Bemerkungen
über die lyrische Poesie. 5. Desgleichen über die epische
Poesie.

---

[1]) Bei seiner Übersiedelung nach Hadamar wurde er korrespon-
dierendes Mitglied.

[2]) Vgl. Dr. Klein, Geschichte des Vereins für Kunst und
Litteratur in Mainz. I. Die ersten 25 Jahre (1823—1848). Mainz.
Auf Kosten des Vereins. 1870.

[3]) Mainz, Seifert'sche Buchdruckerei. XXII und 362 S. gr. 8°.

Und nun zu seiner schriftstellerischen Thätigkeit in
Mainz! Um seiner oben entwickelten Ansicht hinsichtlich
der Lektüre christlicher Schriftsteller neben den heidnischen
Klassikern in den Gymnasien und Lyceen Eingang ins
praktische Schulleben zu verschaffen, verfaßte er eine
„Lateinische Anthologie aus den Dichtern des christlichen
Mittelalters" mit Einleitung und Anmerkungen. Er be-
rücksichtigte darin 14 Dichter aus den acht ersten christlichen Jahrhunderten (von Hilarius bis Theodulphus).
Gleichzeitig mit dieser Arbeit und schon früher beschäftigte
ihn die Abfassung einer „Geschichte der deutschen dramatischen Poesie von den ältesten Zeiten bis zur Gegenwart".
Zu diesem Zwecke las er eine große Menge von dramatischen Erzeugnissen, und bei dieser Gelegenheit legte er
eine Beispielsammlung zu den figuren und Tropen
an, wie Th. Heinsius in seinem „Teut" dieselben entwickelt. So entstand für praktische Schulzwecke die „Beispielsammlung zu der Lehre von den figuren und Tropen in
Theodor Heinsius' Teut", die im Jahre 1839 erschien.
Gleichfalls für die Schule, und zwar zum Gebrauch bei
dem rhetorischen Unterrichte war die „Sammlung deutscher
Musterreden" (1840—1842) in 2 Bändchen bestimmt,
worin auf den Unterschied der Redegattungen möglichst
Rücksicht genommen, und jeder Rede die Gedankenent-
wickelung vorgesetzt ist. Hinsichtlich der Auswahl der einzelnen Reden ließ sich der Verfasser (nach Vorwort S. 6 f.)
von folgenden Gedanken leiten. Ohne moralische, ohne
religiöse Grundlage ist keine innere Ruhe, keine wahre
Bildung möglich; die humane Bildung wird immer auf
dem klassischen Altertume fußen; ohne echte Vaterlandsliebe,
d. h. ohne wahre Liebe zum Vaterland und Vaterlands-
fürsten kann kein politisches Wohl bestehen; ohne ästhetische
Bildung, ohne Schönheits- und Kunstgefühl entbehrt die
Sittlichkeit eine ihrer kräftigsten Stützen.

Wissenschaftlichen Zwecken dient das zweibändige Werk „Die dramatische Poesie der Deutschen", worin die Entwickelung derselben von der ältesten Zeit bis zur Gegenwart (1840) dargestellt und dadurch ein Beitrag zur Geschichte der deutschen Nationallitteratur geliefert wird. Der Verfasser hatte sich die Arbeit nicht leicht gemacht. Hatte er doch, um besonders hinsichtlich der neueren Zeit ein selbständiges Urteil zu gewinnen, allein aus dem 19. Jahrhundert mehr als zwölfhundert Bände dramatischer Erzeugnisse gelesen! Im Jahre 1841 wurde Kehrein der Antrag gemacht, an dem „Leben der Heiligen" teilzunehmen, d. h. die lateinischen und griechischen Biographien zu übersetzen und, wo nötig, ins kürzere zu arbeiten. Er entschloß sich um so leichter zur Teilnahme, da er beim Ausarbeiten seiner „Lateinischen Anthologie" mit den Werken verschiedener Kirchenschriftsteller und ihrer Sprache bereits bekannt geworden war, und da bei diesem „Leben der Heiligen", wie schon auf dem Titel angegeben ist, neben dem Religiösen, das in der Sache selbst liegt, das Kulturhistorische besonders beachtet werden sollte. Es erschienen (1842) drei Bände (das 12.—13. Jahrhundert umfassend), wozu er den Text, sein Mitarbeiter Stadtbibliothekar K. Külb die Anmerkungen lieferte.

Beim Durchstöbern der bischöflichen Seminarbibliothek in Mainz fand er das aus 9 Oktavbänden bestehende Werk des Jesuiten J. Weissenbach „De Eloquentia Patrum in usum ecclesiasticum, Augsburg 1775", und bald hatte er mit dem ihm innig befreundeten Seminarregens M. A. Nickel den Plan besprochen, dieses Werk deutsch zu bearbeiten. Nach Übereinkunft wollte Kehrein den 1. und 2. (nun 4.) Band, Nickel die beiden folgenden Bände bearbeiten. Als der 1. Band gedruckt und der 2. (4.) im Manuskript beinahe vollendet war, zeigte es sich, daß der 2. Band der 4. werden müßte. Da Nickel

gerade mit anderen Arbeiten beschäftigt war, so bearbeitete
Kehrein das Ganze und zog nur in zweifelhaften Fällen,
besonders wo es sich um kirchliche Ausdrücke handelte,
seinen alten Lehrer zu Rate und las ihm zuletzt bei der
Revision die einzelnen Druckbogen vor. So erschien das
ganze Werk „Die Beredsamkeit der Kirchenväter" (1844
bis 1846) in 4 Bänden: 1. Band. Homiletik; 2. Band.
Beiträge zur Moral und Dogmatik (Art Konkordanz);
3. Band. Das Festjahr der katholischen Kirche (Predigten
und kürzere Stellen aus den Kirchenvätern); 4. Band.
Patrologie.

In der Hoffnung, daß ihm bald der deutsche Unterricht in den Oberklassen des Gymnasiums übertragen werde,
suchte Kehrein, mehrere Jahre durch Privatstudien auf
diesem reichen Felde seine Kenntnisse zu erweitern, und
zwar zunächst in der Litteraturgeschichte und in der Grammatik. In beiden Zweigen der deutschen Philologie be-
gnügte er sich nicht mit dem Lesen der vorhandenen Leitfäden und Lehrbücher, sondern er las die Schriftsteller
selbst. Aus diesen Studien erwuchsen seine Bücher „Geschichte der katholischen Kanzelberedsamkeit der Deutschen"
und „Die weltliche Beredsamkeit der Deutschen". Ursprünglich wollte er eine „Geschichte der deutschen Beredsamkeit"
schreiben und war mit seiner Arbeit bereits stark ins
19. Jahrhundert vorgedrungen, als er seinen Plan änderte.
In den Hauptwerken über die Geschichte der deutschen
Beredsamkeit sah er die protestantische Kanzelberedsamkeit gebührend berücksichtigt, während er die katholische zu seinem Bedauern entweder gar nicht erwähnt
fand, oder als unbedeutend, ja, als ganz mißlungen und
keiner weitern Beachtung würdig bei Seite geschoben.
Dazu behandelten einige neu erschienene Werke wiederholt
vorzüglich die Geschichte der protestantischen Kanzelberedsamkeit, während es Kehrein nicht gelingen wollte,

ein Werk über die katholische aufzufinden. Nun zog
er es vor, die Geschichte der katholischen Kanzelberedsamkeit einstweilen für sich zu bearbeiten, und
zwar etwas ausführlicher, als er es anfangs willens gewesen. Da außerdem die Verlagshandlung G. J. Manz
in Regensburg, in der damals auch das „Leben der
Heiligen" erschien, nur die katholische Kanzelberedsamkeit
drucken wollte; so blieb die protestantische im Manuskripte
liegen, während „Die weltliche Beredsamkeit" zuerst in
den „Gymnasialblättern" (1845), dann als Sonderabdruck
1846 erschien. Nebenbei schrieb er eine Abhandlung über
„Goethes Faust" (Kommentar zum 1. Teil, der zum
2. Teil liegt noch im Manuskript) in Viehoffs Archiv für
den deutschen Unterricht (Jahrg. 1843, Heft II, S. 34—97).
Auf grammatischem Gebiete studierte er die hervorragendsten
Vertreter der verschiedenen Richtungen: Friedr. Jak.
Schmitthenner (gest. 1850), Joh. Christ. Heyse
(gest. 1829), Max. Wilh. Götzinger (gest. 1855), ganz
besonders Karl Ferd. Becker (gest. 1849), entschied sich
aber für die historische Richtung Jakob Grimms (gest.
1863), und zwar um so mehr, als im Gymnasium und
in den Instituten verschiedene Grammatiken, grammatische
Leitfäden und Sprachdenklehren eingeführt waren, die er
nicht selten miteinander in Widerspruch fand. Von jetzt
an suchte er, die Ergebnisse der historischen grammatischen
Forschung der Schule zugänglich zu machen. So entstand
zunächst seine „Grammatik der neuhochdeutschen Sprache"
nach Jakob Grimms deutscher Grammatik, welche in
4 Abteilungen (1842—1852) erschien. Während die drei
ersten Abteilungen (Laut- und Flexionslehre, Wortbildungs-
lehre und Syntax des einfachen Satzes) sich an Grimm
anlehnen, ist die vierte Abteilung, welche die Syntax des
mehrfachen Satzes (von Grimm überhaupt nicht behandelt)
bietet, eine durchaus selbständige Arbeit. Übrigens urteilt

ein Rezenſent (in Viehoffs Archiv, Jahr. 1843, Heft 3, S. 145)
über die Syntax des einfaches Satzes: „Was dieſe Arbeit
beſonders empfehlenswert macht, das ſind die zahlreichen
Belege aus Klopſtock, Leſſing, Wieland, Herder, Goethe,
Schiller, Voß, Jean Paul und Uhland, wodurch der Verfaſſer die Regeln erläutert und anſchaulich gemacht hat.
Dieſe Zitate zeugen von großem Fleiße und nicht geringer
Beleſenheit!" Außerdem lieferte Kehrein für Viehoffs Archiv
(1843—44) Abhandlungen über die „Deklination der Eigen-
namen bei Goethe und Schiller", über die „Sprache des
ſchleſiſchen Dichters Opitz" (geſt. 1639) und über ver-
ſchiedene „grammatiſche Einzelheiten" ſowie über die
„Sprache Rückerts" (geſt. 1866), dieſes formgewandten
Dichters der neueren Zeit (in den „Gymnaſialblättern",
S. 100—124, 180—209).

In Mainz iſt der Verkehr zwiſchen Nord- und Süddeutſchen ſehr rege; damals war er es von einer Seite noch
mehr als gegenwärtig, nämlich durch die aus Öſterreichern
und Preußen beſtehende militäriſche Beſatzung. Durch
dieſen Verkehr und durch ſeine Privatſtunden im Hauſe
des öſterreichiſchen und ſpäter des preußiſchen Kommandanten hatte Kehrein, der als entſchiedener Gegner von
Beckers Syſtem die Sprache nicht in ein philoſophiſches
Regelſyſtem zu zwängen, ſondern die Sprachgeſetze der
Sprache ſelbſt, wie ſie im Volke leibt und lebt, abzulauſchen
ſuchte, die beſte Gelegenheit, ſo manche Eigentümlichkeiten
in der Sprache des Nord- und Süddeutſchen kennen zu
lernen, worauf er ſpäter in der 3. Auflage ſeiner „Schulgrammatik der deutſchen Sprache" (1865) aufmerkſam gemacht hat, z. B. bei der Lautlehre, bei der Deklination
der Perſonennamen, bei der Setzung des Präteritums
(Imperfekts) oder Perfekts in der Erzählung, bei dem
Gebrauch mancher Präpoſitionen ꝛc. Da kein Schriftſteller
ſeine Heimat ganz verleugnet, ſo fordert die hiſtoriſche

Sprachforschung auch eine Beachtung der Spracheigentüm-
lichkeiten nach der Geographie, wovon der bloße Gram-
matiklerner keinen Begriff hat. Kehreins oben angeführte
Beschäftigung mit der „Volksliederdichterei“, die Gedichte
des trefflichen Mainzer Volksdichters Friedrich Lennig
(gest. 1838), „Germaniens Völkerstimmen“ von Firmenich
und Schmellers Werke über die Volkssprache in Bayern
legten ihm ein Studium der mittelrheinischen Volkssprache,
zunächst seiner Heimat, sehr nahe. In den „Gymnasialblättern“ veröffentlichte er (1845) eine kleine Abhandlung
über den „Vokalismus der neuhochdeutschen Schriftsprache
und das Verhältnis der Volksmundarten in und um Mainz
zu demselben“. Bei der ihm zeitlebens unvergeßlichen
Germanistenversammlung in Frankfurt a. M. (1846) lernte
er die beiden großen Sprachforscher Jakob Grimm und
Johannes Andreas Schmeller, mit denen er schon
früher in freundschaftlichem Briefwechsel gestanden,[1]) persönlich kennen. Beide bestärkten ihn, auf dem betretenen
Pfade seiner Sprachstudien fortzuschreiten. Mit welcher
Energie er an der Erklärung einzelner Spracherscheinungen
arbeitete, dürfte aus dem einen Beispiel ersichtlich sein, daß
er lange Zeit, ja, manche Stunde in der Nacht, darüber
nachdachte, wie es komme, daß in der mittelrheinischen
Mundart das ei teils beibehalten werde, teils in ā über-
gehe (in Mainz ä, im Niederdeutschen ē gesprochen werde),
z. B. Eis, Wein, dagegen fāl = feil, Klād = Kleid
(Klād, Kled). Endlich fand er durch Vergleichung das
Gesetz, daß das mittelhochdeutsche î in ei (wîn in Wein,
Rhîn in Rhein) übergegangen sei, dagegen ei zu ā werde.
Als er dieses Ergebnis seines Forschens in besagter
Germanistenversammlung mitteilte, eilte Grimm auf ihn

---

[1]) Der älteste im Nachlasse befindliche Brief von Jak. Grimm
ist geschrieben am 9. Dezember 1841.

zu und reichte ihm die Hand mit den Worten: „Nun habe ich auch wieder etwas gelernt." Bei derselben Gelegenheit forderte dieser große Sprachforscher ihn auf, die deutsche Sprache des 15.—17. Jahrhunderts grammatisch zu behandeln; er fühle diese Lücke in seiner Grammatik, habe aber keine Zeit, sie auszufüllen. Kehrein erklärte sich um so eher hierzu bereit, als er bereits seit 4 Jahren Studien für eine deutsche Grammatik des 15.—17. Jahrhunderts gemacht hatte. Übrigens hatte schon die Beschäftigung mit der deutschen Kanzelberedsamkeit ihm den Weg dorthin gewiesen und teilweise gebahnt.

Doch neben den anstrengenden, trockenen grammatischen Studien vergaß er in Mainz die erheiternde Poesie nicht ganz. Im Jahre 1840 verfaßte er ein vierzehnstrophiges Glückwunschgedicht in lateinischer und deutscher Sprache aus Anlaß der Verlobung des Zarewitsch Alexander Nikolaus von Rußland mit der hessischen Prinzessin Maximiliana Wilhelmine Auguste Sophie Marie. Als Mitglied des vom „Vereine für Kunst und Litteratur" gewählten Ausschusses zur Besorgung des Gutenberg-Albums lieferte er für diese Festschrift (1841) ein Gedicht von 28 Strophen (im sog. neuen Nibelungenversmaß), das die Überschrift trägt: „Erinnerung an die Stadt Mainz." Im März 1842 verfaßte er das epische Gedicht: „Die Bettlerin von Locarno". Außerdem übersetzte er „Das Hohelied Frauenlobs" (1843), nachdem er bereits das Leben und Wirken dieses angeblichen Gründers der ersten Meistersängerschule in Mainz, wo er 1318 starb und von den Frauen zu Grabe getragen wurde, in den „Mainzer Unterhaltungsblättern" (1843, Nr. 174—177) von litterarhistorischem Standpunkte aus behandelt hatte.

Fragen wir am Schlusse dieses Lebensabschnittes, woher Kehrein die Zeit zu all den genannten Arbeiten in und außer der Schule nahm; so gibt er uns selbst

darüber Aufschluß mit den Worten: „Ich will das Ge=
heimnis sub rosa verraten, bitte aber, es geheim zu halten
und in keinem Falle meinem Beispiele blindlings zu folgen.
Es lautet: die gute Haushaltung mit der Zeit. Die
kürzeste Nacht im astronomischen Kalender war für mich
noch zu lang, ich kürzte sie auf 5, 4, ja längere Zeit auf
3 Stunden. Ich hatte und habe kein Bedürfnis zum Besuch
des Wirtshauses und anderer zeitraubenden geselligen Ver=
gnügen; ich fand und finde Kraft und Erholung in dem
Wechsel der Arbeit. Daß meine an sich nicht starke, aber
etwas zähe Körperkonstitution eine solche Anstrengung aus=
halten konnte, verdanke ich einer sonst sehr diätetischen
Lebensweise, einem ungestörten Hausfrieden und ganz be=
sonders dem Beistande des Allmächtigen."

IV. Die Zeit der Wirksamkeit am Gymnasium in Hadamar (1845—1855).

Im Jahre 1844 wurden im Herzogtum Nassau einige
Progymnasien zu Gymnasien erweitert, was die Berufung
auswärtiger Lehrer nötig machte. Durch seine oben an=
geführte Abhandlung über Martial war Kehrein dem
nassauischen Schulreferenten, Regierungsrat Seebode (gest.
18. Februar 1868), schon früherher bekannt, und durch
dessen Vermittelung wurde er am 12. März 1845 als
Prorektor an das Gymnasium nach Hadamar berufen mit
einem Gehalt von 1200 Gulden. Sein Übertritt in den
nassauischen Staatsdienst war mitbedingt durch die bessere
Stellung der Staatsdiener (in Gehalt und Pension) und
die größere Fürsorge für deren hinterlassene Witwen und
Waisen. Immerhin wurde ihm die Trennung von Mainz

schwer, wo er so viel wissenschaftliche Anregung gefunden,
einen so großen Kreis von Freunden und Bekannten geistlichen und weltlichen Standes gehabt hatte.

In Hadamar harrte des neuen Prorektors ein großes Ar-
beitsfeld. In der zum vollständigen Gymnasium durch
Anfügung der Sekunda und Prima ausgebauten Lehranstalt
waren zu Beginn des Sommersemesters 80 Schüler einge-
treten, darunter viele von den Gymnasien zu Aschaffenburg,
Frankfurt a. M., Koblenz, Mainz, Weilburg und Wiesbaden.
Neben 23 Schulstunden erteilte er zur Vervollständigung
des deutschen Unterrichts in den oberen Klassen unentgeltlich
2 Stunden mittelhochdeutsche Grammatik, woran sich die
Lektüre von Scenen aus dem Nibelungenlied (im Winter-
semester) anschloß; von den 45 Schülern der III. und II. Klasse
beteiligten sich 27. Zur Erleichterung und Förderung
dieses fakultativen Unterrichts verfaßte er während des
Sommers eine mit Anmerkungen und Wörterbuch ver-
sehene Ausgabe von „Scenen aus dem Nibelungenlied",
welche noch im Laufe des folgenden Winters erschien und
von da an bei der mittelhochdeutschen Lektüre gebraucht
wurde. Eine hohe Genugthuung für seine bisherigen
deutschen Studien wurde Kehrein noch in demselben Winter
dadurch zuteil, daß die Gesellschaft für deutsche Sprache zu
Berlin am 18. Dezember 1845 ihn „in Anerkennung
seiner Leistungen auf dem Gebiete der deutschen Sprache
und Litteratur" zum auswärtigen Mitglied ernannte. Auch
vonseiten der nassauischen Schulbehörde sollte ihm bald
darauf eine besondere Anerkennung dadurch beschieden sein,
daß er bereits am 19. März 1846 zum Professor ernannt
wurde. Nicht minder als dieses schöne Namenstagsgeschenk
erfreute ihn der Eintritt seines treuen Freundes Dr. Jakob
Becker ins Lehrerkollegium zu Ostern 1846. Beide waren
bereits als Kollegen am Mainzer Gymnasium innig befreundet, und Kehrein hatte schon im Anfange des Jahres

1845 bei dem Regierungsrat Dr. Seebode in Wiesbaden um Berufung seines Freundes gebeten, damals aber als Antwort die Anfrage erhalten, ob er nicht selbst Lust hätte, in den nassauischen Staatsdienst überzutreten. Jetzt war sein Wunsch erfüllt: beide Freunde waren wieder vereinigt.

Zu Ostern 1846 wurde der Lehrplan der nassauischen Gelehrtenschulen von 1817 durch einen neuen ersetzt. In den voraufgegangenen Kommissionsberatungen in Wiesbaden war Kehrein Referent für den Unterricht in der deutschen Sprache und Litteratur. Der Gymnasialkursus wurde neunjährig; das Klassensystem blieb das herrschende, doch sollte der Unterricht im Deutschen für die letzten vier Jahre (I a, I b, II, III), im Französischen sowie in Mathematik, Naturwissenschaft, Englisch und Hebräisch für alle Klassen von Fachlehrern erteilt werden. Kehrein, der schon bisher den deutschen Unterricht in den Mittelklassen gegeben, erhielt ihn von Herbst 1846 an für die ganze Zeit seiner Lehrthätigkeit am Gymnasium in den oberen Klassen; dazu erteilte er in den mittleren und oberen Klassen altsprachlichen, zeitweilig auch geschichtlichen Unterricht. In dem Schuljahr 1846/47, setzte er den zu Ostern 1845 begonnenen Kursus mittelhochdeutscher Grammatik und Lektüre fort, woran aus den drei obersten Klassen 25 Schüler freiwillig teilnahmen.

Zu Beginn des Wintersemesters übernahm er die Verwaltung der Gymnasialbibliothek, die er fortan um so lieber behielt, weil sie ihn „Bücherwurm", wie er selbst oft sagte, „mit der Bücherwelt vielfach in Berührung brachte". Doch waren die Bibliotheksräume, die sich im Erdgeschoß der Direktorialwohnung befanden, zu beschränkt und ungesund. Erst im Sommer des Jahres 1848 konnte die Bibliothek in einen zweckentsprechenden Raum des neuen Gymnasialgebäudes verlegt werden, was unter seiner Leitung

ausgeführt wurde. Im Gymnasialprogramm vom Jahre
1849 bemerkt Direktor Kreizner: „Bibliothekar ist aus
Liebe zur Sache, ohne äußere Ermutigung, Professor Kehrein
geblieben und hat die vielseitigen Geschäfte der Gymnasialbibliothek in gewohnter Ordnung und Pünktlichkeit besorgt . . Die Benutzung war am Mittwoch und Samstag
(in bestimmten Stunden) für Lehrer und Schüler; doch
konnten Lehrer auch außer dieser Zeit für etwaige Wünsche
stets eines bereitwilligen Entgegenkommens des Herrn
Bibliothekars sicher sein."

Am 30. Oktober 1847 wurde das durch Gewinnung
des ganzen östlichen Flügels des Hadamarer Fürstenschlosses
erweiterte und erneuerte Gymnasialgebäude, sowie der auf
einem Teil des ehemaligen fürstlichen Gartens neu an-
gelegte Gymnasialturnplatz feierlich eingeweiht und seiner
Bestimmung übergeben. Bei der Übernahme und Ein-
weihung des letzteren hielt Kehrein eine Ansprache an die
Schüler, die in seinen „Schulreden" abgedruckt ist.

„In der Schule hielt Kehrein feste, strenge Disziplin,
und daher war sein Unterricht erfolgreich."[1] „Er beobachtete
als Lehrer stets eine würdevolle und ernste Haltung; selten
kam es vor, daß er eine spaßhafte Bemerkung machte."[2]
„Seine Schüler," erklärt sein ehemaliger Schüler, der Jesuitenpater J. Frink,[3] „hatten Ehrfurcht (nicht Furcht) vor
ihm. Er war wohl der einzige neben dem Religionslehrer
Schmelzeis (gest. als Pfarrer von Lorch a. Rh. 1895),
den wir besuchten und unsere Anliegen mitteilten. Er be-
ruhigte mich unter anderm, als ich die Geduld verlor,
weil grade vor unserem Maturitätsexamen 1853 die sogenannte Selecta (zweites Jahr der Prima) eingeführt wurde,

---

[1]) Brief v. Fr. Brandscheid S. 2.
[2]) Brief von Geistl. Rat Tripp in Limburg, seinem ehemaligen Schüler, v. 20. Jan. 1901.
[3]) Brief v. 11. Dez. 1900.

wir also ein weiteres Jahr am Gymnasium absitzen sollten. In Behandlung seiner Schüler war er nicht kleinlich, hatte Geduld, wenn Mutwille sie verleitete, unter der Bank oder hinter dem Rücken anderer kleine Thorheiten zu machen. Bei seinem scharfen Auge bemerkte er es gar bald, mahnte mit einem kurzen Worte oder mit einem Winke. Bei einem zweiten Versuch freilich kam scharfer Tadel, und mit Recht, weil die wohlgemeinte Warnung vergeblich war. Ihm gestand man daher auch die Thorheiten, die man bei andern Lehrern abgeleugnet hätte. Er verstand die Jugend mit ihren Arten und Unarten besser als andere. In dieser Beziehung dachte ich oft an sein Beispiel, als ich später 23 Jahre Lehrer war." "Bekannt war seine Unparteilichkeit und Gerechtigkeit in Behandlung und Beurteilung seiner Schüler. Ich habe darüber nie eine Klage vernommen, was bei anderen Lehrern hier und da der Fall war."[1]

"Seine Stärke hatte er im deutschen Unterricht, und auf Prüfungen brachte er immer etwas Neues, Interessantes aus der deutschen Sprachwissenschaft zum Vortrag. Von gleichem Interesse waren seine Schulreden, die gewöhnlich große Charakterzüge der alten Deutschen aus der alt- und mittelhochdeutschen Litteratur anschaulich zu schildern wußten. Die kleinen Dramen, die er bei öffentlichen Schulfesten aufführen zu lassen pflegte, und welche der neueren deutschen Litteratur entnommen waren, wurden stets ausgezeichnet vorgetragen."[2] "In der deutschen (historischen) Grammatik stellte er leicht zu hohe Forderungen an die Schüler, in der deutschen Litteratur zeigte er sich als Meister in der Kritik. Es war immer interessant, wenn er in kurzen Zügen eine Charakteristik der deutschen Klassiker und ihrer Werke gab. Dabei wußte er wohl zu unterscheiden die Form und den

---

[1]) Tripp a. a. O. — [2]) Brandscheid a. a. O.

fachlichen Inhalt."[1] Bei der Beurteilung derselben „legte
er offen und frei den christkatholischen Maßstab an. Um
seine Schüler mit einzelnen Stücken bekannt zu machen und
doch vor Schaden zu bewahren, las er dieselben vor, z. B.
den ersten Teil von Goethes ‚Faust'. Scenen, die unpassend
waren, übersprang er, indem er den Zusammenhang in
eigenen Worten herstellte. Auch andere gut geschriebene
Sachen las er seinen Schülern vor mit sprachlichen und
fachlichen Bemerkungen, so Hackländers ‚Soldatenleben im
Krieg', das 1849 als Feuilleton in der Augsburger Allgemeinen Zeitung erschien. Dabei wußte er, eine Reihe
interessanter Bemerkungen zu machen, welche den Gesichts-
kreis der Schüler erweiterten und erziehlich wirkten".[2]
„Wenn er auf litterarische Erzeugnisse zu sprechen kam,
welche dem Schlechten dienten, dann wurde er erregt, und
in scharfer Kritik sprach er seine Mißbilligung und Warnung aus. Ich erinnere mich, sagt Tripp, wie er eines
Tages den Eugen Sue erwähnte und in seinem heiligen
Zorn den drastischen Ausdruck gebrauchte, man sollte ihn
Eugen Sau nennen."[3]

Was die lateinischen Klassiker betrifft, so „verstand
er es, sie so übersetzen zu lassen, daß sie eine tüchtige
Schule fürs Deutsche wurden. Bei Ciceros Briefen z. B.
ruhte er nicht, bis die Übersetzung dem deutschen Briefstil
entsprach. Es war nicht immer leicht, es ihm recht zu
machen. Oft mußten wir, schreibt Frink, den Ausruf
hören: Ja, ist denn das deutsch? Schreibt man so in
einem deutschen Briefe? Ich dachte stets daran, wenn ich
später den Einwurf las, man treibe zu viel Latein und
Griechisch auf Kosten der deutschen Sprache."[4]

---

[1] Tripp a. a. O. — [2] Frink a. a. O. — [3] Tripp. a. a. O. —
[4] Frink a. a. O.

Privatunterricht gab Kehrein in Hadamar nur einige Zeit, und zwar deutschen in einem Mädchenpensionat; seine amtliche und litterarische Beschäftigung gestattete dies nicht auf die Dauer. Weil er in den Litteraturwerken die katholische Litteratur gar zu stiefmütterlich behandelt fand, so wählte er ganz besonders diesen Zweig zum eingehenden Studium, und er hat sich das oft anerkannte Verdienst erworben, durch seine Werke manches Licht über die gewiß nicht unbedeutenden Schätze der katholischen Litteratur verbreitet zu haben. Zunächst verfaßte er für die Schule: „Tabellen der gotischen, althochdeutschen, mittelhochdeutschen und neuhochdeutschen Deklination und Konjugation" (1848); „Kurze Lebensbeschreibungen der Dichter und Prosaiker, aus deren Werken Proben in den besseren deutschen Lesebüchern sich finden" (1848); „Überblick der deutschen Mythologie" (1848); „Proben der deutschen Poesie und Prosa vom 4. bis in die 1. Hälfte des 18. Jahrhunderts". I. Teil. 4.—15. Jahr. Proben im Original mit neuhochdeutscher Übersetzung und sprachlichen Anmerkungen (1. Aufl. 1849; 2. Aufl. 1851). II. Teil: 16.—18. Jahrhundert. Proben im Original mit sprachlichen Anmerkungen (1850). — „Deutsches Lesebuch" (1850), seit der 3. Auflage (1852) in 2 Bänden: „I. Untere Lehrstufe." „II. Obere Lehrstufe" [1] mit dem Zusatz: für Gymnasien, Seminarien, Realschulen. — „Kleine deutsche Schul-

---

[1] Diese Lehrbücher sind von mir neu bearbeitet worden, und zwar zuletzt die „Untere Lehrstufe" in 9. Aufl. 1895, die „Mittlere Lehrstufe" (früher: Obere Lehrstufe) in 8. Aufl. 1895. Dazu ist neu hinzugekommen die „Obere Lehrstufe. I. Teil. Altdeutsches Lesebuch nebst mittelhochdeutscher Grammatik und Wörterbuch" (1899). Von den beiden letzten Teilen ist auch eine Sonderausgabe erschienen: „Mittelhochdeutsche Grammatik und Schulwörterbuch" (1899).

grammatik"[1]) (1852). — „Entwürfe zu deutschen Aufsätzen und Reden nebst einer Einleitung, enthaltend das Wichtigste aus der Stilistik und Rhetorik"[2]) (1854).

Wissenschaftlichen und praktischen Zwecken zugleich sollte dienen sein „Onomatisches Wörterbuch" (1847 - 1853), dessen Anordnung auf den Formen des Ablautes mit Beachtung des auf den Wurzelvokal folgenden Konsonanten beruht. Der wesentliche Wert dieses Werkes besteht darin, daß es die einzelnen Wortbildungen nach Bedeutung und Form durch zahlreiche Beispiele aus unseren klassischen Schriftstellern zu erhärten sucht. Der Verfasser hat es daher auf dem Titelblatt mit Recht als einen „Beitrag zu einem auf die Sprache der klassischen Schriftsteller gegründeten Wörterbuch der neuhochdeutschen Sprache" nennen dürfen. Ein Rezensent der 2. Auflage (1862) erklärt („Repertorium der pädagog. Journalistik" XVI., 2, S. 200) es für ein „gediegenes, von ausgezeichneten Kenntnissen und ungewöhnlich großer Belesenheit zeugendes Buch" und nennt dasselbe einen „reichen Beitrag" zu 2c.

Rein wissenschaftliche Zwecke verfolgte Kehrein in seinem Buche: „Zur Geschichte der deutschen Bibelübersetzung vor Luther nebst 34 verschiedenen deutschen Übersetzungen des 5. Cap. aus dem Evangelium des hl. Matthäus" (1851)[3]) Demselben Zwecke dienen die folgenden Werke,

[1]) Von mir neu bearbeitet, zuletzt in 5. Auflage. Leipzig, Otto Wigand, 1896: „Kleine deutsche Schulgrammatik für höhere Lehranstalten".

[2]) Von mir neu bearbeitet, zuletzt in 9. Auflage. Paderborn, Ferd. Schöningh, 1897.

[3]) Wenn Dr. Fr. Bilz in seiner Abhandlung „Über die gedruckte vorlutherische Bibelübersetzung" (in Herrigs Archiv 61, 4) 1879 und W. Walther in seinem Werke „Die deutsche Bibelübersetzung des Mittelalters. Braunschweig 1889—92" behaupten, daß

und zwar: „Kirchen- und religiöse Lieder aus dem 12. bis
15. Jahrhundert" (1853). Es enthält deutsche Übersetzungen
von 113 lateinischen Hymnen aus dem 12. Jahrhundert,
32 deutsche Originallieder und freie Bearbeitungen lateinischer
Hymnen aus dem 14. bis 15. Jahrhundert und im Anhang
18 ältere bereits gedruckte deutsche Übersetzungen und
Originallieder. Sprachliche Anmerkungen und ein Wörterbuch erleichtern die Lektüre der vielfach schwer zu ver-
stehenden Texte. Benutzt wurden zu dieser Hymnen- und

---

es nur eine hochdeutsche Bibelübersetzung vor Luther gegeben habe,
die in 14 Auflagen (1466 - 1518) erschienen sei, und W. Walther
gegen J. Kehrein besonders polemisiert; so wird die von ihnen
beliebte Beweisführung sachkundige Leser nicht überzeugen. Sieht
sich doch W. Walther genötigt, wenigstens mehrere „Rezensionen"
anzunehmen; dazu gesteht er (Sp. 713): „Wenn die verschiedenen
Handschriften so genau hinsichtlich ihrer Sprache geprüft worden
sind, wie es nur Germanisten-von Fach (!) möglich ist, wird sowohl
die Gegend als auch die Zeit der Entstehung einer jeden Übersetzung sich sicher bestimmen lassen." Dann aber könnte man mit
demselben Rechte die Luthers Namen tragende Übersetzung eine
„Rezension" der früher erschienenen hochdeutschen Bibeln nennen,
zumal der in Nürnberg 1483 bei Koburger gedruckten Bibel, deren
vielfache Übereinstimmung mit der lutherischen Dr. Bilz selbst nicht
leugnet. Wenn er außerdem (S. 390) bemerkt: „Luthers Übersetzung
ist nichts anderes als der letzte (?), allerdings bewunderungswürdig
vollendete (?) Ausläufer einer durch Jahrhunderte hindurch stätig
fortgesetzten Geistesarbeit, von der die besprochene gedruckte Bibelübersetzung die immerhin beachtenswerte letzte Etappe war"; so kann
man in gewissem Sinne diesem Urteile zustimmen. Übrigens ist und
bleibt über die Entstehung der lutherischen Bibelübersetzung belehrend
die Schrift von Luthers Zeitgenossen G. Wicel in „Euangelion
Martini Luters rc. Leipzig bei Michael Blum. 1533", besonders
Kap. 25, worin es unter anderem heißt: „Ich wolt yhn (Luther)
aber loben vnd gleych anbeten, wenn er vns hette sollen ein deudsche
Biblien aus Lauterm blossen Hebraischen machen on zuthun der
70 Griechen vnd S. Hieronymi Latein und der alten deudschen Bibel,
welche wir vor gehabt, diese haben ym vorgearbeyt, vnd er ynn
fremde arbeyt getretten ist."

4*

Liedersammlung zum ersten mal die einschlägigen (5) Handschriften der k. k. Hofbibliothek zu Wien. Doch das her-
vorragendste Werk aus dieser Zeit ist die dreibändige
„Grammatik der deutschen Sprache des 15. — 17. Jahrhunderts (1854—56), woran der Verfasser über 12 Jahre
gearbeitet hat. Sie ist in vielen Rezensionen als eine Aus-
füllung der bei Jak. Grimm, wie er selbst in der
Vorrede seiner deutschen Grammatik sagt, empfindlichen
Lücke zwischen der Darstellung des Mittel- und Neuhochdeutschen gelobt worden und gibt auch jetzt noch allein
über jene Periode der deutschen Sprache sicheren Aufschluß.
Es war eine lange und schwierige Arbeit, die Kehrein
übernommen hatte. Galt es doch, ein bisher ganz wild
gelassenes Feld anzubauen. Neun volle Jahre nahm allein
die Lektüre der einschlägigen Schriftsteller und (ungedruckten)
Handschriften in Anspruch, dann erst konnte zur Sichtung,
Ordnung und Ausarbeitung geschritten werden. Von
großem Interesse war es für ihn, bei diesen Studien den
Entwicklungsgang unserer Sprache vom Mittelhochdeutschen
zum Neuhochdeutschen zu verfolgen: wie man sich allmählich
in der zweiten Hälfte des 14. Jahrhunderts (in Flexion,
Wortbildung und Syntax) vom Mittelhochdeutschen entfernte
und so zu unserer heutigen Sprache gelangte; wie die
gemeine deutsche Sprache des 15. und 16. Jahrhunderts, die auf den Mundarten des mittleren und oberen
Deutschlands beruhte und in einem sehr großen Teile
Deutschlands als Sprache der Kanzleien und (seit Erfindung
des Buchdrucks) der Bücher herrschte, allmählich den
Sieg errang über die Mundarten des Nordens und Südens
und so, nachdem sie nach dem Sturm der „klassischen Gelehrsamkeit“ und im „à la mode-Zeitalter“ das „galante
Kauderwelsch“ überwunden hatte, die Schriftsprache
für ganz Deutschland wurde. Hier sah sich Kehrein in
vollem Gegensatz zu Jak. Grimms Anschauung, der in

der Einleitung zu seiner deutschen Grammatik (Göttingen 1819—37, und sogar noch in der 3. Ausgabe des 1. Bandes 1840) die Entstehung der neuhochdeutschen Schriftsprache mit der Kirchenspaltung in Deutschland, beziehungsweise mit Dr. M. Luther in Verbindung bringt. Daher kam es zu einem lebhaften Briefwechsel zwischen Grimm und Kehrein, bis jener in der Vorrede zu seinem Wörterbuch Spalte XVIII. erklärte: „Die hochdeutsche sprache zerfällt in drei perioden. Zur althochdeutschen rechnen wir ihre frühesten denkmäler ungefähr vom siebenten bis zum eilften jahrhundert, zur mittelhochdeutschen die vom zwölften bis in die mitte des funfzehnten; es ist nothwendig beide untereinander wie von dem neuhochdeutschen zu sondern, weil die formen der althochdeutschen sprache voller und edler als die der mittelhochdeutschen sind, diese aber an reinheit die unsrigen weit übertreffen. blosz der übergang vom alt- zum mittelhochdeutschen kann hin und wieder schwanken und zweifelhaft sein. Dasz bald nach 1450 mit erfindung der druckerei eine neue zeit in den wissenschaften anhebt, bedarf keiner ausführung. erst mit dem jahr 1500, oder noch etwas später mit Luthers auftritt den neuhochdeutschen zeitraum anzuheben ist unzulässig und schriftsteller wie Steinhöwel, Albrecht von Eib, Niclas von Wile, ja Keisersberg, Pauli und Brant, die doch schon ganz seine farbe tragen, würden ihm damit entzogen. seit Luther steigt nur die Fülle und freiere behandlung der literatur." Dieses offene Bekenntnis war für Kehreins grammatische Studien ein großer Lohn vonseiten des Mannes, der ihn zur wissenschaftlichen Untersuchung jener sprachlichen Übergangsperiode aufgefordert hatte.[1]

---

[1] Wenn daher in den neuen Bearbeitungen von Kehreins „Überblick der Geschichte der Erziehung und des Unterrichtes"

Mehr praktisch-religiösen Zwecken war Kehreins Mitarbeit an den „Stunden christkatholischer Andacht" gewidmet,
einem zweibändigen Werke, das im Jahre 1845 (zu Stuttgart im Verlage von J. F. Cast) erschien und von katholischer Seite den weit verbreiteten, selbst in gebildete katholische Kreise eingedrungenen Aarauer „Stunden der Andacht"
von H. Zschokke entgegengestellt wurde.

Trotz der aufregenden Wirren des Jahres 1848 und
mitten in denselben ruhte Kehreins Liebe zur Poesie nicht.
Er verfaßte eine ganze Reihe von epischen und lyrischen
Gedichten, darunter den Romanzenzyklus „Herzog Ernst"
(26 Romanzen nach dem bekannten Volksbuche); die meisten
erschienen im „Beiblatt" zum „Nassauischen Zuschauer".
Dazu übersetzte er eine große Zahl lateinischer Kirchen-
hymnen metrisch ins Deutsche, von denen einige gleichfalls
im „Beiblatt" zum „Nassauischen Zuschauer" abgedruckt
sind; die meisten sollten aber erst später entsprechende Ver-
wendung finden. Umgekehrt übersetzte er (1850) die sogenannte „Deutsche Singmesse" ins Lateinische, und zwar
zum Gebrauche beim Schulgottesdienst der Gymnasiasten.
Dazu schrieb er die „Geschichte des Gymnasiums zu Hadamar" (Gymnasialprogramm v. J. 1848) und lieferte
Beiträge in verschiedene Zeitschriften. Eine ehrenvolle Anerkennung seiner litterarischen Leistungen wurde ihm dadurch
zuteil, daß er am 22. Februar 1853 von der „Königl.
Deutschen Gesellschaft zu Königsberg" zum ordentlichen
Mitglied ernannt wurde.

Im Jahre des „Völkerfrühlings" (1848) war ihm
noch eine besondere Thätigkeit beschieden.

Luther als „der Schöpfer der neuhochdeutschen Sprache" bezeichnet
wird, so rührt diese Ansicht von Kehrein nicht her. Darum ist sie
auch in keiner der von ihm selbst besorgten 4 ersten Auflagen
(1873 — 1876) zu finden.

„Am 4. März
   Da schwoll das Herz —"
auch den Bewohnern des Städtchens Hadamar und der
umliegenden Dörfer. Sofort ertönte hier der Ruf: „Freiheit, Gleichheit, Brüderlichkeit!" Unter Sturmesbrausen
von Westen (Frankreich) her war ja der politische Frühling genaht. Die „Häuser" erbebten davon in Deutschland;
Rhein, Spree und Donau wurden in ihren Tiefen aufge-
wühlt und schlugen gewaltige Wogen, in denen auch mancher Kapitän und Matrose des alten Staatsschiffes den
politischen Tod fand. Die Sonne der Freiheit ging auf,
neues Leben weckend auf dem Felde des Geistes. Es
sproßten die ersten Pflanzen: Preßfreiheit, Associations- und
Petitionsrecht; nur e i n e, zarterer Natur, wollte nicht gedeihen, weil sie die Stürme nicht vertragen konnte, der
Kredit, zumal das Mißjahr 1847 unmittelbar voraufge-
gangen war. Die Vögel erwachten, die Sänger in deutschen
Hainen, freilich nur Singvögel niederen Ranges. Schmetterlinge von allen Farben und Formen flogen lustig auf,
Broschüren nämlich und Zeitungen erfüllten die Luft. Es
war eine Freude anzusehen, wie sie lustig in dem freige-
gebenen Elemente sich umtummelten und wie die Schwalben
auf- und niederkreuzten. Aber auch anderes Getier in
Höhlen und Wäldern, in Sümpfen und Morästen weckte
die milde Frühlingssonne. Es kamen aus ihren Verstecken
hervor die, so nur vom Raube leben wollten, vom Beute-
teilen sprachen; das Gebrüll von Fürstenfressern vernahm
man in den deutschen Wäldern, sowie das Gequak von
Ehefreiheit u. dgl. aus den Morästen; zahllos kleineres
Gewürm, durch den Strahl der Frühlings-Freiheitssonne
belebt und geweckt, wand sich aus dem Sumpfe der sittlichen Fäulnis heraus; auch ein kleines Häuflein der Geistlichkeit, das im Schilf und Seegras sich eingenistet, stimmte
fein Frühlingsliedchen an. Alles war erwacht, aus dem

Haufe geeilt und tummelte sich auf dem politischen Felde. In Hadamar wurden zahlreiche Volksversammlungen für Stadt- und Dorfbewohner auf dem unteren Marktplatze vor dem Rathause, in der alten Pfarrkirche (Totenkirche), abends im sog. Nonnenkloster[1]) für die Bürger der Stadt und in anderen Lokalen gehalten. In diesen Versammlungen trat neben dem katholischen Stadtpfarrer Hartmann Professor Kehrein und sein Kollege Kollaborator Dr. Becker häufig auf und suchten, das aufgeregte Volk zu beschwichtigen und vor Ausschreitungen zu bewahren. Mit Vergnügen erzählte er noch öfters, wie er in einer Volksversammlung auf dem unteren Marktplatz den Sieg errungen über einen freiheitsdurstigen Studenten, der den dort zahlreich versammelten Bürgern die „freiheitlichen Forderungen des deutschen Volkes gegenüber den Regierungen" erklären wollte. Als der Bruder Studio gerade sein Thema der Versammlung angekündigt hatte, rief Professor Kehrein mit seiner kräftigen Stimme von dem großen, in der Mitte des Marktplatzes befindlichen Brunnen aus: „Ihr Bürger, haltet ihr euch für so dumm, daß ihr euch von einem Studenten wollt belehren lassen?" Alsbald ertönte es von allen Seiten: „Nein, herunter mit ihm!" und der Bruder Studio mußte die Rednerbühne verlassen.

Nur eine Erscheinung des „Völkerfrühlings" ließ Kehrein kalt: die Errichtung der Bürgergarde. Weil er schwächlicher Natur war, insbesondere oft an Kolik litt, so stellte ihm der Medizinalrat Dr. Wilhelm das Zeugnis der „Untauglichkeit für den Kriegsdienst" aus. So brauchte er an den „kriegerischen" Übungen sich nicht zu beteiligen, während er oft lächelnd zusah, wie seine Kollegen, selbst der Direktor Kreizner, und die geeigneten Schüler der Oberklassen exerzierten und wachstanden. Als er an einem

---

[1]) Pfründnerhaus für Frauen und Hospital.

schönen Nachmittage mit dem ihm innig befreundeten Pfarrer Hartmann spazieren ging, konnten beide auf dem Felde das interessante Schauspiel beobachten, wie Direktor Kreizner mit mehreren Kollegen und einigen anderen hervorragenden Bürgern sich eigens militärisch einüben ließen. Pfarrer Hartmann schlug erstaunt in die Hände und lachte herzlich, worauf Direktor Kreizner das Gewehr beiseite warf und fortging. Zur besonderen Freude gereichte es der kriegsgeübten studierenden Jugend, vor dem Gymnasium oder anderen hervorragenden Gebäuden wachzustehen. Übrigens hatten die Freiheitsideen sich von den ersten Anfängen des „Völkerfrühlings" an der Gymnasialschüler bemächtigt; denn als am 4. März (Mittwoch) Direktor Kreizner morgens seine gewohnte lateinische Unterrichtsstunde in der Prima (Ciceros Reden gegen Verres) halten wollte, hatten alle Schüler das Knopfloch mit Freiheitskokarden versehen, alle aber bis auf den vorn auf der Ecke sitzenden die Röcke geschlossen. Als der Direktor die zur Schau getragene Kokarde erblickte und sie abreißen wollte, wurden wie auf Kommando alle Röcke losgeknöpft, so daß alle Schüler im Kokardenschmuck erschienen. Der Direktor verließ bleich vor Entrüstung das Schullokal, klopfte aber auf dem Heimwege dem Professor Kehrein, den er gerade am Fenster seines Wohnzimmers erblickte,[1] und bat ihn, statt seiner die Unterrichtsstunde zu halten. Dieser begab sich sofort zu den Herren Primanern, betrat den Katheder (was schon auffiel, da er dies nur that, wenn er den Schülern eine besondere Mitteilung zu machen hatte) und erklärte: „Vor dem Jahre 1848 war ich kein Tyrann gegen euch, und im Jahre 1848 bin ich kein Einfaltspinsel. Nehmet den Cicero heraus." Alle schwiegen und griffen zu den Büchern; die

---

[1] Dessen Wohnung, die sog. „alte Aula", lag der Direktorialwohnung gerade gegenüber.

Kokarden, die ihn unberührt gelassen, verschwanden allmählich, so daß am Ende der Stunde keine mehr sicht-
bar war.

Überhaupt „war Professor Kehrein," so teilt ein da-
maliger Schüler, der Jesuitenpater J. Frink[1]) mit, „der
einzige, welcher Einfluß behielt auf die jungen Brause-
köpfe des Gymnasiums. Die Herren der oberen Klassen
hatten damals auch Freiheiten begehrt und Forderungen
gestellt. Sie wollten wöchentlich zweimal ins Wirtshaus
gehen, wollten Freiheit im Rauchen, wollten mit Sie statt
Du angeredet sein u. s. w. Kehrein brachte es zuwege in
einer Versammlung der zwei oberen Klassen, daß die jungen
Leute wieder nüchtern und ruhig wurden. Von den anderen Lehrern hätten sie in der tollen Zeit nichts angenommen". Zur Ergänzung dieses Urteils möge noch die
Bemerkung dienen, welche Direktor Kreizner im Gymnasialprogramm von 1849 macht: „Durch das Übergreifen
mißverstandener Zeitbegriffe aus dem politischen Leben in
die Schule, das teils in der Bewegung selbst lag, teils von
außen in mancherlei Weise unterhalten wurde, war die
disziplinarische Leitung der Schüler in diesem Jahre (1848)
erschwert und nicht ganz imstande, alle Auswüchse eines
jugendlich aufgeregten Geistes im Bereiche der verschiedenen
Erziehungsseiten fern zu halten."

Aber auch auf dem Lande wirkte Kehrein mit seinem
Freunde Dr. Becker durch seine Reden erfolgreich für Erhaltung der Ruhe. Begleitet und wirksam unterstützt wurden diese Wanderredner häufig von einem allbekannten
Bürger aus Hadamar, Namens Wilhelm Schneider
(„Kettern Willem", gest. 24. März 1901), der durch seine
urwüchsige Beredsamkeit gefiel und den Volkston sehr
gut zu treffen wußte; auch Pfarrer W. Tripp von

---

[1]) Brief vom 11. Dezember 1900.

Niederzeugheim war ein treuer Bundesgenosse, der sich, wenn die Volksredner die Männerschar um sich in der Kirche versammelt hatten, öfters gegenüber dem Professor die scherzende Aufforderung gestattete: „Kleiner, steige auf den Stuhl! Jetzt muß geredet werden." Als Lokal nämlich für die Volksversammlungen dienten auch hier gewöhnlich die Kirchen, wo die beiden befreundeten Kollegen abwechselnd das Präsidium übernahmen und von der Kanzel herab aufklärende und zugleich beruhigende Reden an die versammelten Dorfbewohner hielten. Nur einmal wäre ihnen beinahe mit schlagenden Beweisen erwidert worden, als sie nämlich etwas scharf gegen den Schnapsgenuß eiferten. Augen- und Ohrenzeugen wissen sich noch zu erinnern, daß Professor Kehrein auch von der Landbevölkerung gern gehört wurde, weil er „interessant und frei gesprochen habe". Nicht am wenigsten gerade durch seine Reden in den Volksversammlungen lenkte er die Aufmerksamkeit seines späteren hohen Gönners und Freundes, des Erzherzogs S t e p h a n von Österreich, auf sich, der als Palatin von Ungarn im Jahre 1848 geflüchtet war und auf Schloß Schaumburg, 3 Stunden von Hadamar an der Lahn gelegen, eine Zufluchtsstätte gefunden hatte.

Um den liberalen und radikalen Ideen besser Eingang zu verschaffen, planten deren Vertreter in Hadamar, im Laufe des Sommers einen Leseverein zu gründen, und kündigten zu diesem Zwecke eine Versammlung in einem geräumigen Wirtslokale an, woran ein kleines Stübchen anstieß. Sobald Kehrein von diesem geplanten Unternehmen hörte, sammelte er seine Gesinnungsgenossen und erschien rechtzeitig zur großen Überraschung jener Gründer, zu dem auch einer seiner Kollegen gehörte, in dem Saale. Als dieser Kollege Absicht und Plan des Lesevereins dargelegt, erfuhr er vonseiten Kehreins entschiedenen Widerspruch. Da versuchte jener ein gewagtes Spiel, indem er

die Anhänger Kehreins aufforderte, sich in das anstoßende
Stübchen zu verfügen, damit durch eine Scheidung der Par-
teien die Meinung der Versammlung besser kund gemacht
werde. Kehrein ging voran in das Stübchen, und seine
Gesinnungsgenossen folgten nach, und zwar so zahlreich,
daß bald der Ruf ertönte: „Es ist voll! Gegenprobe!"
Da nahmen die siegesgewissen Liberalen Reißaus und ver-
ließen das Lokal, worauf unter Kehreins Vorsitz ein kon-
servativ-christlicher Leseverein gegründet wurde.

Als die Wogen des politischen Lebens höher stiegen,
und revolutionäre Bestrebungen sich überall geltend machten,
schritt man in Hadamar zur Gründung eines konservativen
Tageblattes, das mit dem 1. Juli als, „Nassauischer Zuschauer" ins Leben trat. Redakteur wurde Professor Heinrich Barbieux, der gar oft auch den Schriftsetzer spielen
mußte, zumal wenn die dienstbaren Geister Montags
„feierten". Kehrein lieferte die Leitartikel und die Korrektur
dieser Zeitung, jedoch sind außer seinen Gedichten im
„Beiblatt für Unterhaltung und Belehrung" (Sonntags-
blatt) nur wenige Beiträge mit seinem Namen unterzeichnet, z. B. „Das deutsche Kirchenlied vor der Reformation", „Beitrag zum näheren Verständnis eines Lehrplanes für das (die) nassauische(n) Schullehrerseminar(ien)"
u. e. a. Nicht selten ließ ihm der Redakteur aus der
Druckerei die Nachricht zugehen, das vorhandene Manuskript sei gedruckt, aber es reiche nicht, wo er dann im
Interesse der guten Sache unvorhergesehene Artikel schreiben
mußte.

Anfangs Juli tagte zu Wiesbaden eine große Lehrerversammlung, an der auch Kehrein teilnahm. Hier stellte
er den Antrag auf Errichtung eines zweiten Lehrerseminars,
und zwar eines katholischen. Der erste Teil des An-
trages wurde nach langer Debatte angenommen, der zweite
dagegen hatte sich der Zustimmung der Majorität nicht

zu erfreuen. Indessen zirkulierten bald in verschiedenen Ämtern (Amtsbezirken) unter den Katholiken Petitionen an die Ständekammer um Errichtung eines katholischen Seminars. In diesen Petitionen, die großenteils im „Nassauischen Zuschauer" abgedruckt sind, wird besonders darauf hingewiesen, daß das Seminar in Idstein das einzige paritätische in ganz Deutschland sei, während man doch überall Religionsfreiheit proklamiere. Im Anschluß an die Wiesbadener Lehrerversammlung und die dort stattgefundenen Beratungen hinsichtlich des Seminarlehrplanes sprach Kehrein im „Beiblatt" (Nr. 4 vom 23. Juli) des „Nassauischen Zuschauers" seine Ansicht dahin aus, daß neben einem tüchtigen, den ganzen Menschen ergreifenden Religionsunterricht die deutsche Sprache und Litteratur das Hauptlehrfach in einem Schullehrerseminar sein müsse. Zugleich übte er an der zu Wiesbaden (bei L. Riedel 1848) gedruckten Broschüre „Ansichten der Volksschullehrer Nassaus über eine zeitgemäße Umgestaltung des Volksschulwesens" scharfe Kritik, da hierin die speziellen Vorschläge der Lehrerwelt mitgeteilt waren. Überhaupt „konnte[1]) er seine Entrüstung über damalige Elementarlehrer aus Diesterwegs[2]) Schule, welche sich hochtrabend und wegwerfend über religiöse Dinge äußerten, nicht stark genug aussprechen; auch derbe Ausdrücke scheute er gelegentlich nicht."

Der „Nassauische Zuschauer" förderte auch wesentlich die Gründung von katholischen Vereinen im Anschluß und

---

[1]) Fr. Brandscheid a. a. O.

[2]) Friedr. Adolf Wilhelm Diesterweg, geb. 29. Oktober 1790, gest. 7. Juli 1866, wurde 1820 Seminardirektor in Mörs, 1832 in Berlin, 1847 entlassen, 1850 in Ruhestand versetzt. In seiner Ansprache bei Entlassung der Abiturienten am 2. Mai 1868 sagte Kehrein (Schulreden S. 147): „Der religiöse Geist, der in den Rheinischen Blättern von Diesterweg ... herrscht, ist nachgerade als ein außer dem Christentum stehender erkannt worden."

nach dem Vorbilde des zu Mainz zuerst ins Leben getreten "Piusvereins". Nachdem zahlreiche Abgeordnete
der Piusvereine aus allen deutschen Gauen vom 3.—6. Oktober 1848 in Mainz versammelt waren, den "Katholischen Verein Deutschlands" gegründet, durch dessen Präsidenten, Professor Dr. Buß aus Freiburg i. B., die ent-
worfenen Statuten veröffentlicht und zur Bildung weiterer
Zweigvereine dringend aufgefordert hatten, — da wollten
auch die Katholiken des ehemaligen Fürstentums Hadamar,
die schon längst das Bedürfnis nach einem religiösen Vereine empfunden, nicht länger mit der Gründung eines
solchen zurückhalten. Nachdem Kehrein und Dr. Becker
mit dem Präsidenten des Mainzer Zentralvereins in Beziehung getreten waren, und ein "provisorischer Ausschuß"
gewählt war, erschien nach mancherlei Vorberatungen am
1. Dezember im "Nassauischen Zuschauer" der die Gründung ankündigende "Aufruf an die Katholiken Hadamars",
und am Sonntag den 3. Dezember fand nach beendigtem
Nachmittagsgottesdienste in der alten Pfarrkirche die feierliche Eröffnung des "Johann=Ludwigs=Vereins für
religiöse Freiheit und Volkswohlfahrt" unter dem Zudrange
einer höchst zahlreichen Versammlung statt. Nachdem
Pfarrer Hartmann die Versammlung eröffnet hatte, gab
Medizinalrat Devora einen geschichtlichen Überblick der
bereits bestehenden katholischen Vereine Deutschlands. Hierauf erläuterte Professor Kehrein die Gründe, welche den
provisorischen Ausschuß bewogen, dem Verein den besonderen Namen Johann=Ludwigs=Verein zu geben.
"Johann Ludwig," so führte der Redner aus, "war ein
edler Mensch, ein tüchtiger Fürst, ein liebender Gatte, ein
besorgter Vater, ein frommer Christ; Hadamars Bewohner
verehren in ihm ihren Fürsten, ihren Wohlthäter, den
Gründer ihres Gymnasiums, den Wiederhersteller der katholischen Religion im Fürstentum Hadamar; Ausbreitung

und Unterstützung der katholischen Religion, Pflege der Armen und Notleidenden war Johann Ludwigs unermüdliches Streben, was mehrere zum Teil noch heute bestehende Einrichtungen und Stiftungen bekunden." Nachdem hierauf Dr. Becker, der zu Mainz der Eröffnung des Zentralvereins beigewohnt, über dessen Zweck und die von demselben für Zweigvereine gegebenen Satzungen gesprochen, wurden die hieraus für Hadamar sich ergebenden örtlichen Zwecke in folgende Punkte zusammengefaßt:

1. Die Gründung eines Lesevereins und einer Volksbibliothek;

2. die Ausdehnung und Ordnung der Privatwohlthätigkeit;

3. die Erhaltung und Wiederherstellung der alten Pfarrkirche;

4. die Mitwirkung des Vereins zur Errichtung eines Bürgerspitals.

Der erste Zweck war teilweise schon erreicht durch den bereits bestehenden Leseverein, die andern sollten nunmehr erstrebt werden. Schon acht Tage später, am 11. Dezember, konnte die erste Generalversammlung des neuen Vereins stattfinden, wo die Zahl der Mitglieder bereits weit über 100 betrug. Bei der Wahl des aus 3 Mitgliedern bestehenden Vorstandes wurde Medizinalrat De vo ra durch überwiegende Stimmenmehrheit zum Präsidenten, Professor Kehrein zum Vizepräsidenten erwählt.

In den folgenden Wochen wurden die Statuten im einzelnen festgestellt und gedruckt, das Lesezimmer und die Bibliothek eingerichtet; und nachdem Gymnasialdirektor Kreizner auf Bitten des Vorstandes die Gymnasialaula zur Abhaltung der engeren Versammlungen bereitwillig zur Verfügung gestellt hatte, fand die erste dieser Versammlungen am 26. Dezember unter zahlreicher Beteiligung statt. Da hier wieder viele Bürger Hadamars dem Ver-

ein beitraten, ſo betrug am Schluſſe der Verſammlung die
Zahl der Mitglieder 160. Hier ſprach unter anderen Red-
nern Profeſſor Kehrein über „öffentliche Gottesverehrung,
im allgemeinen und über feierliche Umgänge (Prozeſſionen)
und Wallfahrten im beſonderen", wobei er die gegneriſchen
Einwürfe der „Nutloſigkeit und moraliſchen Gefahr" der-
ſelben widerlegte.

Alle Redner wieſen hin auf die Vorteile der gewährten
religiöſen Freiheit, die Schwäche und Haltloſigkeit des Po-
lizeiſtaates und die Notwendigkeit religiöſer Verſammlungen,
aus deren Schoß das einzige Mittel fließen könne, welches
das lecke Schiff des Staates in den Hafen der Ruhe zu-
rückbringen und die Menſchheit mit ſich ſelbſt verſöhnen
werde.

So hatte der „Johann-Ludwigs-Verein" ſeine Lebens-
fähigkeit bewieſen, und er ſollte in der Folgezeit weſentlich
dazu beitragen, viele Wirren von Hadamar und der Umgegend fern zu halten. Wenn Kehrein aber auch durch
die erzielten Erfolge ſeiner politiſchen Thätigkeit in dem
Jahre des Völkerfrühlings erfreut wurde, ſo miſchte
ſich doch alsbald mit dem freudigen Gefühle das der
Wehmut; denn nach der Rückkehr geordneter Verhältniſſe
in Naſſaus Gauen ſchrieb ein Regierungsbeamter in Wiesbaden an ihn: „Man weiß Jhnen hier Dank, daß Sie
weſentlich zur Aufrechterhaltung der Ordnung und Ruhe
dort beigetragen haben; aber mußte denn dies von katho-
iſchem Standpunkte aus geſchehen?"

Im Sommer des Jahres 1851 hatte Kehrein das
Glück, Sr. K. K. Hoheit, dem Erzherzog Stephan von
Öſterreich auf Schloß Schaumburg perſönlich bekannt zu
werden, nachdem er ſchon ſeit Januar desſelben Jahres
mit Hochdemſelben Briefe gewechſelt und verſchiedene ſeiner
Bücher der erzherzoglichen Bibliothek zum Geſchenk gemacht hatte. Am Sonntag den 10. Auguſt nämlich wurde

er nebst Medizinalrat Devora zur erzherzoglichen Mit-
tagstafel gezogen, und, wie öfters in der Folgezeit, wurde
zur Hin- und Rückfahrt ein erzherzoglicher Wagen zur
Verfügung gestellt. Während dieses ersten Aufenthaltes
auf dem Schlosse Schaumburg fand eine längere Unter-
redung über deutsche Sprache und Litteratur zwischen dem
Herrn Erzherzog und Professor Kehrein statt, wobei auch
der alten Schätze der K. K. Hofbibliothek in Wien Erwähnung geschah, namentlich des religiös-kirchlichen Teiles
derselben. Auf ausdrücklichen Wunsch Sr. K. K. Hoheit
bezeichnete Kehrein diejenigen Handschriften, die für ihn
von besonderem Interesse wären. Nach einigen Wochen
wurde er höchst freudig überrascht durch eine Zusendung
Sr. K. K. Hoheit, welche eine von Joseph Haupt,
Hilfsarbeiter an der K. K. Hofbibliothek in Wien, ge-
fertigte und von dem Hilfsarbeiter Joseph Müller
genau verglichene Abschrift der von ihm längst gewünschten
litterarischen Schätze enthielt. So entstand das oben erwähnte Buch: „Kirchen- und religiöse Lieder aus dem
12.—15. Jahrhundert". Der Herr Erzherzog zeigte hinfort das größte Interesse für Kehreins litterarische Arbeiten,
schenkte ihm seine Freundschaft und lud ihn oft nach
Schaumburg ein. Dort verlebte er in seinen Ferien jedesmal mehrere Tage. „Im Umgange mit diesem hochge-
bildeten, überaus leutseligen Herrn," erklärt er selbst, „und
seinen edlen Geschwistern, dem Herrn Erzherzog Joseph
(jetzt Honvedgeneral in Ofen) und der Frau Erzherzogin
Marie (jetzt Königin von Belgien), waren für mich
jene Tage immer schöne Tage in Aranjuez." Eine Sammlung von 180 Briefen, welche der Herr Erzherzog vom
Jahre 1851 bis einige Monate vor seinem Tode (17. Februar 1867) ihm eigenhändig schrieb, waren ihm zeitlebens
ein teures Andenken. Der Briefwechsel zwischen ihm und
seinem hohen Gönner und Freunde war ein sehr lebhafter

5

und erfolgte nicht felten alle 14 Tage, öfters unter er-
fchwerenden Umftänden, zumal wenn Schloß Schaumburg
von häufigem Befuch heimgefucht war.   Da opferte Se.
K. K. Hoheit fogar Stunden der Nacht dem Brieffchreiben;
mehrmals wurden Briefe zur Nachtzeit neben dem Krankenlager des Erzherzogs Jofeph abgefaßt. [1]) Der Herr Erzherzog
zeigte fich darin ftets als wahren Mäcen, der mit großem
Intereffe und inniger Teilnahme die angenehmen und un-
angenehmen Vorfälle im Familienleben, in der amtlichen
und litterarifchen Thätigkeit feines Schützlings verfolgte.
So heißt es in letzterer Hinficht beifpielsweife in dem Briefe
vom 28. Dezember 1852: „Die Ausftattung des Werkes
(„Kirchen- und religiöfe Lieder“) ift des Gegenftandes wert,
und eitel könnte ich am Ende auch werden, wenn ich die
Vorrede lefe und überlefe, worin meiner fo ehrenvoll, ja
allzufreundlich Erwähnung gemacht wird ... Das 13. Heft
(Schluß) Ihres onomatifchen Wörterbuchs ift mir nun auch
fchon in 12 Exemplaren von Ritter [2]) zugekommen, und
heute unter der Bemerkung, daß es finis coronat opus fei,
fämtlichen Schulen des Standesgebietes zugefandt worden.
Sie hätten Ihre Freude daran, wenn Sie fich in allen
meinen 12 Schulchroniken angeführt fehen würden, da
überall der Überfendung Ihres Werkes Erwähnung ge-
fchieht — noch größere Freude aber in der perfönlichen
Überzeugung, daß manche Lehrer fich das Buch fehr zu
Nutze gemacht, die Kinder in diefem Genre etwas gelernt
haben.“   Und am 10. Januar 1853 fchreibt der Herr
Erzherzog: „Sie haben mir durch die Dedikation des
Buches („Kirchliche und religiöfe Lieder“) und durch die
Überfendung von 6 Exemplaren deffelben und des für
meine Privatbibliothek beftimmten Sammteinbandes fo viel.

---

[1]) Brief vom 12. Januar und 17. Februar 1857.
[2]) Verlagsbuchhändler in Wiesbaden.

Freude verursacht, daß ich mich gedrungen fühle, Ihnen eine kleine Gegenfreude zu bereiten! Ich sage nicht ohne Grund eine kleine Gegenfreude; denn die Nadel,[1]) die ich Ihnen anliegend übermittle, ist ein Alltagsstück, ein Stück, was Sie tragen sollen, nicht ein pretium aestimationis, sondern ein pretium affectionis. Gerade daß die Sache so einfach und schlicht ist, mag Ihnen beweisen, daß ich von Ihnen nur zu gut überzeugt bin, daß Sie kein eigennütziger Autor, sondern ein Mann sind, der mir das Werk aus persönlicher Zuneigung und Achtung zugedacht, was beides nicht nach Diamanten oder Dukaten bemessen wird." Der Herr Erzherzog lieferte sogar eigenhändig litterarhistorische und sachlich-erklärende Notizen zu einzelnen Büchern seines Freundes, z. B. zur 4. Auflage des Lehrbuches II,[2]) zum Büchlein über deutsche Rechtschreibung.[3]) In dem Briefe vom 28. Juli 1853 bedauert Seine K. K. Hoheit den leidenden Zustand des Gymnasialdirektors Kreizner und bemerkt mit Rücksicht darauf, daß Professor Kehrein schon längere Zeit die Direktorialgeschäfte besorgen mußte: „An Ihnen bewundere ich, daß Sie nebst den vielen ordentlichen Geschäften auch die außerordentlichen und nebstbei auch litterarische Arbeiten fördern können, ungerechnet die Möglichkeit, in den Ferien noch Exkursionen zu machen — nur ein Beweis, daß, wenn man will, der Tag mehr als 12 Stunden hat!" Nachdem der Herr Erzherzog sodann in dem Schreiben vom 20. Oktober 1853 zur Absicht seines Freundes, „Professor Wolff's Hausschatz deutscher Prosa wieder neu aufzuwärmen, bon appetit" gewünscht, bemerkt er weiter: „Nur das Rezept gesucht, wie der Tag 36 Stunden statt 24 zählen kann, und dann macht es sich gar leicht! — Freilich haben Sie in Ihrem Schreiben an

---

[1]) Eine goldene Vorstecksnadel. — [2]) Brief vom 22. August 1857 und 30. Januar 1861 — [3]) Brief vom 12. Oktober 1869.

mich ein schlagendes Argument angeführt, warum Sie so
fürgehen müssen. Sie könnten die Kraft nämlich nicht
schonen, so lange die Besoldung so sehr geschont wird —
aber ich bin anderseits von Ihrer notorischen, nunmehr zur
zweiten Natur gewordenen Thätigkeit überzeugt, daß, wenn
Sie auch ein halber Crösus wären, Sie vielleicht die Pro-
fessur, nie aber das Schriftstellern aufgeben würden."

Sehr bezeichnend ist auch die Äußerung des hohen
Mäcen in dem Briefe vom 9. Juli 1854, wo er hinsichtlich des aufgetauchten Gerüchtes von der bevorstehenden
Ernennung eines zweiten, katholischen Schulreferenten in
Wiesbaden schreibt: „Ich würde Sie, aufrichtig gesagt,
recht herzlich bedauern, wenn auf Sie die Wahl fällt, vorangeschickt, daß zwei nebeneinander stehen sollen." Und
am 17. Oktober 1854 spricht Hochderselbe feine Ansicht
hinsichtlich allerlei Veränderungen im Schulwesen dahin
aus: „Ihnen scheint also doch Montabaur zu blühen —
nun in Gottes Namen — doch besser, als wie ewig auf
einer Stelle stagnieren, viel Arbeit und wenig Vergnügen
dabei haben! — Was die Nähe zu Schaumburg anbelangt,
ist der Unterschied zwischen Hadamar und Montabaur nur
sehr gering zu nennen, der Wirkungskreis gleichfalls ein
sehr ehrenvoller, und für Ihre Frau bei ihrer Häuslichkeit
das Ganze ein idem pro eodem!" Nachdem sodann am
6. Dezember der Herr Erzherzog „feinem lieben Professor
Kehrein" für die Mitteilung einer Hochdenselben betreffenden Zeitungsnachricht gedankt und dazu bemerkt hatte:
„Die Mitteilung zeigte, wie Sie für mich gesinnt sind!
Erhalten Sie mir diese Ihre freundlichen Gesinnungen,
und feien Sie auch Ihrerseits versichert, daß ich stets den
regsten Anteil an all dem nehme und nehmen werde, was
Sie betrifft" — war Hochderselbe noch vor Beginn des
neuen Jahres 1855 in der Lage, ihn (in dem Schreiben
vom 31. Dezember) anzureden: „Mein lieber Herr Pro-

fessor fuit, Direktor est!" und zur baldigen Übernahme
der Direktion des Lehrerseminars zu gratulieren, wobei er
zugleich der Hoffnung Ausdruck gab, daß hinsichtlich der
augenblicklichen „kirchlichen Wirren" dem neuen Direktor
feine „Klugheit, Ruhe, Takt und (worauf er besonders hoffe)
ein baldiges Einverständnis mit Rom" aus etwaigen Verlegenheiten helfen werde. Dann heißt es weiter: „Sie erwähnen den Kostenpunkt nicht — soll es 1518 fl., soll
es 1700 fl. setzen? Letzteres wäre freilich angenehmer,
aber die Auszeichnung und das Vertrauen muß und kann
man anrechnen, und Sie kommen endlich aus einer Zwitter-
stellung heraus... In Montabaur sind Sie nun unum-
schränkter Herr und Meister und können sich rühmen,
fortan eben so hoch auf einer Felsenkuppe zu thronen wie
Ihr Schützer in Schaumburg. Ihr Beruf ist schön, die
jungen Lehrer fürs Land heranzubilden, durch sie der
ganzen Volksjugend nützlich zu werden, von einer ungemein lohnenden und großen Wichtigkeit; mögen Sie Ihre
Mühen gelohnt, Ihre Anstrengungen anerkannt sehen, aber
nebenbei auch so viel Zeit finden, Ihr schönes litterarisches
Talent nicht brach liegen lassen zu müssen! Dies meine
frommen Wünsche am Silvesterabende!"

Da wir nunmehr von Hadamar Abschied nehmen, so
möge hier der Ort sein, über Kehreins Wirksamkeit in
diesem Gymnasialstädtchen aus dem Programm von Ostern
1855 die betreffenden Worte des Gymnasial-Direktors
Kreizner (gest. 20. November 1857) mitzuteilen: „Fühl-
barer wurde uns die Abberufung eines dritten Kollegen,
des als deutscher Sprachforscher weit und rühmlich bekannten Herrn Professors Kehrein, der, nachdem er vom
Sommer 1845 an als Ordinarius von Mittel- und Oberklassen und als Fachlehrer für deutsche Sprache in den
obersten Klassen so berufstreu als segensvoll gewirkt hatte,
mit Januar 1855 als Direktor an das katholische Schul-

lehrerseminarium zu Montabaur versetzt wurde." Dazu
bemerkt ergänzend Kehreins ehemaliger Kollege, Konrektor
Brandscheid: „Professor Kehrein zu Hadamar war ein Mann
von entschiedenem Charakter und daher allgemein hoch-
geachtet ... Er war seinen Kollegen ein lieber Kollege,
seinen Freunden ein lieber Freund, allen ein liebens-
würdiger Gesellschafter. Er wußte sich durch sein gesell-
schaftliches Talent und die zahlreichen Bonmots, mit denen
er seine Unterhaltung zu würzen verstand, sehr beliebt zu
machen. Seine Toaste. bei öffentlichen Festlichkeiten zeich-
neten sich durch treffende Kürze und schlagende Wirkung
aus." [1])

Übrigens erschien er nicht häufig zu geselligen Zu-
sammenkünften; denn hierzu fühlte er kein Bedürfnis.
„Sein Studierzimmer," sagt Tripp [2]), „die Kirche und
Schule waren sozusagen die einzigen Stätten feines Aufenthaltes. Er ging felten spazieren, und wenn er dann
und wann zur Erholung einen Spaziergang machte, so
geschah es immer an der Seite feiner Gattin, mit der
er ein so schönes, ruhiges und friedliches Familienleben
pflegte."

„In seiner religiösen Gesinnung war er ruhig und
fest; bei ihm war der kirchliche Glaube und das kirchliche
Leben etwas unmittelbar Gegebenes, etwas Selbstverständ-
liches; bei ihm gab es keine zweifelhaften Fragen und
Bedenken. Der äußere Ausdruck dieser kirchlichen Gesinnung war das innige Freundschaftsverhältnis, in welchem
er mit dem Pfarrer Valentin Hartmann stand. Als
in jener ereignisschweren und tief bewegten Zeit, die auf
das Jahr 1848 folgte, die Morgenröte der kirchlichen
Freiheit und Selbständigkeit aufleuchtete, und allenthalben
sich neues Leben in den Gliedern der Kirche regte, sich in

---

[1]) A. a. O. — [2]) A. a. O.

froh-begeiſtertem Bekenntnis der Treue gegen die Kirche und der Verehrung ihres Oberhauptes kund gab und genährt wurde durch die zahlreich gegründeten Piusvereine — da war es in Hadamar Profeſſor Kehrein, der mit ſeinem Geſinnungsgenoſſen Medizinalrat Devora an der Spitze dieſer Bewegung ſtand. Noch lebt lebendig in meiner Erinnerung jene herrliche Kundgebung der Liebe, Verehrung und Ergebenheit geben den hl. Vater, als der Piusverein zu Hadamar in einem großartigen Fackelzuge, an dem alle Bewohner der Stadt ſich beteiligten, durch die Straßen der Stadt nach dem Pfarrhauſe zog, wobei Kehrein und Devora in Anreden der frohen Begeiſterung Ausdruck gaben."

Für die Gymnaſiaſten war es insbeſondere ſehr erbauend, wie Dekan Knie mir mitgeteilt,[1]) wenn ſie ihren Profeſſor regelmäßig mit den Schülern ſeiner Klaſſe[2]) am Tiſche des Herrn erblickten, oder in der ſonntäglichen Chriſtenlehre in einem der Chorſtühle ſahen, wie er zuhörte und durch Zeichen die Richtigkeit oder Unrichtigkeit der Antworten der chriſtenlehrpflichtigen Jugend zu erkennen gab.

„Ich bin überzeugt," erklärt ſchließlich Tripp,[3]) „daß alle, die ihn kannten, mit mir in dem zuſammenfaſſenden Urteil übereinſtimmen: ein Mann von ſeltener Charaktervollendung, der Feſtigkeit und Offenheit in ſeinen religiösſittlichen Grundſätzen, Pflichttreue in ſeinem Beruf, eiſernen Fleiß in ſeinen Privatſtudien, Genügſamkeit und Beſcheidenheit in ſeiner Lebensweiſe in ſeltener Vollendung miteinander vereinigte; ein treuer Sohn ſeiner Kirche und gewiſſenhafter Diener des Staates, der dem Kaiſer gab, was

---

[1]) Mündlich am 23. Dezember 1900.
[2]) Die einzelnen Klaſſen gingen der Reihe nach alle 8 Wochen zur hl. Kommunion. — [3]) A. a. O.

des Kaisers, und Gott, was Gottes ist; als Lehrer, Erzieher und Gelehrter gleicherweise geehrt und geachtet von
feinen Schülern und Standesgenossen."

"Die hohe Verehrung, welche er in Hadamar genossen, fand einen schönen Ausdruck, als er im Winter
von 1854 auf 1855 von dort Abschied nahm. Die Gymnasiasten der oben Klassen brachten ihm eine Ovation, bei
welcher sie ihrem scheidenden Lehrer herzlichen Dank abstatteten für seine Lehrthätigkeit und aus seinem Munde
die letzten liebevollen Ermahnungen vernahmen."

Nachdem nämlich Kehrein am Samstag den 13. Januar
feinen Unterricht am Gymnasium geschlossen, "brachten
ihm [1]) die Schüler des Gymnasiums einen prächtigen
Fackelzug mit der Militärmusik aus Diez, wobei eine fast
nicht zu übersehende Menschenmasse anwesend war. Am
16. Januar war großes Abschiedsessen, eingeleitet von dem
Stadtrat; teilnahmen der Gymnasial-Direktor und alle
Gymnasiallehrer mit Ausnahme von zwei." Bei dieser
Gelegenheit sagte dem Scheidenden sein Kollege Brandscheid:[2])
"Herr Professor, Sie haben einen sehr schönen, einladenden
Namen." Er erwiderte trocken und nachdrücklich: "Kehr-ein
und Kehr-aus!" Die Abschiedsfeier in Hadamar war nach
dem Urteil des Erzherzogs Stephan [3]) für ihn eine „Genug-
thuung, die beweise, daß Gymnasium und Bürgerschaft
richtig erkannt haben, wie er es mit ihnen redlich gemeint".
"Bei der Seltenheit ähnlicher Ovationen," fährt Seine K. K.
Hoheit fort, "ist ein derartiger Erfolg um so glänzender
und um so erfreulicher."

---

[1]) Nach dem Berichte der „Deutschen Volkshalle" vom
23. Januar 1855.
[2]) A. a. O. — [3]) Brief vom 24. Januar 1855.

V. Seine Wirksamkeit
am Lehrerseminar in Montabaur. (1855 – 1876.)

Bei hohem Schnee und 18° R. Kälte erfolgte am 16. Januar die Uebersiedelung der Familie nach Montabaur. Die [1]) Schüler des Lehrerseminars hatten sich zur Zeit der Ankunft derselben an der äußeren Ringmauer des Schloßberges aufgestellt und begrüßten ihren neuen Direktor durch ein passendes Lied. Mittlerweile war derselbe unter sie getreten, und nun stellte ihm Seminarlehrer Hartmann seine künftigen Schüler mit einigen Worten vor. Darauf brachte ein Zögling der ersten Klasse im Namen seiner Mitschüler die Erstlinge ihrer Gefühle dar, sprach seine Freude darüber aus, daß dem verwaisten Seminar wieder ein Haupt und Vater gegeben sei, nach welchem sie sich so lange gesehnt, und bat ihn, sich ihrer als seiner folgsamen, in Liebe und Vertrauen sich ihm hingebenden Kinder anzunehmen. Der Direktor erwiderte in einigen herzlichen Worten und behielt sich eine längere Ansprache für eine andere Gelegenheit vor. Diese bot sich denn auch schon am 19. Januar dar, indem an diesem Tage durch den neuen katholischen Schulreferenten Dekan Petmecky von Wiesbaden als herzoglichen Kommissarius die feierliche Installation stattfand. Um 10 Uhr morgens versammelten sich die Lehrer und Zöglinge der Anstalt, die Geistlichkeit und Lehrer der Stadt und Umgegend, sowie der gesamte Stadtrat nebst mehreren Bürgern in dem festlich geschmückten Prüfungssaale. Bald darauf erschien Direktor Kehrein an der Seite des Kommissarius, und nun wurde von dem Musiklehrer Meister die Feierlichkeit mit

---

[1]) Der folgende Bericht ist entlehnt dem Korrespondenten im „Allgem. Nassau. Schulblatt 1855, Nr. 5".

einer passenden Motette eröffnet, worauf Seminarlehrer
Hartmann ein aus dem Herzen kommendes, würdevolles
Gebet sprach. Demnächst entledigte sich der Kommissarius
des ihm von hoher Landesregierung gewordenen ehren-
vollen Auftrages: den seither am Gymnasium zu Hadamar
angestellt gewesenen Professor Kehrein den Lehrern und
Zöglingen als ihren Direktor vorzustellen und hiermit in
sein neues Amt einzuführen. Dabei hob er, unter Bezug-
nahme auf seine vor drei Jahren gelegentlich der Eröffnung des Seminars gehaltene Rede, namentlich hervor,
wie die religiöse Erziehung der Jugend ebenso sehr im
Interesse des Staates als der Kirche liege, worauf er mit
nachdrücklicher Betonung gegen die Lehrer der Anstalt das
Vertrauen äußerte, daß sie sich eines einträchtigen Zusammen-
wirkens mit ihrem Direktor befleißen würden.

Nachdem nun die Zöglinge das schöne Lied: „Mit
Gott" von Konradin Kreutzer gesungen hatten, trat
Direktor Kehrein auf und hielt eine längere Ansprache. [1]
Nach kurzem Hinweis auf seine bisherigen Lebensverhält-
nisse sagte er: „Ich hatte in Hadamar einen schönen Wir-
kungskreis und glaubte, dort die mir noch verliehenen
Lebenstage zum Wohle der studierenden Jugend anwenden
zu können. Aber der Mensch denkt, und Gott lenkt! Am
4. Januar wurde ich von Sr. Hoheit, unserm allgeliebten
Landesfürsten, zum Direktor der hiesigen Anstalt ernannt."
Sodann wies er auf die ihm obliegenden wichtigen Pflichten
hin, zu deren treuer Erfüllung er Stärkung und Beistand
von Gott erfleht. Hierauf wandte er sich an seine neuen
Kollegen mit der Erklärung, daß er mit dem vollsten Vertrauen in ihre Mitte trete, mit einem Herzen, dem Wahrheit und Offenheit heilige Güter seien; zugleich bat er

---

[1] Dieselbe ist vollständig abgedruckt in seinen „Schulreden"
S. 2—8.

dieselben, ihm stets mit der nämlichen Gesinnung entgegen-
zukommen, ihm mit männlichem Freimut jeden ihrer
Wünsche zu eröffnen und ihn aufmerksam zu machen auf
alles, was nach ihrer Ansicht das Beste der Anstalt fördern
könne, wobei er insbesondere auf die Notwendigkeit ge-
meinsamen Beratens und Wirkens hinwies.   Dann wandte
er sich an die Geistlichkeit mit der Bitte, sie, die vermöge
ihrer Stellung ganz eigentlich zu Seelenführern der Jugend
berufen seien, das Lehrerkollegium bei der Erziehung und
Bildung der ihm anvertrauten Jünglinge mit Rat und
That zu unterstützen.   Endlich bat er die Eltern und Mitbürger, außerhalb der Schule die Zöglinge zu schützen und
vor Abwegen zu bewahren.   Zuletzt richtete er liebevolle,
aber auch ernste Worte an die Schüler selbst, wobei er die
hohe Wichtigkeit ihres künftigen Berufes hervorhob, sie
vor seichter, flacher Halb- und Vielwisserei warnte, sie auf
die Religion als den Mittelpunkt aller wahrhaften Er-
kenntnis, die Grundlage des ganzen wissenschaftlichen
Gebäudes hinwies, sie zu genauer Ordnung und uner-
müdlichem Fleiße in den Studien mahnte, vor Vergnügungs-
sucht, verkehrtem Umgang und schlechter Lektüre warnte
und zu wohlgesittetem Verhalten in und außer der Schule
aufforderte.   Er schloß mit der Bitte zu Gott um Kraft
und Beistand im Amte, um Segen für den Landesherrn,
den Bischof, das Vaterland und die Stadt Montabaur.

Der neue Seminar-Direktor hatte hiermit gewissermaßen das Programm für seine Thätigkeit entworfen;
doch fehlte ihm zu dessen glücklicher Ausführung noch ein
wichtiger Mithelfer, der Religionslehrer.   Darum gereichte
es ihm zu großer Freude, daß bald nach seinem Amts-
antritte ihm die Namen von drei Diözesanpriestern bekannt
gegeben und er aufgefordert wurde, den ihm passendsten
zu bezeichnen.   Er wählte den ihm schon länger bekannten
Kaplan Peter Müller zu Hadamar, der dann auf

Grund der Vereinbarung der geiſtlichen und weltlichen
Behörde zum Seminarlehrer ernannt und am 10. Februar
in ſein neues Amt in Gegenwart von Lehrern und Schülern
eingeführt wurde. Da derſelbe ſchon in Hadamar dem
Profeſſor Kehrein nahe ſtand und nunmehr in Montabaur
ihm als Seminardirektor noch näher trat, ja, gewiſſer-
maßen ein Glied ſeiner Familie werden ſollte; ſo dürfte
es wohl gerechtfertigt erſcheinen, ·die Hauptgedanken der
Anrede hier folgen zu laſſen, welche Kehrein bei jenem
Anlaſſe gehalten hat. Nachdem er auf die Religion als
den wichtigſten Lehrgegenſtand hingewieſen, drückte er ſeine
Freude darüber aus, daß der Religionslehrer, der bisher
gefehlt, nunmehr vorhanden ſei, er, deſſen ganz eigentlicher
Beruf es ſei, als ſolcher wie als thätiger Mitaufſeher im
Internat der Seelenführer der Jugend zu ſein. Sodann
bezeichnete er die Veranlaſſung, die Lehrer und Schüler
verſammelt, eine erfreuliche mit Rückſicht auf die Perſon
des neuen Kollegen, wobei er bemerkte: „Ich habe die
Ehre, Sie ſeit Jahren perſönlich zu kennen; ich kenne
Ihren Eifer, Ihre Hingabe für alles, was das geiſtige
und leibliche Wohl Ihrer neuen Schüler fördern kann.
Darum heiße ich Sie doppelt willkommen. Treten Sie
mit Gottvertrauen in Ihr neues Amt ein, in die Mitte
Ihrer Mitlehrer, Ihrer Schüler. Helfen Sie uns, letztere
zu guten Menſchen, zu würdigen Mitgliedern des Staates
und der Kirche bilden ... Wo für das Wohl ſtreb-
ſamer Zöglinge, für das Wohl des Staates, für das Wohl
der Kirche und ſomit für die Ehre Gottes gewirkt wird,
da ſind Sie ja immer gerne geweſen.

Dir, o Allmächtiger, danken wir, daß du gnädig auf
dieſe Anſtalt herabgeſehen. Segne des neuen Lehrers
Wirken, ſegne auch jene Männer, die ihn uns geſandt
haben, unſeren verehrten, unſeren geliebten oberſten Herren,
unſern Herzog und unſern Biſchof!“ Der neue Religions-

lehrer war hiermit in ſein Amt eingeführt, doch fehlte ihm
noch das gewünſchte Heim. Als er nämlich Montag den
5. Februar in Montabaur eintraf, erklärte er bei ſeinem
erſten Beſuche weinend dem Direktor: „Was haben Sie
mir bereitet! Das Seminarweſen iſt mir fremd, und ich
habe keinen Haushalt.“ Kehrein ſuchte, dem neuen, geiſtlichen Kollegen Mut zu machen, was er einige Tage ſpäter
bei deſſen Amtseinführung, wie wir vorher geſehen, wiederholte, und er tröſtete ihn zugleich durch das Anerbieten,
ihm einſtweilen das vermißte Heim in ſeiner Familie geben
zu wollen. Dies wurde dankbar angenommen, aber aus
dem augenblicklichen Notbehelf wurde eine dauernde Einrichtung: Religionslehrer Müller richtete während ſeiner
ganzen Lehrthätigkeit am Seminar nie ſeinen Haushalt
ein, ſpeiſte vielmehr ſtets am Tiſch des Seminardirektors,
deſſen Familie ihm auch die im Seminargebäude (Schloſſe)
befindliche Wohnung in Ordnung hielt. Dieſe Sachlage
führte bald zu einem innigen Freundſchaftsverhältnis zwiſchen
dem Religions- und Seminarlehrer Müller und der Familie
des Direktors Kehrein, ſo daß erſterer als Familienglied
galt und von uns Kindern als geiſtlicher „Onkel“ betrachtet
wurde. Daß der „gute Kaplan“, wie wir Kinder ihn zu
nennen pflegten, an Freude und Leid unſerer Familie den
innigſten Anteil nahm, bedarf kaum der Erwähnung.
Dieſes ſchöne, für alle Familienangehörigen ſo ſegensreiche
Verhältnis währte, ſo lange der eifrige, auch ſpäter als
Pfarrer von Montabaur (leider nur 2 Jahre!) wirkende
liebevolle Kinderfreund lebte (geſt. 14. Mai 1871). Unvergeßlich bleiben die herzerfreuenden Familienfeſte, beſonders
die Nikolaus- und Weihnachtsbeſcherung, wobei er nie
fehlte, und denen er ſtets einen beſonderen Reiz zu verleihen
wußte.

Aber auch die Hoffnung, welche der Direktor auf den
neuen Kollegen als Lehrer und Erzieher der Schüler ſetzte,

sollte sich erfüllen: Müllers Lehr- und Erziehungsthätig-
keit während seiner vierzehnjährigen Wirksamkeit am
Seminar brachte die schönsten Früchte, und sein Andenken
ist und bleibt über sein Grab hinaus in der katholischen
Lehrerwelt Nassaus ein ehrenvolles und gesegnetes.

Die wenigen Monate bis zum Schlusse des Schuljahres 1854/55 mußte Kehrein benutzen, um sich mit seinem
neuen Wirkungskreise näher bekannt zu machen. Hatte er
sich bisher auch schon gelegentlich mit dem Volksschulwesen
und der Ausbildung seiner Träger beschäftigt, so war es
nunmehr für ihn als Leiter eines Lehrerseminars die nächste
und wichtigste Aufgabe, sich in den Seminarunterricht ein-
zuleben, zumal dieser von dem Gymnasialunterricht wesentlich verschieden ist. Zu diesem Zwecke und zugleich in
der Absicht, seine Kollegen in ihrer Lehrmethode näher
kennen zu lernen, besuchte er oft deren Unterrichtsstunden.
Er selbst wählte sich als Unterrichtsfächer Geschichte (in
der III.), Deutsch und Pädagogik, beziehungsweise Dialektik
(in der I. Klasse), die er auch in der Folgezeit beibehielt.
„Alle Schüler," sagt Lehrer J. Grill (Limburg[1])) „waren
überzeugt, daß er dies nur that (den Geschichtsunterricht
erteilte), um das wörtliche Lernen der Pensen zu verhindern.
Sein erstrebtes Ziel war, die Schüler dahin zu bringen,
daß sie fähig wurden, frei das Gelernte, mit eigenen
Worten, vorzutragen." Überhaupt war er, nach dem
Urteil eines Schülers[2]) aus der ersten Zeit seiner Lehrthätigkeit im Seminar, „ein abgesagter Feind von dem
bloß gedächtnismäßigen, geistlosen, wörtlichen Einprägen
und Einpauken".

---

[1]) Im Briefe an mich v. 31. Jan. 1901.
[2]) J. Speyer, Lehrer in Wiesbaden, in seinem Briefe an
mich v. 10. Jan. 1901.

„Wie er selbst sich mit Gewissenhaftigkeit auf seine Lehrstunden vorbereitete, so verlangte er auch von seinen Schülern eine sorgfältige Vorbereitung. Geschah es aber dennoch, daß ein Seminarist sein Pensum nicht gut eingeprägt hatte; so schritt der erste Lehrer doch nur selten zur Bestrafung des Betreffenden. Ein ernstes tadelndes Wort genügte ihm, den Säumigen zu seiner Pflicht zurückzuführen."

„Von den Lehrgegenständen waren es das Deutsche und die Pädagogik, worin Kehrein mit Vorliebe unterrichtete. Bei Behandlung des Deutschen suchte er stets, die Verstandesthätigkeit seiner Schüler zu fördern und gleichzeitig, so weit es der Lehrstoff selbst zuließ, auf die Gemüts- und Herzensbildung entsprechend einzuwirken. Wenn größere Stücke unserer hervorragenden Dichter behandelt wurden, so legte er auf die scharfe Fixierung der Hauptpunkte des ganzen Stückes den größten Wert, da sich, wie er so oft betonte, das Nebensächliche mit Leichtigkeit anschließe."

„Welchen Nutzen," erklärt Lehrer J. Berninger[1]) (Wiesbaden), „konnte, ja, mußte nicht jeder aufmerksame und geneigte Schüler für sich und für sein späteres Wirken in der Schule aus dem Leseunterricht ziehen? Noch heute bin und bleibe ich mit gar manchem meiner Berufskollegen der Überzeugung, daß Kehrein schon durch das bloße Vorlesen dieses oder jenes Lesestückes (besonders solcher poetischen Inhalts) mehr in den Geist des betreffenden Lesestückes einführte, als es gegebenenfalls eine andere Lehrkraft in stundenlanger Behandlung vermocht hätte. Insbesondere werden mir in dieser Hinsicht die letzten deutschen Stunden vor unserer Abgangsprüfung unvergeßlich bleiben. Noch heute ist mir mein Kehreins Lesebuch für die Oberklassen eine liebe Lektüre, und nicht selten habe ich schon in gar

---

[1]) Im Briefe an mich v. 21. Februar 1901.

mancher Erklärung, welche in heutigen »Anleitungen«
steht, einen alten Bekannten wieder gefunden, der sich bei
genauerem Vergleich entweder als eine recht weitgehende
Nachahmung oder gar als eine wörtliche Wiedergabe der
von Kehrein niedergeschriebenen Erklärung erwies. [1])   Ja,
ich möchte sagen, gar manches der heute an Seminarien
und Gymnasien eingeführten Lesebücher und nicht weniger
der heutigen »Anleitungen« zehren stark von dem, was er
in seinen Lesebüchern schon vor drei bis vier Jahr-
zehnten bot."

   „Große [2]) Sorgfalt verwandte er auf die Besprechung
der Aufsätze."   „Wie [3]) leicht und doch wie sicher leitete
er seine Schüler an, das zur Behandlung vorliegende
Thema zu erfassen, zu disponieren und auszuarbeiten!"
Gleichwohl „strebte [4]) er es an, daß die Schüler sich früh-
zeitig gewöhnten, ihren Arbeiten nach Form und Inhalt
eigenes Gepräge zu geben".

   „Die grammatikalischen Besprechungen versetzten manche
feiner Schüler in ängstliche Beklommenheit.   Da er als
Sprachforscher es liebte, die neuhochdeutschen Sprach- und
besonders Wortformen aus der Sprachentwicklung selbst,
von mittel- und althochdeutschen Formen zu erklären und
abzuleiten; so wollte es doch manchem Seminaristen nicht
leicht gelingen, diese verschiedenen Herleitungs- und Wand-
lungsformen und noch weniger deren Begründung so recht
zu verstehen.   So war also dieser Unterricht in der deutschen Grammatik durchaus logisch und interessant, wenn

---

[1]) Vielleicht hat Referent unter anderen ein „Lesebuch für
Seminarien" im Auge, das anfangs der siebenziger Jahre erschien
und alle Anmerkungen von Kehrein entlehnt hatte, ohne aber seinen
Namen zu nennen.

[2]) Brief von Lehrer J. Grill in Limburg v. 31. Jan. 1901.

[3]) Brief von Lehrer J. Berninger.

[4]) Brief von Lehrer J. Speyer.

auch vielleicht nicht in dem Maße praktisch für den künftigen Volksschullehrer." Übrigens ließ Kehrein später von seinen hohen Forderungen in der deutschen Grammatik ab und beschränkte sich (etwa vom Jahre 1870 an) auf seine kleine Schulgrammatik, in welcher nur die Ergebnisse der historischen Sprachforschung verwertet sind.

In der Pädagogik (Seelenlehre und Didaktik) war er [1] anfangs mehr mitteilend als fragend und entwickelnd. Es schien, als wolle er mehr in Art kursorischer Wiederholung des Stoffes die wahrgenommenen Lücken ausfüllen und etwaige Mängel ergänzend ausbessern. „Wie aufmerksam lauschten wir," erklärt Usinger, „seinen Mitteilungen über die Lehrerklugheit und Lehrerweisheit und mußten sein überreiches Wissen auf allen von ihm herangezogenen und berührten Unterrichtsgebieten anstaunen!" „Bei [2] seiner durch und durch religiösen und speziell katholischen Natur konnte es nicht fehlen, wenn er alle pädagogischen Vorträge, Besprechungen und Erklärungen auf die Fundamentalpunkte der Religion: Gott, Erbsünde, Erlösung durch den Gottessohn, Kirche, Sakramente, Meßopfer, Gebet u. s. w. zu stützen suchte. Er vermochte es, überzeugend und begeisternd die pädagogischen Wahrheiten vorzutragen und das Herz seiner Zuhörer für seine Auffassungen zu erwärmen, es für die Grundsätze der Jugenderziehung empfänglich zu machen und die angehenden Jugendbildner mit Begeisterung für den hohen Beruf der Jugenderziehung zu erfüllen. Daß bei seiner tiefen religiösen Gesinnung es sich von selbst verstand, die Zöglinge alle acht Wochen zum Empfang der hl. Sakramente zu geleiten, wobei er selbst mit bestem Beispiel voranging; daß die Seminaristen täglich der hl. Messe in der Seminarkapelle

---

[1] Brief von Hauptlehrer a. D. Ant. Usinger in Wiesbaden an mich vom 12. Januar 1901. — [2] Speyer a. a. O.

und Sonntags dem Hochamte und Nachmittagsgottesdienste
unter seiner Führung in der Pfarrkirche beiwohnen mußten,
bedarf keiner weiteren Begründung. So gingen bei ihm
Lehre und Beispiel stets Hand in Hand." [1])

„Kehreins Wesen gegenüber seinen Schülern war ein
derartiges, daß dieselben mit ungewöhnlicher Hochachtung
den Worten des hochbedeutenden Mannes lauschten." „Wie [2])
verstand er es, von der Höhe seines reichen Wissens zu
den Seminaristen herabzusteigen!" „Seine [3]) Autorität war
so groß, daß seine Worte von den aufmerksamen Zuhörern
als unbedingte Wahrheit aufgenommen wurden. Er be-
herrschte seinen Lehrstoff so vollständig, daß er stets frei
unterrichtete, sich fast nie eines Buches bediente, außer
wenn dieses wegen Angabe von Stellen, beziehungsweise
Zitaten, oder zum Zwecke des Vorlesens notwendig war."

„Ein wahres Muster," erklärt J. Grill, [4]) „für die
Seminaristen war seine schlichte Einfachheit, sowohl was
die Kleidung als auch den Genuß geistiger Getränke betrifft. Aus diesem Grunde war denn auch selbst den
ältesten Seminaristen das Rauchen und der Wirtshaus-
besuch verboten; einfache schwarze Mützen waren die erlaubte Kopfbedeckung, Hüte waren nicht erlaubt." [5])
„Kehrein [6]) war der Mann, der Lehrer und der Herr, der
wirklich überzeugte, indem er gebot, und dem man deshalb gerne gehorchte. Wie wäre es wohl auch anders
möglich gewesen, als daß nicht jeder zu dem guten Manne,
dem treuesten Lehrer und väterlichen Freunde mit vollster

---

[1]) Dasselbe bestätigt Lehrer J. Grill (a. a. O.), der von 1860
bis 1863 Schüler war.

[2]) Lehrer J. Berninger a. a. O.

[3]) J. Speyer a. a. O. — [4]) A. a. O.

[5]) Zu seinem Bedauern konnte er diese Bestimmung nach dem
Jahre 1870 nicht mehr strenge durchführen.

[6]) Usinger a. a. O.

Hochachtung und vertrauenvollster Hingebung aufschaute?
Gerade diese Hochachtung und Verehrung für ihn bildete
schon einen starken Sporn zu wetteiferndem Fleiß und zum
Wohlverhalten unter seinen Schülern." „Wenn auch die
Zucht," fährt Usinger weiter, „im Seminar ernst und
stramm war, wie sie ja auch sein mußte; so ist mir aus
meiner Klasse doch kein einziger Übertretungsfall bekannt,
woraus der Direktor zum Einschreiten hätte Veranlassung
genommen." Übrigens war auch ein gutes Erziehungs-
mittel die Einrichtung, daß alle, auch von den Lehrern,
verhängten Arrest- und Karzerstrafen, im Amtszimmer
des Direktors, das sich im eigentlichen Schloßgebäude
mitten in den Seminarräumen befand, verbüßt werden
mußten. Dieses Verfahren hätte für ihn wohl leicht lästig
werden können, wenn er nicht, abgesehen von den Lehrstunden, fast den ganzen Tag in seinem Amts- und Studierzimmer zugebracht hätte.

„Pünktlichkeit[1]) liebte er vor allem, und es verging
selten ein Tag, an welchem er nicht selbst durch die Lehrsäle ging."[2])

„Seine[3]) Sorgfalt erstreckte sich auch auf das leibliche
Wohl der Zöglinge. Nicht genug, daß Kehrein öfters in
der Küche[4]) erschien, sondern gar oft sah er im Speisesaale
nach, wie es zuging." Er „bewies[5]) ganz besonders auch
den erkrankten Schülern gegenüber seine große Herzensgüte.
Lehrer Bausch (Biebrich) erinnerte sich und seinen
Klassenkollegen, Lehrer Berninger an seine Halsentzün-
dung im Jahre 1869 und erklärte letzterem: »Wie ein
Vater war damals unser Herr Direktor um mich besorgt.

---

[1]) Grill a. a. O. — [2]) Die Lehrsäle dienten bis zu Beginn
der siebenziger Jahre zugleich zu Studiersälen. — [3]) Grill a. a. O.

[4]) Unter Kehreins Direktoriat wohnten die Schüler der III.
und II. Klasse im Seminar (Internat), wo sie auch ihre Verköstigung
hatten. — [5]) Berninger a. a. O.

Er selbst kam wiederholt, um sich zu erkundigen, ob auch alle ärztlichen Vorschriften genau beobachtet wurden, und um zu mir Worte des Trostes und der Ermunterung zu sprechen. Nie werde ich meinem Direktor jene Fürsorge vergessen.«"

„Bei [1]) den gemeinschaftlichen Spaziergängen liebte es Kehrein, sich mit den Seminaristen zu unterhalten und mancherlei heitere Erlebnisse aus seinem Leben zu erzählen." Dies that er auch gelegentlich, wenngleich selten, zur Würze des Unterrichts; weit mehr aber erzählte er in letzterem Falle nachahmungswürdige und abschreckende Dinge aus dem Leben der Volksschullehrer, um seinen Schülern den richtigen Takt beizubringen und sie vor etwaigen Mißgriffen zu bewahren. Alle einzelnen Urteile finden wohl ihre Zusammenfassung in folgenden Worten J. Berningers: [2]) „Was mich noch immer ganz beson- ders zu ihm in Verehrung, Liebe und Dankbarkeit hinzog, war seine stete Berufstreue, sein allezeit musterhaftes Leben, seine ungeheuchelte Frömmigkeit, seine Bekenntnistreue sowie sein wahrhaft eiserner Fleiß, mit welchem er seiner littera- rischen Thätigkeit und nicht minder seinen Berufsarbeiten oblag." „Ich glaube bestimmt," fügt Grill [3]) ergänzend hinzu, „daß er bei seinen Schülern bis zu deren Ende stets im besten Andenken bleiben wird, und gar manche ihm die Anregung schulden zu weiterem, gedeihlichem Studium."

„Den Seminarlehrern gegenüber war Kehrein ein wohlwollender Chef, und wenn er auch hier und da die Schwächen einzelner leise berührte, so wurde er doch nie- mals verletzend." Diesem Urteile kann ich die Thatsache hinzufügen, daß er das materielle Wohl seiner Kollegen zu fördern suchte und dabei wiederholt den hohen Einfluß

---

[1]) Grill a. a. O. — [2]) A. a. O. — [3]) A. a. O.

Sr. K. K. Hoheit des Erzherzogs Stephan zu benutzen wußte.

Diesen allbekannten Freund der Schule versäumte er nicht zum ersten Seminarkonzert, das unter seiner Amts-führung am 25. Februar 1855 stattfand, einzuladen. Dieses Verfahren hatte er schon in Hadamar beobachtet, als er zeitweilig den erkrankten Gymnasialdirektor Kreizner vertreten mußte. Doch wie damals, so lehnte auch jetzt der Herr Erzherzog die Einladung dankend ab mit Rück-sicht auf seine Privatstellung, aus der er sonst heraustreten würde; auch hatte er dabei sehr taktvoll die Person des Landesherrn im Auge, über welchen sich zu erheben er auch den Schein meiden wollte. Darum folgte er auch nie der Einladung zur öffentlichen Seminarprüfung und Ent-lassungsfeier, weil bei solchen Gelegenheiten die Gründe für sein Nichterscheinen „in potenziertem Maßstabe Platz greifen würden".[1]) Dagegen nahm er Kehrein „mit Freuden beim Worte, daß er ihn während der Osterferien als neugebackener Direktor seinen altgebackenen Erzherzog wieder besuchen wolle". Gleichwohl unterließ jener es nie, Sr. K. K. Hoheit die Oster- und Konzertprogramme des Seminars zu übersenden. Er erachtete das als Akt schul-diger Aufmerksamkeit in ähnlicher Weise, wie in Rom die Konsuln zur Feier des Triumphes stets eingeladen wurden, aber wegen des Imperators nie erschienen. Immerhin waren die Einladungen zu den Wohlthätigkeitskonzerten, die das Seminar im Winter zugunsten hilfsbedürftiger Schüler und armer Kinder der Stadt zu veranstalten pflegte, nicht erfolglos; denn der Herr Erzherzog ließ sich gewöhn-lich 100 Einladungskarten senden und den entsprechenden Preis durch seinen Rentmeister zahlen.

---

[1]) Brief vom 23. März 1855.

Am 26. und 27. März fand unter dem Vorsitze der beiden Regierungskommissare Petmacky und F. Firnhaber die erste öffentliche Prüfung am Seminar unter Kehreins Direktorat statt; als bischöflicher Kommissar wohnte der Religionsprüfung Dekan Endres von Montabaur bei. Die geheime (praktische) Prüfung war bereits am 24. März abgehalten worden. Die 21 Abiturienten wurden für reif erklärt. Die öffentliche Prüfung war recht stark besucht, besonders zahlreich war die Versammlung bei der Schlußfeier. Die Entlassungsrede des Direktors hatte die „Genußsucht" zum Gegenstande. In ähnlicher Weise fand bis zum Jahre 1870 an dem Lehrerseminar die Frühlingsprüfung und die feierliche Entlassung der Abiturienten statt. Der sogenannte Aktus, bestehend in Musik, Gesang, Deklamation und Rede, war eine beliebte, zahlreich besuchte Schulfeier. Ein Programm, durch welches zu den öffentlichen Prüfungen der Zöglinge des (katholischen) Schullehrerseminars zu Montabaur, des (evangelischen) Schullehrerseminars zu Usingen und des Taubstummeninstituts zu Camberg[1]) die Eltern und Vormünder der Zöglinge, sowie alle Freunde des Schulwesens geziemend eingeladen wurden, war wochenlang vorher von der Regierung in Wiesbaden an die Lehranstalten, an die Dekane und Pfarrer, an die Schulinspektoren und von diesen an die Elementarlehrer ausgegeben worden.

Der Aktus war zunächst eine Seminarfeier, abgehalten unter dem Vorsitze der Regierungskommissarien, aber er

---

[1]) Die gemeinsame Herausgabe eines jährlichen Programmes von seiten dieser drei Anstalten wurde durch die Regierungsverfügung vom 21. August 1851 angeordnet. Mit dem Jahre 1868 endete diese Einrichtung; das letzte Programm des Lehrerseminars in Montabaur (allein) erschien zu Ostern 1869. Die Bemühungen des Direktors Kehrein, diese Einrichtung weiterhin zu erhalten, blieben erfolglos.

gestaltete sich zu einem allgemeinen Schul= und Jugendfest. Anwesend waren weiter (öfters) ein bischöflicher Kommissar, einigemal der hochwürdigste Herr Bischof selbst, dann die Geistlichen, Beamten, Behörden und viele Bewohner der Stadt und Umgegend, Eltern und Verwandte der Seminaristen, oft über 150 (einmal über 180) Lehrer aus der Nähe und Ferne. Alte Bekannte drückten beim Wiedersehen einander die Hand, versetzten sich in ihre Seminarzeit zurück und fühlten sich wohl im Kreise der Alten und Jungen. Geistliche, besonders Schulinspektoren, Lehrer, Schul= und Jugendfreunde umschlang hier ein und dasselbe Band, das Band der Schule, der Unterrichts= und Erziehungsstätte der heranwachsenden Jugend.

Auf diesem jährlich wiederkehrenden Aktus behandelte Direktor Kehrein in seiner Entlassungsrede der Reihe nach folgende Themata: 1. Die Genußsucht (im Essen und Trinken; im Putz und Vergnügen; im Lesen, besonders schlechter Bücher und Zeitblätter). 2. Die religiöse Erziehung der Kinder (in Schule und Familie). 3. Der oberste Grundsatz bei der christlichen Erziehung („Erziehe den Menschen zur Ähnlichkeit und Nachfolge Christi"). 4. Der ganze Unterricht muß ein Erziehungs=Unterricht sein. 5. Welche Mittel stehen dem Lehrer zur Erzielung und Wahrung einer guten Schulzucht zu Gebote? 6. Die Geschichte der deutschen Grammatik in ihren wesentlichen Umrissen (Gang der deutschen Grammatik und die Art des grammatischen Unterrichts in der Elementarschule). 7. Das sogen. mechanische Lesen (d. h. ohne besondere Rücksichtnahme auf den Inhalt) in den Unterklassen der Elementarschule. 8. Rückblick auf die Geschichte des Seminars (die 10 ersten Jahre) in Montabaur. [1]) 9. Das

---

[1]) Derselbe lehrt, daß durch Ministerialverfügung vom 25. August 1851 das Schullehrerseminar zu Idstein, welches dort seit dem Jahre

sog. verständige Lesen (d. h. Lesen, welches ein Verständnis des Lesestückes und ein Aneignen des Inhalts bezweckt) in den beiden Oberklassen der Elementarschule). 10. Die Pflege des Schönheitssinnes in der Elementarschule (sein Begriff und die Mittel zu seiner Pflege: Beispiel des Lehrers, körperliche Reinlichkeit bei den Kindern, Ausschmückung der Kirche, gewisse Unterrichtsgegenstände, besonders Schreiben, Zeichnen, Industriearbeiten, Gesang und Poesie). 11. Die Poesie und deren Einfluß auf die Bildung des Schönheitssinnes in der Elementarschule. 12. Die Unterrichts - Methode in der Elementarschule (1. Begriff. 2. Ihre Bedingung. 3. Gibt es eine absolute beste Unterrichtsmethode? 4. Ist dem Lehrer eine gewisse Freiheit bei Wahl und Anwendung der Unterrichtsmethode zu gestatten?). 13. Notwendigkeit der (religiössittlichen, wissenschaftlichen und praktischen) Fortbildung des Lehrers. 14. Mittel zur Fortbildung des Lehrers. 15. Die Schulstrafen (1. Notwendigkeit; 2. Zweck; 3. Arten). 16. Mittel zur Fortbildung des Lehrers: Umgang mit Menschen. Letztere Rede war in ihren Grundzügen bereits geschrieben, konnte aber nicht gehalten werden (am 7. April 1870), da die Abiturienten vor Schluß des Schuljahres entlassen wurden, und ein Schulaktus in der früheren Weise nicht stattfand, auch fernerhin leider nicht mehr stattfinden sollte. Die meisten der hier inhaltlich angedeuteten Reden wurden im „Schulfreund" von Schmitz und Kellner (Trier 1861 ff.) abgedruckt, im Jahre 1875 aber in ihrer Gesamtheit nebst einer Anzahl anderer Reden unter dem Titel „Schulreden" veröffentlicht (Trier, Verlag der Lintz'schen Buchhandlung). Kehrein

---

1817 bestanden hatte, in zwei Anstalten geteilt und die katholischen Schüler (durch Verfügung vom 27. Oktober 1851) nach Montabaur, die evangelischen nach Usingen gewiesen wurden.

beabsichtigte nicht, wie er selbst in dem Vorwort seiner
„Schulreden" erklärt, in diesen Entlassungsreden etwas
Neues zu bieten. „Das während des Schuljahres," so
lauten seine Worte, „teils im Zusammenhang, teils ge=
legentlich Mitgeteilte und Besprochene wollte ich zusammen=
fassen, um es beim Abschied den Scheidenden noch einmal
ans Herz zu legen. Daß ich dabei ganz besonders die
»Volksschulkunde« des bewährten Pädagogen Lorenz
Kellner benutzte, das lag in der Sache selbst, war und
ist ja dieselbe das Handbuch unserer Zöglinge." „Welcher
Schüler Kehreins," erklärt hierzu ergänzend Berninger,[1]
„wird nicht auch der Schulreden dankbarst gedenken, in
denen er seine pädagogischen Grundsätze aussprach!" Daß
diese Reden nicht ohne Wirkung blieben, geht wohl schon
aus der Bezeichnung »Lehrerpredigten« hervor, die ihnen
in weiten Kreisen gegeben wurde. Wie anziehend und
beliebt überhaupt der Schulaktus des Lehrerseminars in
Montabaur war, geht außer seinem zahlreichen Besuche
vonseiten der Lehrerwelt auch daraus hervor, daß er sogar
eine poetische Verherrlichung in echt humoristischer Weise
erfahren hat.[2] „Die Mombäurer Sturendekirmeß."
(Abgedr. in J. Kehreins „Volkssprache 2c." II, S. 44 ff.)

Eine zweite Reihe von Reden wurde von Kehrein an
den hohen Geburtstagen des Landesherrn gehalten, um
„zur Erweckung und Belebung", wie er selbst sagt,[3] „der
echten Vaterlandsliebe beizutragen". Er[4] hat darin fol=
gende Themata behandelt: 1. Die Gesetzlichkeit (Quellen
und Befolgung des Gesetzes) am 24. Juli 1855. 2. Nach=
weis aus der Geschichte, daß der Nassauer Ursache habe,

---

[1] A. a. O. — [2] Durch Lehrer Zirvas in Usingen.
[3] In seinen „Schulreden", Vorwort.
[4] Die ersten 12 Jahre wechselte er ab mit dem Religionslehrer
Müller, dann aber wurden auch die anderen Seminarlehrer zur
Haltung der Geburtstagsrede von der Regierung verpflichtet.

fein Vaterland und feinen Landesvater zu lieben (24. Juli 1858). 3. Die Bewohner Montabaurs haben (der Geschichte zufolge) alle Ursache, auf ihre Landesherren von der frühesten Zeit an bis heute stolz zu fein und sich ihres Andenkens zu freuen (24. Juli 1860). 4. Wir wollen wahr fein gegen Gott, gegen unsere Mitmenschen und gegen unfern Landesherrn (24. Juli 1862). 5. Unser Landesherr kann stolz fein auf fein Land und fein Volk, und das Volk kann stolz fein auf feinen Landesherrn (24. Juli 1864). 6. Der fortschritt (Bedeutung, Arten, früchte) am 24. Juli 1865. 7. Der Rückschritt (der heilfame, für den fall nämlich, daß der fortschritt zum Böfen geführt hat), am 24. Juli 1866. 8. Erinnerung an die Vergangenheit und hoffnung auf die Zukunft (22. März 1867). 9. Die feier gewisser Gedenktage ist Bedürfnis für einen dankbaren Menschen, eine dankbare Menschengesellschaft, ein dankbares Volk, für letzteres besonders der Geburtstag des Landesherrn (22. März 1868). 10. Der Minnesänger Markgraf Otto IV. von Brandenburg mit dem Pfeile (22. März 1869). 11. Die Dichterin Kurfürstin Luife Henriette von Brandenburg (22. März 1870).

Das erste vollständige Schuljahr (1855/56), das Kehrein als Seminardirektor in Montabaur verlebte, hatte für ihn eine besondere Bedeutung. Wenn er bisher mehr die Stelle des ruhigen Beobachters gespielt, so griff er jetzt organisierend und leitend ein. Da wurde zunächst manche Änderung in Verteilung der Räume des alten Schlosses getroffen. Die haus=Kapelle, die bisher in einem wahren „Loche" neben dem großen Brunnenhause sich befand, wurde in ein an den großen festsaal anstoßendes und mit letzterem durch eine flügelthür verbundenes Zimmer verlegt. Der Saal selbst, der bisher zur Schlafstätte gedient und vor Schulfesten stets geräumt und hergerichtet werden mußte, wurde als „Schiff" der

Hauskapelle benutzt, während das anstoßende Zimmer das „Chor" bildete. Für das Schiff wurden Kirchenbänke beschafft, die freilich bei bevorstehenden Schulfestlichkeiten (Konzerten, Prüfungen 2c.) entfernt werden mußten, während die Flügelthür des Chores geschlossen wurde. Auch hinsichtlich der „Schul= und Internatsräume" gab es Änderungen, wie die bisherigen Erfahrungen des Direktors und diejenigen der Lehrer, die seit Eröffnung des Seminars in Montabaur, d. h. seit mehr als vier Jahren das Schloß hinsichtlich seiner Verwendbarkeit zu Anstalts= zwecken kennen gelernt hatten, sie als notwendig erscheinen ließen. Gleichwohl war und blieb manches zu wünschen, da eben das Schloß eigens zum zeitweiligen Aufenthalt fürstlicher Persönlichkeiten (bei Gelegenheit der großen Jagden) erbaut war und bei Errichtung des Seminars in Montabaur für dieses bestimmt wurde, weil kein anderes Gebäude vorhanden war, das für eine solche Anstalt die nötigen Räume bot. Dieser Umstand, sowie die öfters geäußerte Absicht Sr. Hoheit des Herzogs, das Schloß seiner ursprünglichen Bestimmung zurückzugeben, ließen in der Folgezeit periodenweise mancherlei Gerüchte und Pläne auftauchen über Verlegung des Seminars (im August 1856: nach Marienstatt; Ende September: auf den Mönchberg bei Hadamar; im Mai 1865: nach Oranien= stein; im Juni: in den Gestüthof am Fuße des Schlosses Montabaur), doch blieb trotz wiederholter offizieller Be= sichtigungen der Schloßräume und langer Berichte an die hohen Behörden alles beim Alten.[1]) Nur e i n e größere bauliche Änderung ist zu erwähnen: der Ausbau des

---

[1]) Erst im Herbst des Jahres 1880 wurde das von den Dienst= mägden Christi hinter der katholischen Pfarrkirche für ihr Mädchen= pensionat und Lehrerinnenseminar errichtete geräumige Gebäude für das Lehrerseminar angekauft.

großen Speicherraumes über dem Festsaale zu einem
Schlafsaale der Seminaristen der III. Klasse.

Als Dienstwohnung des Direktors diente seit Eröffnung des Seminars (13. November 1851) der Vorbau
(Thorbau) des Schlosses, welcher ursprünglich ein großer
Gartensaal war, dann aber zu einer Familienwohnung
hergerichtet wurde. Im eigentlichen Schloßgebäude wohnten
anfangs zwei Lehrer (der Religionslehrer und ein zweiter
Seminarlehrer, der zugleich der Ökonom der Anstalt war);
aber schon bald (im Frühling des Jahres 1856) sollte eine
dritte Dienstwohnung beschafft werden, was große Verlegenheit bereitete. Da mußte dann ein Stück des Speise-
saales zur Einrichtung einer Küche geopfert und je ein
Zimmer von dem Religionslehrer und Seminarökonomen
abgetreten werden, um die notwendigen Räume einer
Familienwohnung zu gewinnen. Weniger Schwierigkeiten
bereitete die Einteilung und Zuweisuug der zum Schloß
gehörigen Gärten, da diese eine große Ausdehnung hatten,
so daß das Internat und die vier Lehrerfamilien ansehnliche Stücke erhalten konnten. Zur Anlage des Direktorial-
gartens sandte bereits am 23. März 1855 Seine K. K.
Hoheit Erzherzog Stephan aus der Schaumburger Schloß-
gärtnerei eine große Menge Sämereien, so daß die an sich
sehr schlichte Wohnung schon für den ersten Sommer von
einem herrlichen Blumenflor umgeben war, was nicht
wenig dazu beitrug, die der Wohnung anhaftenden Mängel
zu übersehen und sich gemütlich und heimisch zu fühlen.

Zum inneren, geistigen Ausbau des Seminars wurde
gleichfalls verschiedenes angeordnet. In religiös-kirchlicher
Hinsicht wurde die Einrichtung getroffen, die sich in der
Folgezeit gut bewährt hat: an den Werktagen Besuch der
hl. Messe vonseiten aller Schüler, auch der in der Stadt
wohnenden I. Klasse, in der Hauskapelle; an den Sonn-
und Feiertagen Besuch des Hochamtes und des Nach-

mittagsgottesdienstes in der Pfarrkirche, wobei die Seminaristen den Gesang zu tragen haben; alle zwei Monate Empfang der hl. Sakramente in der Pfarrkirche. In der Schulmesse an den Wochentagen haben die Schüler der III. Klasse abwechselnd das Amt der Meßediener, die der II. Klasse das des Küsters und die der I. Klasse das des Vorbeters und Organisten wahrzunehmen. Diese Ordnung blieb für die ganze Folgezeit bestehen; auch als der Kulturkampf seine Schatten auf die Schule warf, mußte der Direktor dieselbe zu wahren. Nur das Gebet für den Papst durfte, obwohl dessen seit langen Jahren gebrauchter Text der hohen Behörde vorgelegt wurde, nicht mehr verrichtet werden. Dagegen beteiligte sich der Direktor alljährlich an der Fronleichnamsprozession, und seinem Beispiele folgten freiwillig sämtliche Schüler.

Zur Verschönerung und Hebung des Gottesdienstes wurden aus freiwilligen Beiträgen Anschaffungen für den Altar und die Meßkleidung gemacht; auch wurde eine kirchliche Fahne gekauft (vor dem Fronleichnamsfest 1855), zu deren Kosten Seine K. K. Hoheit Erzherzog Stephan bereitwilligst eine ansehnliche Summe beisteuerte, wie Hochderselbe auf Kehreins Bitte hin schon im Jahre 1853 zur Ergänzung des Gymnasialinventars der Paramente zu Hadamar in hochherziger Weise durch Geldspenden mitgewirkt hatte.

Zur Besprechung der einzelnen Lehrgegenstände hielt der Direktor in den Monaten Mai und Juni eine Reihe von Lehrerkonferenzen ab, und es wurden Entwürfe zu einem neuen Lehrplane ausgearbeitet und an die Landesregierung eingesandt. Doch erst mit dem 8. Juni 1856 trat der neue Lehrplan in Kraft, der besonders hinsichtlich des deutschen Sprachunterrichtes wesentliche Änderungen enthielt. Dazu wurde verfügt, daß die Zahl der wöchentlich zu erteilenden Lehrstunden im allgemeinen jener der

Gymnafiallehrer gleich fein folle, d. h., daß der Direktor
mindeftens 14, jeder Lehrer 20—24 Unterrichtsftunden
halten müffe. Diefe Einrichtungen blieben im wefent=
lichen beftehen bis zum Jahre 1868, wo ein neuer Lehr=
plan für alle Fächer, mit Ausnahme des Religionsunter=
richtes, von dem Direktor nach ftattgefundenen Beratungen
mit den Fachlehrern entworfen und mit Genehmigung der
Regierung zu Wiesbaden vom 15. Mai eingeführt wurde.
Um Betragen und Fleiß der Schüler möglichft zu über=
wachen, wurden neben den gleich zu erwähnenden Quartal=
zenfuren monatliche Zenfuren über Fleiß und Betragen
feftgefetzt. Das Ergebnis der betreffenden Lehrerkonferenzen
wurde den im Schulfaale verfammelten Zöglingen vom
Direktor mitgeteilt, wobei mehr das Verhalten der ein=
zelnen Klaffen während des abgelaufenen Monats, als das
jedes einzelnen Schülers zur Sprache kam. Einzelne Schüler
wurden nur dann gewarnt und zurechtgewiefen, wenn eine
befondere Veranlaffung dazu gegeben war. Dazu traf der
Direktor die Einrichtung von Quartal= ftatt der bisherigen
Semeftralzenfuren, ein Verfahren, das zur Freude deffelben
durch eine Regierungsverfügung vom 15. Januar 1857
für die Lehrerfeminarien geradezu fanktioniert wurde; erft
feit Oftern 1867 traten dafür Trimeftralzenfuren ein.
Diefe Quartal=, beziehungsweife Trimeftralzenfuren wurden
in folgender Weife abgehalten. Der Direktor hielt in
Gegenwart aller Lehrer an die im Schulfaal verfammelten
Schüler, nachdem der Religionslehrer diefen Akt mit einem
Gebet eröffnet, eine Anfprache, worin er über den fittlichen
und wiffenfchaftlichen Geift der Schüler im abgelaufenen
Zeitraum Rechenfchaft gab und die geeigneten Lehren und
Ermahnungen anknüpfte. Hierauf begaben fich die
Schüler in ihre Klaffen, wo dann der Direktor wieder in
Gegenwart aller Lehrer jedem einzelnen Schüler feine
Zenfur mitteilte und die Rangordnung bekannt machte.

Dann wurde ein Zeugnis über Fleiß, Betragen und Leistungen durch den Direktor an den betreffenden (Kreis-) Schulinspektor zur Mitteilung an den Schulvorstands-Dirigenten (Ortsschulinspektor) und die Eltern des betreffenden Schülers geschickt. Dieses Zeugnis wurde, von den Eltern unterzeichnet, zurückgesandt an die Direktion. Schlossen sich die Schulferien unmittelbar an die Zeugnisverteilung an, so brachten die Schüler selbst nach Ablauf derselben die Zeugnisse zurück, außerdem aber auch ein vom Ortspfarrer über die Ferienzeit ausgestelltes Sittenzeugnis.

Die schon im Herbste 1855 vom Direktor gewünschte vierklassige Seminar-Übungsschule ließ leider lange auf sich warten. Daher mußten die Schüler der I. (obersten) Klasse unter Leitung der betreffenden Seminarlehrer ihre praktischen Übungen in der Katechese, im Deutschen, Rechnen und Gesang in den städtischen Elementarschulen halten, was mühevoll und zeitraubend war, da das Elementarschulgebäude von dem Schlosse eine Viertelstunde entfernt lag. Noch trauriger war und blieb es mit dem Turnunterricht bestellt. Wenn auch der Turnplatz vorhanden war, und für Turngeräte in genügender Weise gesorgt wurde; so fehlte bis zum Sommer 1868 ein ständiger, regelrecht geschulter Turnlehrer. Zeitweilig wurden die Turnübungen der Seminaristen von dem Sohne des Direktors, dem Forstaccessisten Franz Kehrein (Sommer 1860), und dem Präsidenten des Montabaurer Turnvereins Adam Milbach (Sommer 1863) geleitet und in besonderen Stunden Vorturner eingeübt. Diese mißliche Lage wurde endlich dadurch geändert, daß der Turnunterricht seit Beginn des Sommersemesters (27. Mai) 1868 dem Lehrgehilfen (an der städtischen Elementarschule) Joh. Acht, der im voraufgehenden Winter den Turnkursus in der Zentral-Turnanstalt zu Berlin mitgemacht, übertragen

wurde. Derselbe erteilte ihn fortan in zwei wöchentlichen
Stunden, so lange die Witterung das Turnen im Freien
gestattete; denn eine Turnhalle war und blieb, so lange
das Seminar auf dem Schloße sich befand, ein frommer
Wunsch.

Erfolgreicher waren die Bemühungen des Direktors
um Erlangung eines Anstaltsarztes. Nachdem er die
Notwendigkeit eines solchen schon im Herbste 1855 der
Landesregierung dargelegt hatte, wurde zu Ostern 1856
der Medizinalaccessist Dr. Thewalt als Seminararzt ernannt. Dieser besorgte fortan die ärztliche Behandlung
aller Seminaristen, nahm zu geeigneter Zeit, besonders beim
Eintreffen der Schüler aus den Ferien, Generalvisitationen
vor (zur Verhütung ansteckender Krankheiten), überwachte
in medizinal-disziplinarischer Hinsicht die Lebensordnung
der Schüler im Internat, hatte die Krankenpflege der Anstalt unter seiner Obsorge und gab den Schülern der
I. Klasse gegen Ende des Wintersemesters in einer ange-
messenen Zahl von Lehrstunden die erforderliche Anleitung
zur dringenden, augenblicklichen Pflege Erkrankter vor
Herbeischaffung des Arztes, zur Behandlung von Schein-
toten und plötzlich Verunglückten u. s. w.

Die freundschaftlichen Beziehungen zu dem durch-
lauchtigsten Herrn Erzherzog Stephan, deren sich Kehrein
schon seit einer Reihe von Jahren erfreute, suchte er für
die unterstellte Anstalt durch zeitweilige Ausflüge mit
Lehrern und Schülern nach Schloß Schaumburg in besonderer Weise nutzbar zu machen. So stattete er nach
voraufgegangener Anfrage und darauf erfolgter Einladung
Sr. K. K. Hoheit mit den Seminarlehrern und Schülern
der I. Klasse schon am 9. Juli 1855 dem Schloße Schaumburg den ersten Besuch ab, wo der Herr Erzherzog in
höchsteigener Person alles Sehenswerte zeigte und dann
den Schülern im Gasthause ein Mittagsmahl bereiten

ließ, während die Lehrer zur erzherzoglichen Tafel gezogen
wurden. Das Lehrerkollegium fühlte sich veranlaßt, dem
hohen Gönner am 14. August eine Dankadresse zu über=
senden, die von Direktor Kehrein entworfen, von Seminar=
lehrer Meister geschrieben war. Seine K. K. Hoheit fühlte
sich dadurch so überrascht und hocherfreut, daß er trotz
vielen hohen Besuches, der gerade auf Schloß Schaumburg
weilte, bereits am 15. August folgendes Handschreiben an
das Lehrerkollegium richtete: „Meine Herren! Ich fühle
mich wahrhaft gedrungen, Ihnen für Ihre Zusendung
aus Montabaur meinen herzlichsten, meinen wärmsten
Dank auszusprechen — einen Dank, der um so aufrichtiger
ist, je unerwarteter mir die Eingabe war! Gar manch
liebe Erinnerung der Art vermag ich in meiner Bibliothek,
in meinem Archive aufzuweisen, aber gewiß kaum eine,
die mir mehr Freude bereitet hätte als eben diese! Sie
überschätzen mich, nur die Überzeugung nicht vor der
hohen Achtung, die ich für den Lehrerstand im allge=
meinen und für Ihr Gremium insbesondere hege. Ihr
Beruf, meine Herren, ist ein schwieriger, Ihre Bahn manch=
mal eine dornenvolle, aber um so lohnender der Erfolg,
um so wohlthuender das Gefühl, Ihre Pflicht nicht nur
gethan, sondern auch die Früchte redlich erfüllter Pflicht
empfunden zu haben! Sehen Sie in mir einen warmen
Freund der Schulen und ihrer Leiter, da haben Sie recht;
denn der bin ich aus voller Überzeugung. Möge mir
Gelegenheit werden, die Wahrheit des Gesagten Ihnen
noch recht oft beweisen zu können! Aber Ihnen, Herr
Meister, sei noch speziell mein Dank ausgesprochen für
die wahrhaft prachtvolle Ausstattung, die Ihr Fleiß, Ihr
Eifer hervorgerufen! Gibt es dereinst in den katholischen
Schulen Nassaus vorzügliche Schriften, dann weiß man
doch, woher's gekommen.

Gott mit Ihnen, meine Herren, und mit Ihrem schönen Wirken! Mögen diese wenigen Worte Ihnen allen beweisen, wie sehr Sie achtet und hochschätzt Ihr Ihnen bereitwillig zugethaner Erzherzog Stephan." Kein Wunder, daß die Ausflüge der Lehrer und Schüler des Seminars nach Schloß Schaumburg sich in den folgenden Jahren zur Sommerzeit wiederholten; doch besonders denkwürdig ist der Besuch der Schaumburg am 2. Juli 1863. Einen eigenen Reiz erhielt nämlich dieser an sich schöne Tag dadurch, daß Ihre K. K. Hoheit Erzherzogin Marie, Gemahlin des Herzogs Leopold von Brabant,[1] und Seine K. K. Hoheit Erzherzog Joseph auf Schloß Schaumburg anwesend waren und verschiedene Gesänge der Seminaristen, darunter die Brabantone,[2] anzuhören und sich sehr anerkennend darüber auszusprechen geruhten.

Unter den größeren Ausflügen der Lehrer und Schüler des Seminars verdient derjenige noch Erwähnung, welcher unter Zustimmung der Landesregierung am 15. August (Mariä Himmelfahrt) 1865 nach Limburg stattfand. Der Dombauverein daselbst hatte nämlich um Veranstaltung eines Wohlthätigkeits-Konzerts zur Deckung der Kosten für den Ausbau zweier Domtürme gebeten. Dieser Bitte wurde entsprochen durch ein mit vielem Beifall aufgenommenes und stark besuchtes Konzert am Nachmittage des Festes, nachdem die Seminaristen morgens im Dome zur Hebung des Pontifikalamtes durch eine Choralmesse beigetragen hatten.

Wie aber das Seminar zeitweilig bedeutsame Ausflüge und Besuche machte, so hatte es sich auch unter

---

[1] Das jetzige belgische Königspaar.
[2] Diese belgische Nationalhymne war von Lehrer Hofmann zu Schaumburg eigens ins Deutsche übersetzt und von Seminarlehrer Meister mit den Schülern eingeübt worden.

Kehreins Leitung hoher und höchster Besuche auf dem Schlosse in Montabaur zu erfreuen, von denen nur die bedeutsamsten genannt werden sollen. Vor allem ist hier zu erwähnen der Besuch, den Se. Hoheit der Herzog Adolf und Prinz Nikolaus in den Osterferien des Jahres 1856 bei Gelegenheit der Auerhahnjagd dem Seminar abstatteten. Unter der Führung des Direktors nahmen die hohen Herrschaften alles in Augenschein und äußerten sich zufrieden über die Einrichtung. In dem Musiksaale hatte Seine Hoheit den launigen Einfall, seinen erlauchten Bruder und den Direktor zu einer kalligraphischen Probe auf der Wandtafel aufzufordern. Als nun alle drei ihren Namen hingeschrieben, erklärte Seine Hoheit lachend, es sei schwer zu sagen, welche von den drei Schriftzügen die schlechteste sei. Von besonderer Bedeutung war ferner der hohe Besuch, womit der geliebte Landesherr den Direktor anfangs Februar des Jahres 1861 auf dem Schlosse gleichfalls bei Gelegenheit der großen Jagden überraschte und hoch beglückte, weil dadurch recht augenscheinlich das besondere Vertrauen sich bekundete, das Seine Hoheit in ihn setzte. Der hochherzige Landesvater war nämlich den unseligen „Kirchenstreit" müde und wünschte Frieden. Er geruhte, den Direktor um seine Ansicht zu fragen über die Grundlage der mit der bischöflichen Behörde in Limburg zu treffenden Vereinbarung. Dieser schlug vor, den Religionslehrer Müller zur Beratung hinzuzuziehen, worin Seine Hoheit einwilligte, worauf sich beide zu dessen Wohnung begaben. Hier wurden die für den Friedensschluß maßgebenden Punkte beraten und festgesetzt. Alsbald nach höchstseiner Rückkehr in die Residenz gab Herzog Adolf die notwendigen Befehle, und die Verhandlungen mit der kirchlichen Behörde gelangten nach kurzer Zeit zu einem so guten Abschluß, daß bereits am 21. Mai vom bischöflichen Ordinariat 32 erledigte Pfarreien ausgeschrieben und mit dem 1. Oktober definitiv besetzt wurden. Zugleich verlieh Seine Hoheit Seiner bischöflichen Gnaden persönlich gegenüber der friedliebenden Gesinnung einen besonderen Ausdruck durch eine Zusammenkunft im Frühlinge desselben Jahres auf dem Jagdschlosse „Platte", wo der achtjährige Kirchenstreit endgiltig beendigt ward. Seine Hoheit der Herzog kam dem hochwürdigsten Herrn Bischof soweit entgegen, daß er ihm in der Folgezeit die freie Besetzung aller Pfarrstellen, sogar der landesherrlichen Patronatsstellen, überließ. Da aber leider über letzteren Punkt nichts Schriftliches festgestellt ward, so kam es nach der Vereinigung Nassaus mit Preußen (1866) zu neuen, langwierigen Verhandlungen, bis die Patronatsfrage endgiltig gelöst wurde.

Doch der für den Direktor ehrenvollste Besuch fand am 10. Dezember 1865 statt. An diesem Tage geruhten nämlich Ihre Hoheiten der Herzog und die Frau Herzogin nebst hohem Gefolge die Räume des Schlosses in Augenschein zu nehmen, dann im großen Konzertsaale einige Gesänge und Deklamationen anzuhören und die aufgelegten Schreib- und Zeichenproben zu betrachten. Ihre Hoheiten sprachen ihre volle Zufriedenheit mit den Leistungen der Schüler und der Thätigkeit des Herrn Musiklehrers Meister aus. Am Schlusse geruhte Se. Hoheit dem Direktor „als Anerkennung treuer Dienstführung" das Ordenskreuz IV. Klasse höchstihres Militär- und Zivil-Verdienst-Ordens Adolf von Nassau höchsteigenhändig zu überreichen, worauf die erlauchte Landesmutter gleichfalls höchsteigenhändig das verliehene Ordenskreuz dem Direktor auf dem Rocke anheftete. Der ehrfurchtsvolle Dank, den Kehrein Sr. Hoheit sogleich aussprach und am anderen Tage in einer Privataudienz wiederholte, blieb in ihm zeitlebens lebendig.

Am Abend des 10. Dezembers brachten die Bürger-
schaft, der Männergesangverein, der Musikverein und das
Seminar Ihren Hoheiten vor dem „Nassauer Hof", wo
der Landesfürst bei Gelegenheit der Jagden im Monta-
baurer Revier stets wohnte, ein Ständchen mit Fackelzug.
In das von dem Seminardirektor ausgebrachte Hoch auf
Ihre Hoheiten stimmte die überaus zahlreich versammelte
Menge begeistert ein und bekundete so die treue Anhäng-
lichkeit an das angestammte Regentenhaus und die innigste
Freude über Sr. Hoheit des Herzogs wiederholte und Ihrer
Hoheit der Frau Herzogin erste Anwesenheit in Montabaur.

Im Jahre zuvor, am 21. Juni 1864, wurde dem
Seminar die Ehre eines Besuches zuteil vonseiten des Herrn
Erzherzogs Joseph von Österreich und hochdessen Frau
Gemahlin Erzherzogin Clothilde nebst Gefolge. Die hohen
Herrschaften geruhten, im großen Konzertsaale einige Gesänge und Deklamationen anzuhören und Zeichen- und
Schriftproben in Augenschein zu nehmen. Das huldvollst
ausgesprochene Urteil der hohen Herrschaften war für
Lehrer und Schüler sehr schmeichelhaft. Am 8. August
desselben Jahres beehrte der hochwürdigste Herr Bischof
Dr. Peter Joseph Blum von Limburg das Seminar mit
einem unerwarteten Besuche, während bei anderen Gelegenheiten derselbe angekündigt wurde. Daher konnten nur die
im Internat wohnenden Schüler, die gerade anwesend
waren, einige lateinische Kirchenlieder vortragen, welche
sich des Beifalls Sr. Bischöflichen Gnaden erfreuten. Die
anerkennenden Worte des kirchlichen Oberhirten machten
einen tiefen Eindruck. Auch Se. K. K. Hoheit Erzherzog
Stephan geruhte mehrmals das Schloß Montabaur zu besuchen, beschränkte sich aber dabei aus bereits bekannten
Gründen auf die Wohnung des Direktors.

Von sonstigen feierlichen Gelegenheiten, wo Kehrein
als Seminardirektor auftrat, ist zunächst zu erwähnen das

Seminarkonzert am 10. November 1859 zur Feier von Schillers hundertstem Geburtstag, wo er die Festrede hielt, worin er die großen Verdienste des Dichters gebührend würdigte. Zur Feier des fünfzigjährigen Gedächtnistages der Schlacht bei Leipzig fand am Vormittag des 18. Oktober 1863 ein Seminarkonzert statt, wo er in seiner Festrede einen geschichtlichen Rückblick auf jene denkwürdige Zeit gab und daran Worte der Ermahnung zur Pflege einer echt deutschen Gesinnung knüpfte. Doch das schönste außerordentliche Fest war die seltene Feier des 25 jährigen Regierungsjubiläums Sr. Hoheit des Herzogs am 21. Aug. 1864, die im ganzen Lande einen großartigen Verlauf hatte. Dem Volksfeste der Stadt Montabaur schloß das Seminar sich an. Als Vorfeier war am 20. August im großen Festsaal der Anstalt ein Konzert mit Redeakt. In seiner Festrede wies der Direktor hin auf das Gute, Nützliche, Große und Rühmliche, was in den letzten 25 Jahren in Nassau geschehen ist, ganz besonders auf das, was das gesamte Schulwesen der liebevollen Sorgfalt Sr. Hoheit zu verdanken hat. Schließlich verdient noch Erwähnung die Vorfeier des dreifachen Festes, das am 22. März 1871 stattfand: des hohen Geburtsfestes des Landesherrn, des Friedensfestes sowie des Festes der Wiederherstellung der deutschen Kaiserwürde. Der Direktor wies bei dieser hochfeierlichen Gelegenheit in seiner Rede auf die besondere Bedeutung des Festaktes hin und forderte zum Schlusse auf zum Danke gegen Gott, zur (religiösen Toleranz und politischen) Einigkeit und zur (deutschen) Selbstachtung.

Kehreins Wirksamkeit am Lehrerseminar fand, wie wir schon gesehen, vonseiten Sr. Hoheit des Herzogs die huldvollste Anerkennung durch Verleihung höchstseines Zivil-Verdienstordens. Übrigens machte der Landesvater auch bei anderen Gelegenheiten und schon lange vor jener besonderen Auszeichnung kein Hehl aus höchstseiner Wertschätzung des Seminardirektors. Darum kann es nicht Wunder nehmen, daß im Anfang des Jahres 1858 bei Besetzung der erledigten Direktorstelle am Gymnasium in Hadamar er in Frage kam, von Sr. Hoheit aber auf seiner Stelle belassen wurde, um „ihn mit Rücksicht auf das bischöfliche Konvikt in jenem Gymnasialstädtchen vor etwaigen Verlegenheiten" zu bewahren. Zugleich zeigte der Landesherr ihm dadurch thatsächlich höchstseine Huld, daß er ihm eine Gehaltszulage von 100 Gulden für den 1. April gewährte. Übrigens fällte Erzherzog Stephan in dem Briefe (vom 8. Februar 1858) das Urteil: „Betrachtet man das Ganze so recht bei Licht, ist Ihnen eigentlich zu gratulieren, daß Sie in Montabaur bleiben — die Stellung an und für sich ist angenehmer, der Beruf ein höchst ehrenvoller, meiner Ansicht nach ein größerer Vertrauensposten als eine Gymnasial-Direktorstelle." Nicht minder erfreulich und ehrenvoll war es für Kehrein, daß Se. Hoheit bei Gelegenheit der großen Jagden im Montabaurer Revier ihn öfters zur Tafel zog und die Dedikation von dessen Buche „Volkssprache und Volkssitte in Nassau", das im März 1860 zu erscheinen begann, bereits im Dezember 1859 huldvollst annahm. Noch weit schmeichelhafter war jedoch für ihn das mehrfache Anerbieten, das Referat (Amt eines Regierungsrates) in Wiesbaden für das katholische Schulwesen Nassaus zu übernehmen. Der Herr Erzherzog Stephan riet ihm stets davon ab und erklärte ihm offen, er würde ihn bedauern, wenn seine Ernennung dazu erfolgen sollte.[1] Als Kehrein seinem hohen Mäcen am 13. Dezember 1862 mitteilte, daß er in Montabaur bleiben wolle und durchaus nicht von dem Ehrgeiz getrieben werde, nach Wiesbaden zu kommen, nahm dieser am 20. Dezember die Nachricht mit großer Genugthuung

---

[1] So im Briefe vom 18. Oktober 1855, vom 23. November 1857 u. i. a.

entgegen und bemerkte dazu in ſeinem Briefe: „Ich be=
greife es ſehr wohl, denn unter den jetzigen Verhältniſſen
wäre die Stellung nicht leicht und das Sprichwort eine
Wahrheit, daß man lieber auf dem Lande der Erſte als
in der Stadt der Zweite ſein mag. Gut iſt es übrigens
für Ihren Zweck, da zu bleiben, wo Sie ſind, daß man
auch nach Montabaur ſchwer nur einen Nachfolger finden
werde, ſomit ſo zu ſagen aus der Not eine Tugend ge=
macht werden muß." Übrigens erklärte ſich Kehrein bei
allen Anfragen hinſichtlich des Schulreferates in Wies=
baden nur für den Fall zur Annahme bereit, daß zwiſchen
den Reſſorts der katholiſchen und proteſtantiſchen Referenten
eine ſcharfe Grenze gezogen werde, was jedoch jedesmal
als unmöglich bezeichnet wurde.

　　Erfreute ſich Kehrein des hohen Vertrauens ſeines
Landesherrn, ſo mußte er von verſchiedenen anderen Seiten
auch manche Bitterkeit erdulden, welche Mißgunſt, Ver=
dächtigung und Verunglimpfung ihm bereiteten. Beſonders
ſchmerzlich berührte es ihn, wenn ſolche als Gegner ſich
zeigten, die ihm zum Danke verpflichtet geweſen wären.
Doch unter allen Anfeindungen, von denen er heimgeſucht
wurde, ſind diejenigen am denkwürdigſten, welche ſich ein
Regierungsbeamter geheim und offen erlaubte. Und er
hätte dabei wohl mehr Glück gehabt, wenn nicht der hohe
Einfluß Sr. K. K. Hoheit des Erzherzogs Stephan dieſes
vereitelt hätte. Sehr intereſſant iſt in dieſer Hinſicht das
Handſchreiben des hohen Herrn an ſeinen Schützling vom
24. März 1856, woraus folgende Stellen erwähnt werden
mögen: „Mein lieber Kehrein! Meinen Dank für Ihr
Schreiben aus Montabaur vom 20. März l. J., das ich
um ſo mehr bald zu beantworten trachte, als Sie aber=
mals ſo freundlich ſind, ſich um mein Befinden zu er=
kundigen, weiters mir M.....'s definitive Ernennung
zugute ſchreiben und die Mitteilung über X...'s Tadels=

ausspruch machen, der auch mir bei dem Umstande nicht gleichgiltig sein kann, daß ich mich warm für Sie interessiere. Der Reihenfolge nach also pro primo ... Was nun endlich X...'s Wink mit der Ofengabel anbelangt, leugne ich meinem gewohnten Prinzige nach: der Wahrheit eine Gasse! durchaus nicht, daß man während meines letzten Wiesbadener Aufenthaltes unter sonstiger vollkommener Anerkennung Ihrer so entsprechenden Dienstleistung mit Bedauern bemerken zu müssen glaubte, daß Sie gar zu viel schriftstellerten, und bei der ungemein häufigen Herausgabe Ihrer Arbeiten, namentlich in der letzten Zeit vermuten lassen müßten, daß das Ganze Ihnen sehr viel Zeit, ja sogar mehr Zeit raube, als sonst noch zu verantworten sei! — Ich erwiderte darauf, es seien meist noch in Hadamar begonnene Arbeiten, denen nur noch die letzten Striche gefehlt hätten, um finis coronat opus sagen zu können — und mir schiene, wenn der Dienst sonst klaglos verrichtet wird, ähnliches Fürgehen eine ehrenvolle Nebenbeschäftigung ꝛc. — und dabei beruhigten sich die homines quaestionis, die ich Ihnen nicht nennen darf, weil auch sie mir im Vertrauen sprachen. Nun kommt X...'s Schreiben an Sie, das meinen Notizen ziemlich ähnlich ist — ob er von den anderen instigiert ist, ob die andern ihn zu dem Schritte aufmunterten, je l'ignore — aber fast glaube ich, daß Tabatière, Broche, Uhr u. s. w. [1]) vielleicht auch ein wenig die unschuldige Ursache sein dürften, daß andere — sie auch gerne bekommen hätten. Darf ich Ihnen aber einen Rat als Freund geben, so ist es wirklich der, mit der Schriftstellerei — saltem festina leute: das, was nicht mehr aufgehalten werden kann, nach und nach herausgegeben, den Verpflichtungen dem Verleger

---

[1]) Geschenke, die Kehrein für sich und seine Familie von Sr. Majestät dem Kaiser von Österreich und Ihrer Hoheit der Herzogin Maria von Brabant erhalten hatte.

gegenüber entsprechen und dann ein bißchen zugewartet."
Um diese Mitteilungen zu verstehen, muß man wissen,
daß Herr X... an Kehrein schrieb, man wundere sich an
der Regierung, woher der Direktor Kehrein die viele Zeit
nehme zu seiner Schriftstellerei, worauf letzterer erwiderte:
„Sagen Sie dem Manne, meine Rechtfertigung stehe in
Ciceros Rede für den Dichter Archias, Kap. 6, § 13."
Hier bemerkt nämlich der römische Redner, niemand könne
es ihm verargen, diejenige Zeit, welche andere dem Vergnügen und der Erholung opferten, den Studien zu widmen.[2])
Sonderbar berührt es geradezu, wenn derselbe Mann bald
nachher ihm riet, seine neuesten Bücher der herzoglichen
Familie zuzusenden. Auf die Nachricht hiervon schrieb
Se. K. K. Hoheit Erzherzog Stephan am 19. April 1856:
„Was Herrn X...'s Ratschläge anbelangt, fiel mir unwillkürlich dabei das alte Sprichwort ein: Timeo Danaos
dona ferentes! Herr X..., einer der ärgsten Antagonisten Ihres litterarischen Fleißes, er ist es, der Ihnen
jetzt anrät, trotzdem daß der Herzog Ihre Anfrage nicht
beantworten ließ, ihm ein Exemplar Ihrer deutschen
Grammatik, der Herzogin aber Ihr Liederbrevier zu über-
schicken?! Wäre er nicht am besten dadurch gefangen,
wenn Sie die für beide hohe Herrschaften bestimmten
Exemplare mit ein paar Einbegleitungszeilen an jede derselben, unter extra Kouvert natürlich, an ihn senden, ihn

---

[2]) **Die Stelle lautet:** ‚Quis me reprehendat, aut quis mihi
iure succenseat, si, quantum ceteris ad suas obeundas, quantum
ad festos dies ludorum celebrandos, quantum ad alias voluptates
et ad ipsam requiem animi et corporis conceditur temporum,
quantum alii tribuunt tempestivis conviviis, quantum denique
alveolo, quantum pilae, tantum mihi egomet ad haec studia reco-
lenda sumpsero? Atque hoc adeo mihi concedendum est magis,
quod ex his studiis haec quoque crescit oratio et facultas, quae
quantacumque est in me, numquam amicorum periculis defuit.‘

bitten würden, sie höchsten Orts übergeben zu wollen?" Als der seine Macht fühlende Gegner einige Monate später dem Direktor wiederum Vorstellungen hinsichtlich der Schriftstellerei machte, bedeutete der Herr Erzherzog im Briefe vom 15. November 1856 letzterem: „Was er Ihnen über Ihr Bücherschreiben sagte, ist insofern recht, weil er damit — was er auch anderswo aussprach — wenigstens nicht hinter dem Berge hielt; ich weiß es, daß er diesen Tadel schon mehrfältig aussprach — Sie werden sich ja auch erinnern, mein lieber Kehrein, daß ich Ihnen diese Mitteilung gleich damals machte sub rosa und ver= blümt, aber doch so, daß Sie mich kapierten und mir da= für dankten. Freilich kommt hier zu bedenken, daß Sie Kinder zu erziehen und zu ernähren haben, und daß eine ehrenvolle Nebenbeschäftigung ohne Hintansetzung des eigentlichen Berufes niemand verwehrt werden kann." Die versteckten und offenen Angriffe jenes gefährlichen Gegners wiederholten sich in der Folgezeit öfters. Einmal hatte der schlaue Mann sogar die Naivetät, Kehrein in der Zeit nach Beendigung des nassauischen Kirchenstreites zu er= klären, es sei bei der Regierung davon die Rede gewesen, wie der Seminardirektor sich wohl stellen werde, wenn ein neuer Konflikt zwischen Regierung und bischöflicher Behörde ausbreche. Dieser antwortete kurz und bündig: „Warten Sie ab, bis der Fall eintritt; dann werden Sie sehen, wie ich mich stelle." Selbst zur Zeit der Vereinigung Nassaus mit Preußen konnte der gute Mann noch nicht ruhen, doch seine Künste sollten nicht mehr allzulange währen; denn seine Pensionierung machte ihnen ein Ende.

Trotz all dieser und anderer Schwierigkeiten, denen Kehrein in seinem Amte begegnete, war und blieb er ein Feind von allzugroßer Devotion; das leider vielfach be= liebte Verfahren: nach oben kriechen und nach unten treten — war seinem Charakter fremd. Er liebte ein offenes,

freimütiges Wesen (wie ja auch seine oben mitgeteilte An-
trittsrede zu erkennen gibt), was freilich nicht immer An-
klang fand; er mußte manchmal die traurige Erfahrung
machen, daß bei gewissen Personen Gesinnung und Wort
nicht übereinstimmten.

Außer der Seminardirektion hatte Kehrein die (Kreis-)
Schulinspektion der Elementarschulen der Pfarrei Montabaur (5 städtische Elementarschulen in Montabaur, dann
diejenigen in Boden, Elgendorf, Eschelbach, Horressen
und Reckenthal); dazu der Schule des Rettungshauses in
Montabaur von 1863—1865; ferner der Schulen in Berod
und Wallmerod von 1857—1858 (einschließlich); der Schulen
in Großholbach, Girod, Nentershausen, Heilberscheid und
Nomborn von 1857 bis zum Frühling 1867; endlich der isra-
elitischen Schule in Montabaur von 1855—1866 (einschl.).
In all diesen Schulen wurden regelmäßig zur Frühlings-
zeit von dem Schulinspektor Prüfungen abgehalten; auch
fanden unter seiner Leitung zeitweilig Konferenzen aller
Lehrer der Inspektion statt. In denselben wurden verschiedene Punkte aus dem Schulleben besprochen, der Lese-
zirkel geordnet und die von den Lehrern (einige Zeit vorher) eingelieferten Konferenzvorträge einer Kritik unter-
zogen. Bisweilen hielt der Schulinspektor selbst Vorträge,
z. B. am 9. Juli 1857 über die „Entwickelung der deutschen
Sprache"; im Oktober, November und Dezember 1860
wöchentlich (abends von 5—7 Uhr) über „Deutsche Sprache
und Litteratur" (zugegen waren außer den Lehrern der
Pfarrei die Seminar- und Reallehrer und Lehrer der Inspektion Holler); gleichfalls über deutsche Sprache und
Litteratur an jedem Montag (von 5—7 Uhr abends) in
den Monaten Juni, Juli und August 1861.

Von der seit dem 4. Juni 1855 unentgeltlich ver-
walteten Direktion der Realschule zu Montabaur, woraus
sich im Jahre 1868 das Progymnasium und später das

Kaiser-Wilhelms-Gymnasium entwickelt hat, wurde er auf wiederholtes Ansuchen am 10. November 1866 entbunden. „Als Vorgesetzten," schreibt Speyer[1]) (Wiesbaden), der von 1862—65 an der Realschule wirkte, „in dem Verhältnis des Lehrers zu dem Dirigenten · der Anstalt habe ich ihn verehren und lieben gelernt. Hatte ich als Lehrer des Deutschen irgend eine fachliche, etymologische, grammatikalische Schwierigkeit, so konnte ich sicher sein, daß es nur eines Ganges zu dem Studierzimmer des Realschul-Dirigenten bedurfte, um vollständig befriedigt, orientiert und belehrt zurückzukehren. Er nahm reges Interesse an dem Emporblühen der Anstalt, welches recht zu Tage trat bei den verschiedenen Konferenzen (zum Zwecke der Reorganisation des Lehrplanes), welche der Dirigent leitete. Bei den Revisionen und öffentlichen Schulprüfungen war es ihm ein leichtes, rasch ein sicheres Urteil zu gewinnen über den Kenntnisstand der Klasse, indem er durch geschickte Kreuz- und Querfragen alsbald entdeckte, ob die Schüler das betreffende Lernpensum den Anforderungen gemäß innehatten. Dabei vermied er es taktvoll, den Lehrer durch Korrekturen und verfängliche Zwischenfragen einer Verlegenheit auszusetzen." Diesem Urteil fügt Berninger[2]) (Wiesbaden) ergänzend hinzu: „Noch heute rechne ich jene Stunden zu den schönsten während meiner dreißigjährigen Schulthätigkeit, in denen (im Jahre 1874) Direktor Kehrein im Auftrage der Regierung in N. neben anderen Schulen auch meine einer Revision unterzog. Hatte ich denselben während meiner Seminarzeit schätzen und achten gelernt, hier lernte ich ihn lieben. Da gab es trotz strenger, eingehender Prüfung auch kein Wort, keinen Blick, aus dem ich nicht väterliches Wohlwollen hätte entnehmen können. Und dann erst die Unterhaltung, welche zwischen

---

[1]) A. a. O. — [2]) A. a. O.

uns beiden beim Spaziergange am Ufer des deutschen Rheinstromes geführt wurde! Nie werde ich sie vergessen, und zur Zeit manches späteren Erlebnisses war die Erinnerung an jene schönen Stunden und an das, was ich da zum letztenmal aus dem Munde meines mir unvergeßlichen Lehrers hörte, für mich ein Anker, an dem mich festzuklammern ich nicht unterließ." Das Gesamturteil ist wohl in folgenden Worten des Lehrers J. Speyer[1]) enthalten: „So wird denn jeder Lehrer, der unter Kehreins Direktion gewissenhaft im Schulamte gewirkt hat, bestätigen können, daß sich derselbe als einen gerechten und durchaus humanen Vorgesetzten erwiesen hat, der daher auch fähig war, jungen, strebsamen und tüchtigen Lehrern durch Ausstellung glänzender Zeugnisse zum Zwecke ihres Weiterkommens fördernd unter die Arme zu greifen."

Als Schulinspektor stand Kehrein auch der zu Ostern 1862 von Lehrschwestern aus der Genossenschaft der „Dienstmägde Christi" (Kloster Dernbach) in Montabaur eröffneten höheren Töchterschule nahe, sowie dem am 1. Oktober 1869 damit verbundenen Lehrerinnenkursus. „Für die höhere Töchterschule[2])! hatte ursprünglich Pfarrverwalter Stein die Konzession, so lange wir[3]) nassauisch waren. Die Schwestern wurden ja nicht zum Examen zugelassen, obgleich Seminardirektor Kehrein zur Abhaltung eines Tentamens vor unserer Übersiedelung nach Montabaur schon einmal in Dernbach gewesen war. Als wir preußisch geworden und in Düsseldorf im Frühjahr 1867 Examen gemacht hatten, wurde jedenfalls durch gütige

---

[1]) A. a. O.

[2]) Es hatte schon in den fünfziger Jahren (von Herbst 1854 an) einmal eine höhere Töchterschule in Montabaur existiert, von weltlichen Lehrern (der Realschule) geleitet, die aber 1857 einging.

[3]) Schwester Assistentin Emilie Eiffler (Dernbach) im Briefe an mich vom 12. April 1901.

Beihilfe des Seminardirektors die Konzession auf eine Schwester übertragen. Der Kulturkampf machte unserer Anstalt ein Ende am 31. August 1877."

„Direktor Kehrein übernahm schon im Winter 1869/70 im Kursus der Lehrerinnen den pädagogischen und litteraturgeschichtlichen Unterricht. Da er namentlich letzteren so ganz nach der Art eines Professors erteilte (wie Universitätsvorlesungen), so wohnten demselben nicht bloß die Schülerinnen, sondern auch wir Lehrerinnen nach Möglichkeit mit großem Interesse bei. Ich besitze noch mehrere dicke Hefte voll Notizen, die ich in seinen Stunden niederschrieb. Wir alle wußten, daß er eine seltene Kennt-nis der Litteratur und eine durchaus katholische Auffassung der litterarischen Werke besaß; darum hatte jedes feiner Worte in unseren Augen großen Wert. Ich weiß noch recht gut, daß ich mich bemühte, das Vorgetragene nicht bloß inhaltlich, sondern auch dem eigenartigen Ausdrucke nach aufzuzeichnen."

„Auf die Bitte unseres verstorbenen Superiors, Geist-lichen Rates Wittayer hin hatte Direktor Kehrein am 8. Dezember 1869 ein Gesuch nach Berlin eingesandt, in dem um die Errichtung einer Prüfungskommission für katholische Lehrerinnen in Montabaur gebeten war. Da-rauf kam schon am 10. Januar 1870 die Antwort, daß das Schulkollegium in Kassel vom Kultusminister zur Er-richtung dieser Kommission ermächtigt sei. Dazu gehörte von den Lehrern an erster Stelle der Seminardirektor. Über 50 Kandidatinnen (teils Ordensschwestern, teils welt-liche Schülerinnen) haben meines Wissens bei ihm Examen gemacht, die teilweise sehr tüchtige Lehrerinnen in Deutsch-land, England, Holland und Amerika geworden sind."

„Direktor Kehrein hat der Anstalt auch als Schul-inspektor große Dienste erwiesen, wofür wir ihm heute noch immer Dank schulden. Wie oft haben wir ihn um

Rat und Hilfe angesprochen, bei seiner großen Herzensgüte nicht umsonst! Den Prüfungen wohnte er immer von
Anfang bis zum Ende bei, ermutigte die Kinder und er-
heiterte die Anwesenden durch den ihm angeborenen Witz
und Scherz .. Es war für unsere Anstalt zweifelsohne
ein großer Verlust, daß der liebe Gott ihn nur allzu früh
uns wegnahm.

„Große Dienste hat der gute Herr der Anstalt im
Jahre 1870 geleistet, als die Konzession auf meine Wenig-
keit übertragen werden mußte. Er war es, der darauf
aufmerksam machte, die Papiere einsandte und alles so
lobend hinstellte, daß die Regierung, ohne darum von uns
gebeten zu sein, bei Übertragung der Konzession die Bemerkung beifügte: »daß sie mit Rücksicht auf die bisherige
Lehrthätigkeit die neue Schwester von der Ablegung einer
besonderen Vorsteherin-Prüfung dispensieren wolle«.“

Am Neujahrstage des Jahres 1873 wurde dem langjährigen Schulinspektor eine besondere Ehre zuteil. Es
erschien nämlich der ganze Stadtrat und überreichte ihm
das Diplom eines Ehrenbürgers. Dasselbe hat folgenden
Wortlaut: „Dem Königl. Seminardirektor Herrn Schulinspektor Joseph Kehrein von Montabaur, Inhaber
mehrerer Orden, erteilt aus Anerkennung für seine den
Elementar- und Gelehrtenschulen daselbst geleisteten uneigen-
nützigen und treuen Dienste der unterzeichnete Gemeinderat
hiermit das Ehrenbürgerrecht der Stadt Montabaur mit
aktivem und passivem Wahlrecht.“

Die litterarische Thätigkeit Kehreins konnte für die
erste Zeit seines Direktoriats naturgemäß nur eine beschränkte sein: begonnene Werke wurden fortgeführt, bezw.
vollendet. Dahin ist vor allem zu rechnen das „Handbuch
deutscher Prosa für Schule und Haus. Mit erläuternden
Anmerkungen und einem Anhange: Kurze Lebensbeschreibungen der Verfasser der Stücke und der in denselben vor-

kommenden Personen." I. Teil. Historische Prosa. II. Teil. Rhetor. und poetische Prosa (1855). In der „Deutschen Volkshalle"[1] steht darüber folgendes Urteil: „Eine wirklich seltene Litteraturkenntnis, treffliche, sinnvolle Auswahl, geschickte Ordnung, reichhaltiger Stoff, die beigegebenen sachlichen und sprachlichen Erläuterungen, die Lebensbeschreibungen und Charakteristiken der Schriftsteller empfehlen das Werk als ein ebenso belehrendes als unterhaltendes Buch für Schule und Haus. Wahrhaft erfreulich ist besonders für Katholiken die in der That reiche katholische Litteratur, welche hier ihre Stelle gefunden[2] .. Dies ist geeignet, immer noch nicht geschwundene Vorurteile der Protestanten gegen die Katholiken gänzlich zu beseitigen, sodann aber die Katholiken auf den reichen Schatz katholischer Litteratur aufmerksam zu machen." Ein gleich günstiges Urteil fällt der Rezensent im „Österreichischen Schulboten".[3] Im Spätherbst 1855 erschienen zwei weitere Bücher: „Schulgrammatik der deutschen Sprache" und „Liederbrevier für katholische Frauen und Jungfrauen" (Ihrer Majestät der Kaiserin Elisabeth von Österreich gewidmet). In ersterem Buche suchte der Verfasser seine wissenschaftliche „neuhochdeutsche Grammatik" der Schule anzupassen und zwischen jener und der „Kleinen deutschen Schulgrammatik" (besonderer Abdruck des „Überblickes" in der unteren Lehrstufe des oben genannten Lehrbuches) die Mitte zu halten.[4] In letzterem bietet er eine große Fülle deutscher

---

[1] Jahrgang 1855 Nr. 242, Zugabe.

[2] Es folgt eine längere Reihe von Namen.

[3] Jahrg. 1855, Nr. 51.

[4] Erzherzog Stephan bezeichnet dieses Buch und die 2. Auflage der „Entwürfe" im Brief vom 27. Sept. 1856 als Produkte „des Unermüdlichen im Herzogtum Nassau" und bemerkt, daß sein Bibliothekskatalog bereits „mehr als eine Folioseite hindurch" den Namen „Kehrein" aufweise.

Originallieder und metrischer Übersetzungen lateinischer
Kirchenlieder auf die verschiedenen Zeiten und Feste des
Kirchenjahres, sowie für die besonderen Andachtsübungen
(Empfang der hl. Sakramente 2c.) des katholischen Christen.
Von den Übersetzungen stammen zehn aus der Feder des
Verfassers, die schöne, ergreifende Einleitung über das
Kirchenjahr hat der uns schon bekannte Seminar-Religionslehrer P. Müller verfaßt. Noch in demselben Jahre
kam die 4. Auflage des Lesebuchs 1 und die 2. Auflage
der „Entwürfe" auf den Büchermarkt. Erzherzog Stephan
schrieb[1]) bei Zusendung dieser Bücher dem Verfasser:
„Welches Werk (Liederbrevier) durch Inhalt sowohl als
auch durch äußere Ausstattung nichts zu wünschen übrig
läßt und somit auch seiner hohen Patin vollkommen
würdig ist. . . . Die Zusammenstellung macht dem Autor
ebensoviel Ehre als die Nachricht, daß Ihr Lesebuch in
den Münchener Gymnasien eingeführt wurde. Ähnliche
Auszeichnungen sind für den Litteraten der schönste Lohn,
den es gibt, besonders wenn man wie Sie nur der Wissenschaft, seiner Pflicht und seiner Familie lebt. Ich muß
und kann es nur immer nicht genug wiederholen, wie ich
Ihren unermüdeten Fleiß ebenso bewundere wie Ihr Talent,
aus 12 Stunden anderer Menschen wenigstens 18—20 zu
machen!" — Die rasch erfolgte 2. Auflage der „Entwürfe" liefert Sr. K. Hoheit[2]) „den neuen Beweis der
Wertschätzung, dessen sich Kehreins Schriften fortwährend
erfreuen". Zugleich wundert sich der Herr Erzherzog über
die Behauptung seines Bibliothekars, daß dieses Buch noch
nicht in seiner Bibliothek gewesen, und fährt fort: „Ich
versicherte ihm aber, daß ich das bei der freundlichen Ge-
wohnheit des Autors kaum glauben könne, der mich bis-

---

[1]) Brief vom 12. November 1855.
[2]) Brief vom 19. Dezember 1855.

her wenigstens noch nie vergessen habe, wenn es galt, meine Bibliothek zu bereichern."

Im Jahre 1856 erschien der 3. Band der „Grammatik des 15.—17. Jahrhunderts", wodurch das mühevolle Werk zum Abschluß kam. Zugleich gab Kehrein eine „Auswahl dramatischer Deklamationsstücke" heraus, wodurch gewissermaßen ein Kanon solcher poetischen Vorträge geboten werden sollte, wie er sie schon bei Gelegenheit der Schulfeste des Gymnasiums zu Hadamar zur Aufführung gebracht hatte. Dagegen lehnte er im Spätherbste den Wunsch der Verlagshandlung O. Wigand, ein Handwörterbuch der deutschen Sprache herauszugeben, mit Rücksicht auf seine vielfache Beschäftigung ab. [1]

Im Laufe des Jahres 1857—1858 begann er sein dreibändiges Werk „Katholische Kirchenlieder, Hymnen und Psalmen", das freilich erst im Jahre 1865 vollendet werden sollte. Zwei kleinere Bücher, die gleichzeitig, d. h im Jahre 1858 erschienen, verdanken Kehreins Schulinspektions-Amt ihre Entstehung und führen den Titel: „Aufgaben zu Sprach- und Stilübungen in den Oberklassen der Elementarschule." „Anhang zum Lesebuch für die oberen Klassen der Elementarschulen des Herzogtums Nassau, enthaltend Lebensbeschreibung der Verfasser der Lesestücke und der in denselben erwähnten Personen." Zugleich darf hier nicht verschwiegen werden, daß Kehrein in diesem und den folgenden Jahren wiederholt von dem Schulreferenten Dr. Firnhaber dazu eingeladen wurde, mit ihm ein neues Lesebuch für die nassauischen Elementarschulen herauszugeben, daß aber jedesmal alle Pläne daran scheiterten, daß Firnhaber eine Biographie M. Luthers aufnehmen wollte, Kehrein aber in diesem Falle eine solche von Ignatius von Loyola für notwendig erachtete. Erfreulich

---

[1] Brief des Erzherzogs Stephan vom 10. Oktober 1856.

dagegen und ehrenvoll zugleich war für ihn die Ernennung zum „Ehrenmitgliede des historischen Vereins für den Niederrhein, insbesondere die alte Erzdiözese Köln". Dieselbe erfolgte am 2. Juni 1857[1]) gleichzeitig mit der des Historikers Dr. Fr. Böhmer (Frankfurt). Auf die Kunde hiervon gab der Herr Erzherzog Stephan in dem Gratulationsschreiben vom 23. Juli 1857 seiner hohen Freude unverholen Ausdruck und fährt dann scherzend weiter fort: „Bald wird bei Ihren Werken der Titel mit den verschiedenen Diplomen zwei Seiten einnehmen und jedermanns geographische Kenntnisse wesentlich erweitern."

Im Seminar-Osterprogramm des Jahres 1858 lieferte Kehrein eine Abhandlung über die „Deutsche Orthographie", worin er (wie in seiner Schulgrammatik; vgl. § 50 ff.; 71 ff.) der Ansicht huldigte, daß dieselbe wohl einer Vereinfachung bedürfe, daß letztere aber „nicht mit maßlosem Anstürmen gegen den bisherigen Gebrauch, sondern nur mit sorgfältiger Beachtung des Entwicklungsganges unserer Sprache in der Zeit und ihrer Anwendung im heutigen Leben sich erreichen lasse".

Daneben arbeitete er rüstig weiter an den deutschen Kirchenliedern, so daß schon im Jahre 1858 der 1. Band vollendet werden konnte, der hauptsächlich den Entwicklungsgang des katholischen deutschen Kirchenliedes darlegt. Ein besonderer Abdruck hiervon erschien unter dem Titel: „Kurze Geschichte des deutschen katholischen Kirchenliedes von seinen ersten Anfängen bis zum Jahre 1631."

Außer den grammatischen und litterarischen Studien widmete er der Beschäftigung mit der Volkssprache manche Stunde, wovon sein Werk „Volkssprache und Volkssitte in Nassau" zeugen mag, mit dessen Ausarbeitung er im Herbste 1858 begann.

---

[1]) Vgl. Brief vom Vorstandsmitglied Dr. Jos. Krebs (Köln) an J. Kehrein vom 12. Juni 1857.

Während die genannten beiden größeren Werke ihn bis zum Jahre 1865 stark in Anspruch nahmen, gab er nebenbei eine Reihe kleinerer Bücher heraus, die teils wissenschaftlichen, teils praktischen Zwecken dienten; dazu begann er vom Jahre 1864 an, zu einem „Wörterbuch der Weidmannssprache" das Material zu sammeln. Zugleich erlebten verschiedene der bereits früher erschienenen Bücher neue Auflagen, so das „Handbuch deutscher Prosa" (1859), das „Liederbrevier" (1859), die „Entwürfe" (1860), die „Schulgrammatik" (1865). Unter jenen kleineren Büchern ist zunächst zu erwähnen: „Sammlung alt- und mittelhochdeutscher Wörter aus lateinischen Urkunden" (1863), die der Lektüre vieler lateinischer Urkunden ihr Dasein verdankt, welche ihrerseits durch die Ausarbeitung des „nassauischen Namenbuches" bedingt war. Das „Älterneuhochdeutsche Wörterbuch" (1865) dagegen ist ein besonderer Abdruck aus den „kath. Kirchenliedern" und steht mit deren Bearbeitung im engsten Zusammenhang. Hierzu kommt die kommentierte Ausgabe des „Annoliedes" (1865) und das „Pater noster und Ave Maria in deutschen Übersetzungen" (1865). „Dem historischen Vereine für den Niederrhein ꝛc. als Zeichen der Dankbarkeit gewidmet",[1] enthält das „Annolied" Vorbemerkungen über Annos Leben, den Verfasser des Liedes, den Inhalt des Gedichtes und Ausgaben desselben; dann folgt der genaue Opitz'sche Text (da keine Handschrift des Liedes mehr vorhanden ist), der aber in den Anmerkungen und in dem Wörterbuche Verbesserungen erfahren hat. Da die Schreibung mitunter sehr schwankend ist, so sind in dem Wörterbuch alle Formen desselben Wortes bei der in der alphabetischen Reihenfolge zuerst stehenden Form mitgeteilt und später wird auf dasselbe verwiesen. Um dem Sprachforscher noch etwas Weiteres

---

[1] Für seine Ernennung zum Ehrenmitgliede. S. o.

zu bieten, sind die einzelnen Eigentümlichkeiten des Gedichtes
in bezug auf Schreibung, Deklination, Konjugation, Satz-
bildung u. s. w. zusammengestellt. Das Büchlein „Pater
noster rc." bietet einen genauen Abdruck der (meist ungedruckten) deutschen Übersetzungen und Erklärungen der
beiden echt christlichen Gebete (des Vaterunsers von
Wulfilas Zeiten bis zum 16. Jahrhundert) nebst den alt-
deutschen Namen Gottes und Marias. Von Interesse ist
es, aus den verschiedenen Übersetzungen des Ave Maria
zu ersehen, welche Erweiterungen dieses Gebet im Laufe
der Jahrhunderte erfahren hat, bis es endlich im Katechismus des seligen P. Kanisius (Sulzbach 1596) in der
jetzt allgemein verbreiteten Fassung erscheint. Hieran schließt
sich passend das Hilfsbüchlein zur Erklärung kirchlicher
Ausdrücke für jedermann, namentlich für den katholischen
Elementarlehrerstand" (1864). In dem alphabetisch ge-
ordneten Büchlein zeigt der Verfasser, wie die zahlreichen
lateinischen und griechischen Ausdrücke des kirchlichen Lebens
in der deutschen Sprache teils unverändert beibehalten, teils
in Form und Bedeutung etwas verändert, teils verdeutscht,
teils durch entsprechende deutsche ersetzt worden sind. So
wird zugleich der Einfluß nachgewiesen, den das Christentum auf unsere Muttersprache geübt hat.

Nur Schulzwecken sollten folgende Bücher dienen:
„Regeln und Wörterverzeichnis[1]) zur Einübung der deutschen
Rechtschreibung zunächst für Elementar- und Realschulen"
(1861), „Deutsches Stilbuch. Zum Gebrauche für Schüler
in Volks-, Real- und Fortbildungsschulen und in den mittleren Klassen der Gymnasien" (1864) und das „Hilfsbuch
zum deutschen Sprachunterricht in allen Klassen der

---

[1]) Dieses Büchlein ist, von mir auf Grund der neuen Schul-
orthographie umgearbeitet und bedeutend erweitert, in 4. Auflage
1885 erschienen.

Elementarschule" (1865). Das erste Büchlein fußt auf der oben genannten Programmabhandlung, das dritte auf der- jenigen des Seminarprogramms des Jahres 1865, welche den Titel führt: „Gliederung des deutschen Sprachunter- richts in der Elementarschule;" die Entstehung des zweiten hängt damit zusammen, daß Kehrein die Direktion der Realschule zu Montabaur verwaltete, weshalb darin auch vorzugsweise den Bedürfnissen der Realschule (durch An- leitung zur Abfassung von Briefen, Geschäftsaufsätzen 2c.) Rechnung getragen wird. Dazu erlebten die „Entwürfe" in demselben Jahre eine neue, die 3. Auflage. Endlich ist noch zu erwähnen die Abhandlung „Grammatische Kunstausdrücke", die im Seminarprogramm vom Jahre 1862 erschien und als Frucht der fortgesetzten grammatischen Studien zu betrachten ist. Zuletzt mag noch darauf hin- gewiesen werden, daß die alte Liebe zum Versemachen, trotz so mancher trocknen Studien, bei ihm nicht ganz geschwunden war, vielmehr gelegentlich wieder hervortrat, besonders in der Schilderung von „Schaumburg" [1]) (1858) und in fol- genden Festgedichten: „Zur Vermählungsfeier Sr. K. K. Hoheit des Erzherzogs Joseph Karl Ludwig von Öster- reich und Ihrer Hoheit Maria Adelheid Clothilde Amalie von Sachsen-Coburg Cohary 2c." (gedr. v. O. u. J. 1864); „Vaterlandslied zum Geburtstag Sr. Hoheit des Herzogs Adolf von Nassau" (24. Juli 1863), im Fest- programm des Seminars gedruckt; zwei „Festgedichte zu Hochdessen 25 jährigem Regierungsjubiläum" (21. August

---

[1]) Im Brief v. 20. Aug. 1858 schreibt Erzherzog Stephan: „Was die Zusammenstellung der dichterischen Schilderung Schaum- burgs betrifft, mein Kompliment, sie ist gelungen, weil sie so stilisiert erscheint, als ob mein Schloß zum Motiv gedient hätte — bei dem- selben kann man aber wirklich sagen: Ende gut, alles gut! und das Ende ist von einem sicheren Kehrein — hinc vivat!"

1864), wovon das eine im Festprogramm des Seminars, das andere in der „Naff. Landeszeitung" erschienen ist.

Im Jahre 1864 wurde das Werk „Volkssprache und Volkssitte im Herzogtum Nassau" durch Erscheinen des 3. Bandes zum Abschluß gebracht. Über die beiden ersten Bände (1860—62) urteilt der Rezensent in Dr. Fr. Zarnckes „Litterarischem Centralblatt" (1862, Nr. 46): „Der erste Band des vorliegenden Werkes, dem eine kurze Lautlehre sowie einige Bemerkungen über andere Eigentümlichkeiten des Dialekts vorangeschickt sind, enthält den vom Verfasser mit Unterstützung vieler anderer gesammelten Wortschatz des naffauischen Landes ... Für die Etymologie hat der Verfasser durch Vergleichung teils mit dem Alt- und Mittelhochdeutschen, teils mit den heutigen deutschen Dialekten zum Teil sehr Verdienstliches geleistet und sich bei dunkleren Wörtern von künstlichen Erklärungen fern gehalten. Seine Arbeit ist daher als ein dankenswerter Beitrag zur Kunde der deutschen Dialekte zu bezeichnen.[1] Der zweite Band gibt zuerst Sprachproben, welche den im ersten öfters hervortretenden Mangel an Redensarten und Wendungen ergänzen helfen, dann aber auch für die Laut- lehre vieles Neue und Beachtenswerte bieten. Daran schließen sich Kinderliedchen, Märchen und Sagen. Darauf folgen Rätsel, Sprichwörter, Volkswitze, Sprüche beim Lesen oder Auszählen, Kinderspiele und dabei vorkommende Liedchen, dann Bräuche und zuletzt eine Sammlung des Aberglaubens und einiges Mythologische." Von dem 3. Bande, der die Personen-, Orts- und Gemarkungs- namen enthält, sagt der Rezensent in der „Biebrich-Mos- bacher Tages-Post" (1863, Nr. 278): „Bereits bestehen in anderen Ländern ähnliche Zusammenstellungen von Orts-

---

[1] Das Buch hat daher auch in „Grimms Wörterbuch" Ver- wertung gefunden; vgl. das Quellenverzeichnis des 5. Bandes.

namen, deren Wichtigkeit für Sprache, Geschichte und Altertumskunde hinlänglich anerkannt worden. Dieses, unser sagenreiches, in den frühesten Tagen der Geschichte bereits bekanntes engeres Vaterland berührende Werk kann ähnlichen Arbeiten mindestens ebenbürtig an die Seite gestellt werden, übertrifft jene im allgemeinen aber um Bedeutendes, da unser Autor noch weiter geht und, ins eigentliche Volksleben eingreifend, auch eine sehr vollständige Sammlung der Personen- und Gemarkungsnamen bringt. Ist auch der Verfasser durch seine litterarischen Werke bereits ehrenvoll in weiteren Kreisen bekannt, so hat er sich durch das bei dem zu bewältigenden Materiale äußerst mühevolle Werk ganz besonders unser Nassau zum Dank verpflichtet."

Das Jahr 1865 brachte die Vollendung des großen vierbändigen Werkes: „Katholische Kirchenlieder, Hymnen, Psalmen, aus den ältesten deutschen gedruckten Gesang- und Gebetbüchern zusammengestellt." Die Einleitung (S. 1—108) enthält 1. eine historische Skizze über die Entwicklung des deutschen Kirchengesanges; 2. eine Abhandlung über die Lieder, deren Autorschaft zwischen Katholiken und Protestanten strittig ist; 3. Litteratur des deutschen Kirchenliedes; 4. Bibliographie der benutzten Gesangbücher; 5. die Vorreden der einzelnen Gesangbücher. Auf Seite 109 beginnt das eigentliche Liederbuch, das in 15 Abteilungen zerfällt. Den Schluß (4. Band) bildet das älter-neuhochdeutsche Wörterbuch zu den vorangehenden Liedern. Der Rezensent in der Tübinger „Theologischen Quartalschrift (1859, Heft 3, S. 513)" bemerkt: „Der Herausgeber verbindet mit seinem Werke einen doppelten Zweck: 1. will er einen Beitrag (oder eigentlich Material) zur Geschichte des deutschen Kirchenliedes geben; 2. bietet er hier den Zusammenstellern neuer Gesangbücher den besten und edelsten Stoff, den die Vorzeit an die Hand gibt. Zugleich

trägt natürlich ein solches Werk in sich selbst schon eine
Apologie der katholischen Kirche, insbesondere auch der
mittelalterlichen, welcher man protestantischerseits schon so
oft eine gänzliche Vernachlässigung des Volksgesanges und
Liedes vorgeworfen hat." Dieses Urteil ergänzt der
Rezensent der „Belletristischen Beilage zu den Kölnschen
Blättern (1865, Nr. 287, S. 2142)" in folgender Weise:
„Der Herausgeber hat nicht bloß der katholischen Kirche
ihr Eigentum an alten Kirchenliedern durch geschichtliche
Nachweisung ihres Ursprunges vindiziert und die protestantische Anmaßung zurückgewiesen, welche das deutsche Kirchenlied als eine Erfindung der Reformatoren und Luthers
insbesondere bezeichnet, — er hat auch als berufener Sprachforscher den litterarischen Wert dieser alten Kirchenlieder
zur Geltung gebracht und ihre ursprüngliche Form aus
den ältesten gedruckten und ungedruckten Quellen festgestellt."
Unter zahlreichen lobenden und glückwünschenden Zuschriften,
welche der Verfasser vonseiten des hochwürdigsten deutschen
Episkopates erhielt, mögen diejenigen des Bischofs Dr. Peter
Joseph Blum von Limburg hier wenigstens auszugs-
weise mitgeteilt werden. In dem Schreiben vom 17. März
1864 heißt es: „Nach dem Erscheinen dieser Ihrer Sammlung dürfte wohl die oft gehörte Behauptung, als seien
die deutschen Kirchengesänge nur bei den Protestanten zu
Hause gewesen und nur von diesen kultiviert worden, für
immer unmöglich sein. Möge Ihr Werk Ihrem Wunsche
gemäß recht viel zur Hebung des katholischen Sinnes und
zur Förderung der katholischen Litteratur beitragen! . . ."
Am 3. Dezember 1864 dankt Seine Bischöfliche Gnaden
für die Zusendung des Schlußbandes „unter der Ver-
sicherung, daß ihm die Vollendung dieses mit ebenso großem
Fleiße als lobenswerter Umsicht ausgeführten Werkes zur
Freude und Befriedigung gereiche, und daß er nicht ver-
fehlen werde, jede sich bietende Gelegenheit zu benutzen,

um die Aufmerksamkeit auf diese bereits früher durch ein eigenes Zirkular den Geistlichen und Laien seiner Diözese empfohlene schätzenswerte Arbeit zu lenken". Doch die höchste Anerkennung fand der Verfasser vonseiten Sr. Heilig- keit des Papstes Pius IX., der ihn durch Breve vom 31. März 1865 zum Ritter des Päpstlichen St. Gregorius- ordens zu ernennen geruhte. Auf die Nachricht hiervon schrieb Seine K. K. Hoheit Erzherzog Stephan (22. April): „Mein lieber Direktor Kehrein! Gratulor ex animo zu dem päpstlichen Orden. Obgleich ich ihrer 27 besitze, können Sie doch bei Ihrem Gregoriuskreuze sagen: Da habe ich einen bekommen, den selbst der Erzherzog Stephan nicht gekriegt — und sich doppelt darob freuen, daß es Seine Heiligkeit ist, dem Sie diese Auszeichnung zu danken haben. »Omne initium durum est,« sagt das Sprichwort; fängt man aber in dieser Weise an, beweist man: quod nemo propheta in patria sit, wird gewöhnlich die patria unwillkürlich darauf aufmerksam gemacht, und das andere gibt sich dann von selbst. Ohnehin müssen Sie, wie Sie wohl wissen werden, bei Seiner Hoheit dem Herzoge um die Erlaubnis einkommen, diesen Orden annehmen und tragen zu dürfen, — und so kommt es zur allerhöchsten Kenntnis!"

Diese Ehrung und Auszeichnung war für Kehrein ein neuer Sporn, sich wie bisher der katholischen Litteratur zu widmen. So begann er noch in demselben Jahre die Vorarbeiten zu dem „Biographisch-litterarischen Lexikon der katholischen deutschen Dichter, Volks- und Jugendschrift- steller im 19. Jahrhundert". Das Werk sollte einen Bei- trag liefern zu einer Ehrenhalle der katholischen deutschen Schriftsteller und das Bewußtsein von dem Schatze erhöhen und verbreiten, den die Thätigkeit so vieler Katholiken in unserer Litteratur niedergelegt hat, der aber vielfach teils verkannt, teils vornehm ignoriert wird. Neben dieser größeren, mehrere Jahre in Anspruch nehmenden Arbeit liefen kleinere her, insbesondere ein „Beitrag zur Geschichte der Stadt und Burg Montabaur", eine Broschüre, die (bei U. Sauerborn Montabaur) 1867 gedruckt ward, aber nicht im Buchhandel erschien; sodann die historisch-grammatische Abhandlung „Große Anfangsbuchstaben" (in d. Zeitschr. für Erz. u. Unterr. 1868, S. 263—284).

Unterdessen nahete die zweite Hälfte des Jahres 1868, wo Kehrein in seiner Selbstbiographie[1]) die Worte schrieb (22. Juni): „Meine Studien und Arbeiten auf dem Felde der deutschen Sprache und Litteratur dauern zwar noch fort, die alte Liebe und Lust ist ungeschwächt, aber:

> Sechzig Jahre, greise Haare
> Mahnen laut: die Kräfte spare!"

Freilich war ein großer Teil der Kraft dahin, was aber nicht bloß die Erfüllung der zahlreichen Berufspflichten und die anstrengenden Studien, sondern auch andere Dinge verursacht hatten, vor allem die achtjährige Krankheit seiner Gattin, die ihm am 6. Juli 1868 durch den Tod entrissen ward. Gleichwohl sollte das „biographisch-litterarische Lexikon" nicht, wie er meinte, die „letzte größere Arbeit seiner Feder sein". Während des Kriegsjahres 1870 besorgte er Neubearbeitungen der „Entwürfe" (5. Aufl.) und des „Lesebuches I und II" (5. Aufl.), und im Herbst (12. Sept.) konnte er bereits die Vorrede zu dem II Bande des „Biographisch-litterarischen Schriftsteller-lexikons" schreiben, wodurch dieses Weck seinen vorläufigen Abschluß erhielt. Einen dritten Band nämlich stellte er im „Vorwort" des zweiten in Aussicht; denn dort heißt es: „Während der Drucklegung der zwei Bände dieses Lexikons sind mir viele Biographien, dann Ergänzungen und Berichtigungen zu dem Gegebenen zugegangen, welche

---

[1]) In Heindls Kalender, S. 8, Sp. 2.

in der alphabetischen Reihenfolge nicht mehr aufgenommen
werden konnten und darum in einem dritten Bande er-
scheinen sollen." Leider liegt dieser dritte Teil, wozu der
Verfasser bis zu seinem Tode fortwährend Ergänzungen
gemacht hat, bis heute im Manuskript, weil die Verlags-
handlung sich zur Drucklegung nicht bereit finden ließ.
Über die zwei gedruckten Bände, die verschiedene anerkennende
Besprechungen erfahren haben, urteilt der Rezensent der
„Kölnischen Volkszeitung" (1872, Nr. 356, I. Bl.) also:
„Es (das Schriftsteller-Lexikon) hat Anspruch auf die ernste
Beachtung aller derer, welche für eine gebührende Ver-
tretung des Katholizismus auf allen Gebieten des öffentlichen Lebens und so ganz besonders in dem wichtigen
Bereiche der Litteratur Herz und Verständnis haben . . .
Auch die Bücher haben ihre Schicksale, sagt der alte Horaz;
er wird schon gewußt haben, daß diese Schicksale nicht
vom innern Werte allein abhängen, sondern nur zu oft
von einzelnen Herrschgewaltigen nach vorgefaßten Meinungen
durch diskretes Schweigen oder durch geschicktes Besprechen
gemacht werden. Wenn eine Richtung in der Litteratur
darunter gelitten hat und noch leidet, so ist es die katholische . . . Bei solchen Zuständen ist es ein höchst zeit-
gemäßes Unternehmen, wenn ein Mann von der vielseitigen
Befähigung und den anerkannten Verdiensten Kehrein s
den deutschen Katholiken ein Lexikon der katholischen deutschen
Dichter, Volks- und Jugendschriftsteller des 19. Jahrhunderts liefert. Das Gebiet, welches er aus der Gesamt-
litteratur ausschied, gibt ihm die innere Berechtigung,
gerade die katholischen Schriftsteller für sich zu behandeln, da ja gerade hier die Konfession vielfach von
maßgebender Bedeutung ist . . . Das schöne Werk ist
zugleich eine Fundgrube für jeden, der genauere Angaben
über die persönlichen Verhältnisse mancher Kämpfer der
Gegenwart wünscht; ganz besonders aber ist es eine

Ehrenhalle für die katholischen Schriftsteller der Gegenwart und insofern ein schöner Beitrag zur Wertschätzung der Kirche selbst. Möge der verdiente Verfasser uns die Blüten katholischer Dichtungen, die als Anhang und Illustration erscheinen sollen,[1] nicht zu lange vorenthalten." Dieser Wunsch wurde zu Anfang des Jahres 1874 erfüllt, wo die „Blumenlese aus katholischen Dichtern des 19. Jahrhunderts, besonders der Gegenwart" erschien. Etwa 500 Dichter haben in diesem Buche Aufnahme gefunden, das 800 Seiten umfaßt.

In der Zeit von 1870—74, die in politischer und kirchlicher Beziehung so bewegt war,[2] pflegte Kehrein, seiner friedliebenden Natur entsprechend, fern vom Kampfgetümmel noch weitere litterarische Studien, welche eine Reihe von Früchten zur Entwicklung und Reife brachten. Hier ist zunächst zu erwähnen das Werk: „Lateinische Sequenzen des Mittelalters aus Handschriften und Drucken" (1873), das er im Jahre 1870 begann, Herbst 1872 vollendete und dem Herrn Bischof Dr. Peter Joseph Blum von Limburg widmete. Hören wir über dieses Werk, das

---

[1] Anspielung auf die in dem „Vorwort" zum II. Bande geäußerte Absicht des Verfassers.

[2] Hier kann ich nicht umhin, auf ein kennzeichnendes Vorkommnis hinzuweisen, das auf mich einen dauernden tiefen Eindruck machte. Im Nachsommer des Jahres 1871, wo ich gerade zu Hause in den Ferien weilte, wurde ihm von dem „Altkatholiken-Komitee" einer rheinischen Stadt eine große Zahl von Broschüren ꝛc. nebst einem sehr schmeichelhaften Schreiben zugesandt, worin er aufgefordert wurde, als so hervorragender Mann auf dem Gebiete der Wissenschaft sich nicht länger von ein paar Kaplänen bethören zu lassen und sich an die Spitze der altkatholischen Bewegung in Nassau zu stellen. Er las den Brief und sagte lächelnd zu mir: „Kind, du wirst sehen, diese Sache verläuft rascher im Sande als der Deutschkatholizismus." Damit warf er die ganze Zusendung in den Papierkorb.

verſchiedene höchſt günſtige Beſprechungen erfahren hat, [1]) den Rezenſenten der „Katholiſchen Litteratur=Blätter der Sion" (Augsburg, Auguſt 1873): „Der Verfaſſer hat ſich mit Herſtellung dieſes Werkes eine ungemein ſchwierige Arbeit geſchaffen; aber — die hohe Bedeutung des be= handelten Gegenſtandes war es wert; denn mit Recht zählt man ſehr viele Sequenzen zu dem Beſten, was die kirch= liche Lyrik hervorgebracht hat ... Der Inhalt mit nicht weniger als 895 Nummern iſt geordnet in: I. Lieder von Gott (Nr. 1—165); II. Von den Engeln (Nr. 166—174); III. Marienlieder (Nr. 175—334); IV. Heiligenlieder (Nr. 335—882); V. Anhang (Nr. 883—895 und Nach= träge). Daß der Verfaſſer die wiſſenſchaftliche Tüchtigkeit für ſeine Aufgabe beſitzt, hat er vielfach bewieſen; hat er doch ſchon vor 30 Jahren — im Jahre 1840 — ſeine »Lateiniſche Anthologie aus den chriſtlichen Dichtern des Mittelalters« herausgegeben, allwo er ſchon den Sequenzen begegnen mußte. Und wie er die lange Zeit hindurch den Charakter des Kirchengeſanges nach ſeiner Weſenheit und geſchichtlichen Erſcheinung ſtudiert hat, das bezeugen die Ausgaben ſeiner »Katholiſchen Kirchenlieder, Hymnen, Pſalmen 2c.«, ſowie er auch die erſte Anregung zu Karl Sev. Meiſters ſo verdienſtlichem Werke: »Das katholiſche deutſche Kirchenlied in ſeinen Singweiſen«[2]) gegeben hat (was dieſer Verfaſſer ſeiner Zeit in eben dieſem ſeinem Werke dankend vermerkte). Kehrein arbeitete alſo hier als ein »Meiſter vom Fach« ... Was verſchiedene Forſcher zuſammengeſucht — hier iſt es vereinigt mit der eigenen Forſchung zu einem ſelbſtändigen, einheitlichen Werke.

---

[1]) In der Wiener „Litteratur=Zeitung" 1873, Nr. 30, im „Salzburger Kirchenblatt" 1873, Nr. 32 u. a.

[2]) Freiburg, Herder'ſche Verlagshandlung 1862.

Bevor der Sequenzen-Vortrag beginnt, unterrichtet eine sehr wissenschaftliche Einleitung über Name, Wesen und Entwickelung der Sequenzen; dann werden die Dichter von Sequenzen vorgeführt in biographischen Skizzen; alsdann macht uns der Autor bekannt mit seinen litterarischen Quellen und Hilfsmitteln, deren Reichhaltigkeit allen Respekt fordert, besonders in Rücksicht der unmittelbaren Quellen, d. i. jener, die der Autor selbst aus Handschriften 2c. ermittelt hat. Mit einer Texteskritik hat sich der Autor nicht befaßt — und mit Recht, da eine solche bei diesem Gegenstande sehr problematisch wäre ... Dafür hat unser Autor doch für Material zur kritischen Feststellung des Textes gesorgt, nämlich durch die Angabe der Lesarten, die er mit möglichster Genauigkeit und Vollständigkeit zusammengestellt.

Diese mühesame Arbeit sowie namentlich die schon bezeichneten biographisch-litterarischen Nachweisungen und ein Wortverzeichnis derjenigen Wörter, welche in den römischen Klassikern gar nicht oder in abweichender Form oder Bedeutung vorkommen — nicht weniger als 26 enggedruckte Spalten umfassend — sowie endlich ein Verzeichnis der Sequenzen sichern dem hochverehrungswürdigen Autor auch ein neues sehr rühmliches litterargeschichtliches und philologisches Verdienst."

Das „Wörterbuch der Weidmannssprache" ging unterdessen auch seiner Vollendung entgegen und erschien im Frühlinge des Jahres 1871. Da bei Bearbeitung eines derartigen Wörterbuches es von Bedeutung ist, daß ein Sprach- und Jagdfreund zusammen wirken, weil dem ersteren das Sprachliche, dem letzteren das Sachliche der einzelnen Wörter und Redensarten gewöhnlich näher liegt; so zog der Sprachforscher seinen Sohn, damals Oberförster in Rennerod (Nassau), zur Mitarbeit heran. Das

Buch fand bei Sachkundigen freundliche Aufnahme und in einschlägigen Fachzeitschriften eine günstige Beurteilung. Das Erscheinen dieses neuen litterarischen Hilfsmittels für Jagd- und Sprachfreunde sowie der neuen Auflage der „Nassauischen Volkssprache und Volkssitte" nebst „Namenbuch" (1867 bei A. Henry, Bonn) lenkte die Aufmerksamkeit des neuen Landesherrn, Sr. Majestät des Königs Wilhelm I., auf den Seminardirektor, und Hochderselbe geruhte, ihm am Ordensfest (18. Januar) des Jahres 1872 den Roten Adlerorden IV. Klasse zu verleihen.

Während zwei größere Arbeiten: die „Sequenzen" und das „Fremdwörterbuch" die freie Zeit des Jahres 1871 und 1872 großenteils ausfüllten, erlebte das schon lange druckfertige Manuskript mit der Überschrift „Deutsche Geschichte aus dem Munde deutscher Dramatiker", das bisher im Pulte gelegen, seine Auferstehung und erschien im Spätherbst 1871 im Druck. Der Verfasser will darin eine gedrängte Übersicht des großen Reichtumes unserer dramatischen Poesie im historischen Schauspiele dem Leser vor die Augen führen. „Das Werk verdient," so urteilt der Rezensent (Rösler, Böm. Leipa) in der Wiener »Litteraturzeitung« (1873, Nr. 6) „wegen der objektiven, streng wissenschaftlichen Kritik, sowie auch wegen der fleißigen und umsichtigen Sammlung alles dessen, was Gegenstand desselben bildet, allen Freunden der deutschen Litteratur und der politischen Geschichte empfohlen zu werden." Ergänzend bemerkt hierzu der Rezensent der „Kölnischen Volkszeitung" (1872, Nr. 234, 2. Bl.): „Bezüglich der Abfassungszeit der aufzunehmenden Stücke ging der Verfasser nur bis gegen die Mitte des vorigen (18.) Jahrhunderts zurück, was bei jedem Kenner unserer früheren dramatischen Litteratur nur Billigung finden kann. Die teils vorausgeschickten, teils eingeflochtenen historischen Notizen sind recht gute Fingerzeige zur Orientierung auf dem historischen Feld und zur Beurteilung des historischen Wertes der Stücke. Sehr praktisch ist, daß der Verfasser oft auf die Rezensionen der betreffenden Stücke in Litteratur-Zeitungen und Zeitschriften verwiesen, ja, solche bald vollständig, bald im Auszuge mitgeteilt hat, weil darin die einzelnen Stücke meist eingehender besprochen sind, als dies in Litteraturgeschichten geschieht und geschehen kann." Gerade ein Jahr später (1872) konnte die 5. Bearbeitung des „Lesebuches II" die Presse verlassen; es sollte die letzte sein, die der Verfasser selbst besorgte.

Der Erlaß des preußischen Kultusministers vom 15. Oktober 1872, wonach für die Zöglinge der obersten Seminarklasse eine kurze Geschichte des Volksschulwesens (Geschichte der Pädagogik) verlangt ward, veranlaßte den langjährigen Lehrer und Erzieher, seinen Schülern in einem kurzen Leitfaden das zu bieten, was er bisher schon in dieser Hinsicht ihnen vorgetragen, und zwar teilweise in noch größerem Umfange, als die neue Vorschrift gebot. So entstand der „Überblick der Geschichte der Erziehung und des Unterrichtes, insbesondere auch der wichtigsten Lesemethoden" (1873). Daß das Buch eine günstige Beurteilung und freundliche Aufnahme fand, geht schon daraus hervor, daß es innerhalb dreier Jahre 4 Auflagen erlebte. Leider konnte die Korrektur der 4. Auflage vom Verfasser nicht mehr vollständig besorgt werden, da der Tod ihm die Feder aus der Hand nahm. Herr Seminar-Religionslehrer Dr. Keller [1] ließ sich bereit finden, die Korrektur zu vollenden, so daß die neue Bearbeitung doch im Laufe des Sommers 1876 erscheinen konnte [2] Da der oben er-

---

[1] Jetzt Prälai und Stadtpfarrer in Wiesbaden.

[2] Der „Überblick" wurde weiter bearbeitet von Dr. Joh. Kayser (Provinzialschulrat, später Dompropst) und nach dessen Tode (31. Juli 1895) von Dr. B. Schulz, Geh. Regierungs- und Schulrat zu Münster i. W.

wähnte Erlaß des preußischen Kultusministers für die unterste (dritte) Seminarklasse eine Belehrung über die „Entwicklung des Kirchenliedes" vorschrieb, so sah sich Kehrein veranlaßt, einen entsprechenden Leitfaden zu schreiben, wobei er zugleich beabsichtigte, den Vorträgen über deutsche Litteraturgeschichte in gelehrten Schulen und über Liturgik in theologischen Anstalten einen Dienst zu erweisen. So entstand das Büchlein: „Das deutsche katholische Kirchenlied in seiner Entwicklung von den ersten Anfängen bis zur Gegenwart, zunächst für höhere Lehranstalten" (1874). Zu dieser litterarischen Arbeit verwertete er die oben erwähnte „Einleitung" (mit Ausnahme des Kap. V.), die seinem Werke „Katholische Kirchenlieder, Hymnen, Psalmen ec." vorangeht, dazu die im „Schulfreund" (Trier 1860) erschienene Abhandlung: „Die Entwicklung des deutschen Kirchenliedes von 1631 bis zur Gegenwart", welche letztere er aber erweiterte und fortführte (bis 1874). Diesem Leitfaden wurde eine freundliche Aufnahme und günstige Besprechung zuteil.[1]) Im Jahre 1875 fügte Kehrein seiner Geschichte der Pädagogik ein „Handbuch der Erziehung und des Unterrichtes" hinzu, welche kurz vor dem Tode des Verfassers erschien. Da in demselben die „Unterrichts- und Lesemethoden" eine ausführliche Behandlung fanden, wurden sie bei der bald darauf folgenden neuen (vierten) Bearbeitung jenes Leitfadens weggelassen, dagegen wurde ein neuer Abschnitt „Die Pädagogik der Kirchenväter" eingefügt. Auch das „Handbuch der Erziehung und des Unterrichtes" fand eine freundliche Aufnahme.[2]) Zu Kehreins pädagogischen Schriften

---

[1]) So in der Zeitschrift „Katholik" (Mainz 1874, S. 635 ff.).
[2]) Neu bearbeitet ward es zuerst von Dr. A. Keller (2. bis 7. Auflage 1877—1890), dann von demselben und Kreisschulinspektor J. Brandenburger (8. bis 10. Aufl. 1892—1900).

im engeren Sinne sind auch seine „Schulreden" zu zählen, die er gesammelt und, „wie sie gehalten worden sind" (von 1847—1870), hat drucken lassen (1875) mit dem Wunsche, daß er „in feinem schon ziemlich hohen Alter die Freude haben möchte, daß dies sein Vermächtnis freundlich aufgenommen werde und hier und da Segen stifte"! In demselben Jahre (1875) erheischten die „Entwürfe" eine neue Bearbeitung, der er sich gerne unterzog, und die er in der Vorrede (18. Dezember) mit den begleitenden Worten in die Welt sandte: „Die wohlwollende Aufnahme des Buches in feinen fünf Auflagen läßt mich auf eine gleiche in der sechsten Auflage hoffen!"

Die letzte große litterarische Arbeit, das „Fremdwörterbuch mit etymologischen Erklärungen und zahlreichen Belegen aus deutschen Schriftstellern", sollte er in ihrer vollendeten Drucklegung nicht mehr sehen. Der erste und zweite Druckbogen war besorgt, als der Verfasser starb. Da vollendete ich als Jünger der Philologie aus Pietät dieses Werk, das zwar im allgemeinen druckfertig war, aber in einzelnen Dingen, wie dies ja bei einem derartigen Buche unvermeidlich ist, noch manche Mühe bereitete, um der Akribie zu genügen. Meine freie Zeit wurde für ein ganzes Jahr dadurch in Anspruch genommen.

Wenn wir uns am Schlusse dieses letzten Lebensabschnittes fragen, wie Kehrein diese umfassende litterarische Thätigkeit habe entfalten können; so ist die Antwort großenteils schon von ihm selbst gegeben in den oben angeführten Worten der Rechtfertigung gegenüber seinem „Antagonisten" in Wiesbaden. Dazu bemerkt Dr. H. Heskamp[1]) sehr richtig: „Dem Landmanne gleich, den die frühe Morgenröte schon bei der Arbeit trifft, und den die sinkende Sonne auf dem Heimweg begleitet, hat er gewirkt,

---

[1]) A. a. O.

gewirkt und gearbeitet 20 Jahre lang." Freilich opferte
er in Montabaur nicht mehr die Stunden der Nacht dem
Studium, und er bedauerte es oft, dies in früheren Jahren
in so ausgedehntem Maße gethan zu haben; aber mit
Tagesanbruch begann die Arbeit, und zur Sommerzeit
hatte er gewöhnlich schon zwei Stunden an seinem Schreibpulte zugebracht, bevor die Schulmesse begann, die er zu
besuchen pflegte. Auf dem Nachttische hatte er stets Papier
und Bleistift, damit er sofort Notizen machen konnte,
wenn er nachts erwachte, und ihm etwas Interessantes in
den Sinn kam. Ein gewisses Vergnügen hatte er, wenn
er einmal in die Lage kam, morgens „das Seminar zu
wecken". Noch im letzten Jahre seines Lebens benutzte er
jede freie Stunde, um das „Fremdwörterbuch" nochmals
umzuarbeiten. Als er infolge dieser übergroßen Anstrengung im Februar 1875 krank wurde, mußte er der strengen
Weisung des Arztes gemäß die Arbeitszeit etwas ein-
schränken; doch erschien er im Sommer um 5 Uhr (statt
um 4 Uhr) morgens in seinem Studierzimmer.

Im Januar des Jahres 1876 fühlte er, daß seine
Kräfte sichtlich schwanden. Am 19. März feierte er noch
im Kreise der Familie seinen Namenstag. Vielleicht zahlreicher als je erschienen Freunde und Bekannte zur Gra-
tulation; auch von außen her war eine große Anzahl von
Glückwunschbriefen eingetroffen, die er zum Teile noch an
demselben Tage beantwortete. Doch trübe Ahnungen erfüllten ihn, die er selbst mitten in der Festesfreude zu erkennen gab. Am 21. März warf ihn eine Lungenent-
zündung, die er sich bei der Schulprüfung zu Eschelbach
(einem Filialorte bei Montabaur) zugezogen hatte, auf das
Krankenlager. Als er die Gefahr erkannte, kniete er im
Bette nieder und betete: „O Gott, erhalte mich noch ein
paar Jahre meinen Kindern, doch dein Wille geschehe!"
Er, der so sehr an seinen Studien und Büchern hing,

sprach von jetzt an kein Wort mehr davon. Er beschäf=
tigte sich nur noch mit Gott und empfing mit großer
Andacht die hl. Sterbesakramente. Als fein Ende heran=
nahte, sagte er zu seiner ältesten Tochter, die ihm den
Schweiß abtrocknete: „Kind, das ist der Angstschweiß."
Etwa eine halbe Stunde später (am 25. März, abends
nach 9 Uhr) sprach er ruhig und gelassen: „Jetzt kommt
der Todesschweiß." Fromm und gottergeben lag er da,
die Arme übereinander gekreuzt, den Herrn erwartend, die
Seinen im Geiste segnend. So trat der Tod an ihn heran,
ein freundlicher Engel, um den „treuen Sohn der Kirche" [1])
einzuführen in die Ewigkeit. Am Mittwoch den 29. März
wurde seine irdische Hülle der Erde anvertraut. Das Be=
gräbnis war großartig und ergreifend. Der Religions=
lehrer der Anstalt Dr. Keller hielt die Grabrede; aber
nur mit Mühe konnte er sprechen, seine Stimme wurde
bisweilen von Thränen fast erstickt. Nicht minder waren
die Anwesenden ergriffen; die Seminaristen aber ließen
ihren Thränen ungehemmten Lauf; es waren Thränen
der Liebe und Dankbarkeit.

Soll ich zum Schluß noch des Familienvaters
gedenken, so muß ich mich als Sohn auf einige That=
fachen beschränken. Er war durchaus bedürfnislos.
Größere Reifen machte er nie; selbst Köln, wohin ihn so
manche Einladungen gerufen, hat er nie gesehen. Oft
pflegte er zu äußern: „Mein seliger Lehrer Baur (Mainz)
hat mir den Grundsatz gelehrt: »Joseph, gewöhne dich
nicht an Bedürfnisse, die du unter Umständen nicht be=
friedigen kannst«." Sonntags pflegte er nachmittags von
4—7 Uhr im Kreise von Bekannten und Freunden zu
weilen, die gewöhnlich bei dem Religionslehrer des Seminars

---

[1]) Dies war das Trostwort, das der hochwürdigste Herr
Bischof Dr. Peter Joseph Blum mir sagte bei einem Besuche.

sich zusammenfanden; auch erschien einmal in der Woche dieselbe Gesellschaft in der Direktorialwohnung gegen Abend für einige Stunden zur Unterhaltung. Nur etwas konnte ihm dann lästig werden: das Tabakrauchen, weil dies ihm häufig Kopfschmerzen verursachte.

Bedürfnis- und anspruchslos für sich selbst, wandte er seine ganze Sorgfalt seiner Familie zu, an der er mit großer Zärtlichkeit hing. Kam er gegen Abend aus seinem Arbeitszimmer, so war er am zufriedensten, wenn alle Familienglieder versammelt waren. Seine erste Frage war dann jedesmal nach der Beschäftigung eines jeden während des Tages, besonders der Kinder. Gern erzählte er dann von früheren Zeiten, beschäftigte sich lehrend mit den Kleinen oder spielte mit ihnen. Für die Ausbildung seiner Kinder opferte er alles; für sich gebrauchte er ja nichts. Geradezu ängstliche Sorge trug er bei Erkrankungen von Familienmitgliedern. Er war dann in tiefster Seele ergriffen, und er litt oft mehr als die Armen auf dem Schmerzenslager. Dies konnte er nach außen schlecht verbergen, zumal dann häufig heiße Thränen über seine Wangen rollten. Seiner am 6. Juli 1868 verstorbenen Gattin Elisabeth geb. Holz, unserer guten, frommen Mutter, bewahrte er ein wahrhaft rührendes Andenken. Ergreifend war es für uns Kinder, wenn er bis zu seinem Tode jeden Abend, bevor er sich zur Ruhe begab, mit ihr redete, als ob sie bei ihm weilte, und ihr gar „Gute Nacht" wünschte. Sein Geist blieb aufs innigste mit ihr vereinigt; ihr Bildnis hing über seinem Schreibpulte, daneben ein Kruzifix. Hier pflegte er zu beten, wenn er etwas Wichtiges vornahm. Fast täglich, selbst im Winter, besuchte er ihr Grab und betete daselbst. Besonders an dem Jahrestage ihres Todes erfaßte ihn der Schmerz um die hingeschiedene Gattin mit so furchtbarer Gewalt, daß seine Umgebung froh war, wenn er diesen Tag überstanden hatte. Befand er sich mit feinen Kindern am Grabe, dann pflegte er oft, indem er die Stelle mit dem Spazierstock bezeichnete, zu fagen: „Neben ihr muß auch ich mein Ruheplätzchen haben."

Weil der Polarstern seines ganzen Lebens die Religion war, so gereichte es ihm zur besonderen freude, daß ich als der jüngste Sohn mich neben dem Studium der Philologie dem der Theologie widmete. Unvergeßlich bleibt mir der Augenblick, wo ich nach dem Empfange der Priesterweihe zu Limburg in der bischöflichen Kirche den Primizsegen erteilte. Als ich mich meinem Vater näherte, war er so ergriffen, daß er laut weinte, so daß ich selbst nur mit Not die Segensworte sprechen konnte. Als er nachher den hochwürdigsten Herrn Bischof begrüßte, umarmten sich beide — es war kurz vor Erlaß der Maigesetze im Jahre 1873 — unter Thränen, und Seine Bischöfliche Gnaden sprach: „Das habe ich mir doch gedacht, daß wenigstens Ihr jüngster Sohn Priester würde." In der folgezeit konnte ich meinem Vater keine größere freude bereiten, als wenn ich ihn in der ferienzeit, wo ich zu Hause weilte, einlud, mich zu den Orten zu begleiten, wo ich an Sonn- und festtagen aushilfsweise den Gottesdienst hielt. Ein Vorfall ist mir in dieser Hinsicht noch heute in lebhafter Erinnerung. Am feste Mariä-Geburt (8. Sept.) 1873 ging er mit mir zu dem idyllisch gelegenen Dörfchen Würzenborn (bei Montabaur). Es war ein herrlicher Herbstmorgen, und wir durchwanderten das anmutige Marauthal (zwischen Montabaur und dem südlichen Bergrücken, hinter dem das Dörfchen liegt) und stiegen den steilen Stationsweg hinan, um nach etwa $3/4$ Stunden die historisch beachtenswerte (von den Deutschordensherren erbaute) Wallfahrtskirche zu erreichen. Nach Beendigung des Gottesdienstes fragte ich den Vater ganz offen, was er an meiner Predigt vielleicht auszusetzen hätte, da ich erst ein Anfänger

wäre und mich gerne belehren lassen möchte. „Kind,"
erwiderte er kurz und bündig, „einige Silben betonst du
etwas sonderbar; hinsichtlich des Inhalts weißt du besser
Bescheid als ich." Ich wagte es nicht mehr zu fragen,
und wir erfreuten uns auf unserm Rückwege des lieblichen
Vogelfanges, der im Walde von allen Seiten an unser Ohr
ertönte. Noch ein anderes kennzeichnendes Vorkommnis
bleibt mir stets in Erinnerung. Als ich am 2. Januar
1876 vor meiner Abreise nach Münster i. W. in der
Seminarkapelle die hl. Messe las, da versah mein Vater
zu meiner und aller Anwesenden tiefen Rührung die
Dienste eines Meßedieners. Es war ein kalter Winter-
morgen, an dem Ostluft wehte. Als mich daher nach dem
Frühstück der Vater vom Schlosse herab zur Post begleiten
wollte (damals lag Montabaur noch nicht an der Eisen-
bahn), bat ich ihn dringend, doch zu Hause zu bleiben; er
aber erklärte: „Nein, ich muß mein Kind begleiten." Wir
gingen zusammen den Schloßberg hinab nach der Stadt;
vor dem Postwagen reichte mir der Vater die Hand zum
Abschiede. Ich stieg ein, und als ich Platz genommen,
sahen wir uns gegenseitig wehmütig an. Ich hatte
schlimme Ahnungen, die sich nur zu rasch verwirklichen
sollten; denn als ich telegraphisch an sein Sterbebett gerufen ward, fand ich ihn bei meiner Ankunft nicht mehr
am Leben. Dies war für mich um so schmerzlicher, als
er gerade nach mir so sehr verlangt hatte. Ich konnte
nur seine sterbliche Hülle zu Grabe begleiten und für ihn
am Altare beten. Seine letzte Ruhestätte ist geschmückt
gleich der feiner Gattin mit einem einfachen, würdigen
Denkmal, das außer feinen Angehörigen feine Schüler und
Schülerinnen in dankbarer Liebe ihm errichtet haben.

Zweiter Teil.

Gedichte.

1. Verlangen nach dem Lande. (Auguſt 1830.)

1. O! wann werd' ich jene Fluren
Wiederſchauen, wo in Wonne
Meine Jugendblüte ſproßte?
Werd' ich nie mehr auf euch wandeln,
Frohe Auen? Werd' ich nimmer
Philomelens Lied belauſchen in dem dunklen Buchenhain?

2. Wie ſo ſchön umwebt den Felſen
Zartes Moos, wo die Najade
Aus der Quelle klarem Spiegel
Schöpft, den Müden zu erquicken!
Wo die Pappel ſanften Schatten
Auf den Tanz der leichten Wellen und das Aug' des Wandrers ſtreut!

3. Wirſt du nimmer mich empfangen,
Schöne Laube, wo der Sonne
Scharfe Pfeile durchzudringen
Nicht vermögen, wo der Freunde
Froher Zirkel mich erheitert
Fern von Schmähſucht und Verleumdung und der niedern Schmeichelei?

4. Dort verſcheucht kein wildes Toben,
Dort entreißt kein Schwerterklirren
Dem geſchloſſ'nen Aug' den Schlummer;
Dort erglänzt kein prächtig Elend;
Und des Stolzes niedre Blicke
Schielen dort nicht auf die Unſchuld; fern iſt glänzender Verdruß.

5. Blasser Neid und schmutz'ge Habsucht
Sind verbannt von frohen Auen.
An der tauumkränzten Blume
Glänzen dort die Edelsteine;
Und der Reiz des teuern Goldes
Steiget dort in vollen Ähren und erglänzt am reichen Baum.

6. Freudig flötet dort der Sänger
In dem Hain und auf den Fluren;
Da gefesselt in dem Bauer
Ewig klagt der Städtesänger;
Und im freien Flug gehemmet
Seiner Herrscher schilt und immer Trauermelodien stöhnt.

8. Dort bereiten grüne Blätter
Sich zum Tisch; die schlichte Mahlzeit
Froh zu würzen, neigen Blumen
Sich darüber, und die Quelle
Sonder Gift und Todessäfte,
Strömet, über helle Kieseln hüpfend, nur Gesundheit zu.

8. Jede Blume winkt dem Sänger;
Jeder Baum trägt eine Harfe;
Jeder Vogel mahnt zum Singen;
Dort erklangen Orpheus' Saiten,
Und es lauschten ihm die Felsen,
Und der Eiche hoher Wipfel neigte horchend sich herab.

9. Werd' ich nie auf jenen Fluren
Herbst und Frühling wandeln sehen?
Werd' ich nie, das Haupt umkränzet,
In der dunkeln Rebenlaube
Im Vereine wahrer Freunde
Eine Stunde froh verscherzen, meines Daseins mich erfreun?

❧

2. An die aufgehende Sonne. (August 1830.)
(Triolett.)

Steige höher, goldne Sonne!
Alles sehnet sich nach Dir.
Und mit Freuden rufen wir:
Steige höher, goldne Sonne!

Dir, des Tages schönster Wonne,
Huldigen mit Jubel wir.
Steige höher, goldne Sonne!
Alles sehnet sich nach dir!

❧

3. Auf den Tod einer Nachtigall. (August 1830.)
(Triolett.)

Ach! so sankest du ins Grab,
Holde Maiensängerin!
Frohe Hainbeleberin,
Ach! so sankest du ins Grab!
Schwestern, klagt, sie sank hinab!
Tönet Trauermelodien!
Ach! so sankest du ins Grab,
Holde Maiensängerin!

❧

4. An ein Vergißmeinnicht. (Januar 1831.)
(Triolett.)

Vergißmeinnicht bist du genannt,
Ein Name, der mir alles gilt;
Der meines Herzens Sehnen stillt.
Vergißmeinnicht bist du genannt.
Wer dieses Namens Deutung kennt,
Ist wonnetrunken, freuderfüllt.
Vergißmeinnicht bist du genannt.
Ein Name, der mir alles gilt.

❧

5. An den Frühling. (Januar 1831.)
(Triolett.)

Kommst du bald auf unsre Auen,
Holder Lenz, im Blütenglanz?
Jüngling mit dem Farbenkranz,
Kommst du bald auf unsre Auen?
O, bald werden wir dich schauen
In der Horen raschem Tanz.
Kommst du bald auf unsre Auen,
Holder Lenz, im Blütenglanz?

❧

6. An die Muse. (Febr. 1831.)

(An Professor Lüft, als derselbe die theologische Doktorwürde erhielt.)

Wingolfs Hallen entsteig und schwebe rascher,
Gna[1]), im mächtigen Flug! verkünd' dem Edeln,
    Wie im Busen des Jünglings
    Walle der Freude Gesang!

Zeigt der Teuere dir ein fröhlich Antlitz,
Und verschmäht er es nicht, wie mir im Busen
    Höher stieg die Entzückung,
    Als ich die Worte vernahm:

„Jener, welchen dein Herz so innig liebet,
Den du Vater genannt und immer nennest,
    Glänzt auf höheren Stufen," —
    Kühner nahe dich dann!

„Sanfter fließe es hin," sei deine Rede,
„Wie ein Blumengedüft dein frohes Leben,
    Wie die lebende Quelle
    Perlender tanzt durch die Flur!

Freundschaft reiche den Kranz, des Lebens höchstes
Glück, o Edler, dir dar! An eines Freundes
    Seite lebe dein Leben,
    Welches der Himmel dir schenkt."

Sprich mit leiserem Ton: „Es wünschet jener,
Den du väterlich liebst, dein treuer Kehrein,
    Im Gefühle des Dankes
    Jegliche Wonne dir noch.

Leb', von Wonne umbebt, sokratisch milde!
Leb', o Vater, und denk' des fernen Sohnes,
    Der dir jegliche Freude
    Flehet und jegliches Glück."

---

[1]) Eine Walküre, der römischen Fama entsprechend.

7. Mein Vaterland. (März 1831.)

Deutschen nenne ich mich. Mein Vaterland ist,
Seiner schäm' ich mich nicht, es ist Teutonia,
  Ja, Teutonia ist es!
   Freudiger bebt mir im Busen das Herz.

Höhern Schwunges erhebt sich mein Gedanke,
Auf zum Äther empor steigt die Begeisterung;
  Denn Teutonia ist es,
   Göttlicher Name! mein Vatergefild.

Deutschlands Zierde, o Rhein, wie majestätisch
Ist dein sicherer Lauf! Du sprichst im Ernste:
  „Daß kein Gallier nahe!
   Nimmermehr trag' ich ein gallisches Joch.

„Als in Waterloos einst und Leipzigs Ebne
Hohen, männlichen Muts der Deutsche kämpfte,
  That den ewigen Schwur ich:
   Ewig beschütz' ich das deutsche Gefild.“

8. Beruhigung. (Mai 1831.)

Erheitre deine Miene, Unglücklicher!
Nicht drücken blut'ge Bande, Gefesselter,
  Auf ewig deine wunden Arme;
   Denn es verteilt sich die dunkle Wolke,

Die nun Verderben über dem Haupt dir droht.
Des schwarzen Wetters Donner verrollen bald,
  Und durch die düstre Nacht hin schimmern
   Heiter der ruhigen Zukunft Strahlen.

Soll ungeahndet schwelgen der Prasser, sich
In seiner Schätze Massen vergraben, und
  Soll Ungerechtigkeit nicht einst auch
   Büßen, was schändlich sie itzt verübet?

Soll nur der Fromme, soll nur der Redliche,
Soll nur, wer Tugend höher als Perlen schätzt,
  Soll er nur, wo des Unglücks Wogen
   Schäumend das Ufer umbranden, schmachten?

10

Soll nicht Vergeltung, soll nicht Gerechtigkeit
Die Thaten wägen, welche auf Erden wir
  In dieser schwachen Staubeshülle
  Übten, soll nicht auch ein Gott sie wägen?

Es gibt ein Wesen! rufet es rings um mich;
Es gibt ein Wesen, les' in den Sternen ich,
  Es gibt ein Wesen! hallt die Stimme,
  Welche im Busen mir wohnet, laut nach.

Es gibt ein Wesen, welches die Thaten prüft,
Das wahr und heilig Böses und Gutes wägt,
  Das auf des Rechtes ew'ger Schale
  Gutes und Böses der Menschheit sondert.

Ja, zweifelt, Thoren, zweifelt und spottet nur,
Gebt nur dem Zufall, gebt nur der Menschenkunst
  Die Kraft, die alles Ird'sche schaffet,
  Welche das mächtige „Werde!" rufet.

Ihr könnt die Pflanze, könnet das Samenkorn,
Ihr könnt sie legen in den gepflügten Schoß
  Der Mutter Erde; doch das „Wachse!"
  Könnt ihr's gebieten, o schwache Thoren?

Es hebet freudig, höher mein Busen sich,
Mein Geist wird heiter, denkt den Gedanken er:
  Dort über jenen Sternen waltet
  Ewig ein heiliges Götterwesen.

Umstürmen hier mich Wogen des Unglücks auch,
Schaut die Verachtung spottend herab auf mich,
  Umziehen mich des Neides Netze,
  Klirren die Bande mir an den Armen;

Weicht nur der Tugend himmlischer Glanz mir nicht,
Ruft nur die innere mächtige Stimme mir:
  Gerecht hast du dein Werk vollendet!
  Kann ich vergnügt, was ich that, auch denken.

O dann erheb' ich freudig den Blick zu dir,
Zu dir, o Vater, der du im Himmel thronst;
  Dann schreckt des Grabes stilles Grausen
  Mich nicht; es ist nur ein Blumenhügel,

Auf dem ich wandle, Ew'ger, zu dir hinan.
Ich harre froh der Stunde, wo du mich rufst
Aus dieses Lebens regen Fluten,
Wo du mich hin in die Glorie rufest.

9. Der Mai. (Mai 1831.)

1. Seht doch den schönen Jüngling,
   Wie Stirn' und Wang' ihm glüht!
   Seht doch sein Blumenkörbchen
   Mit Rosen rings umblüht!

2. Seht, wie sein Auge lächelt
   Und nach den Fluren blickt!
   Wie er aus seinem Körbchen
   Flur, Hain und Auen schmückt!

3. Seht, dort erwachen Rosen,
   Vergißmeinnichte hier;
   Dort sprossen Anemonen,
   Hier lauscht des Veilchens Zier.

4. Dort winken mir Cyanen
   Im reichen Saatgefild;
   Und hier entsprossen Lilien,
   Der Unschuld schönstes Bild.

5. In neuer Wonne pranget
   Des Kirschbaums Blütenreich;
   Zur Schattenlaube schlinget
   Die Rebe ihr Gezweig.

6. Seht, fröhlich schwebt der Jüngling
   Dort auf dem Wiesenplan
   Und haucht den grünen Teppich
   Zu neuem Leben an.

7. Und tausend Blumen reihen
   Sich schnell zum schönsten Kranz. —
   Wer lobet doch den Jüngling,
   Wer preist und singt ihn ganz?

8. Es singt zu seinem Lobe
   Im Teich der Silberschwan;
   Es steigt zum Blau des Himmels
   Die Lerche froh hinan.

9. Es singet Philomele:
   Was loben kann, herbei!
   Singt Lob in Hain und Auen,
   Singt Preis dem schönen Mai!

10. Es tönt durch Berg und Hügel,
    Durch Wiesenplan und Hain
    Dein Lob, o schönster Jüngling,
    Auf Zithern und Schalmein.

11. Auch meine Leier bebet
    Von deinem Lobe voll. —
    Kann ich doch gleich nicht singen,
    Wie ich dich singen soll.

12. Gibst mir doch eine Rose
    Und ein Vergißmeinnicht
    An Liebchens schönen Busen?
    Mehr bitte ich ja nicht!

⚜

10. Unschuld. (Juni 1831.)

1. Es ist kein Wort, das nichts bedeutet,
   Es ist kein fades Schattenspiel;
   Kein leerer Ton, der abwärts gleitet
   Bedeutungslos durchs Weltgewühl;
   Es ist ein Wort, das Gott uns gab;
   Es schwingt sich über Zeit und Grab.

2. Ja, glaub', der Unschuld Himmelsschimmer
   Bricht durch des Kerkers düstre Nacht.
   Den Unglücksel'gen stärkt ihr Flimmer
   Mit überird'scher Zaubermacht.
   Wem Unschuld in dem Busen thront,
   Ist reich, wenn er in Hütten wohnt.

3. Mag auch ein schwarzes Wetter stürmen,
   Mag schäumend bis zum Himmelsrund
   Sich die erboste Woge türmen,
   Mag sie sich senken bis zum Grund;
   Wem Unschuld in dem Busen wohnt,
   Sieht nur den Gott, der ihn belohnt.

4. Er schiffet durch des Meeres Wogen,
   Bahnt sich durch Klippen seinen Lauf;
   Ihm dämmert an dem Himmelsbogen
   Ein Lichtstern naher Hilfe auf.
   Wen Unschuld schmückt, der fürchtet nicht,
   Wenn selbst sein Kahn in Trümmer bricht.

5. Die Unschuld kann nicht untergehen,
   Wenn hier auch Dunkel sie umfängt;
   Dort muß sie wieder neu erstehen,
   Dort, wo ein Gott die Welten lenkt;
   Dort vor des Weltenschöpfers Thron
   Empfängt die Unschuld ihren Lohn.

6. Soll ich vielleicht dem Spötter glauben,
   Der mir mit tück'scher Miene spricht:
   „Des Lebens Lust willst du dir rauben?
   „Mein Freund, die Unschuld lohnt sich nicht.
   „Steigst du hinab ins ew'ge Grab,
   „Sinkt deine Unschuld mit hinab."

7. Soll ich auf seine Worte bauen?
   Soll ich den Schöpfer einer Welt
   Der Lüge zeihn? Nein! mein Vertrauen
   Hab' ich, o Gott, auf dich gestellt.
   Du läßt mich nimmer untergehn,
   Du läßt die Unschuld neu erstehn.

11. Das Grab. (Juli 1831.)

1. O stilles Grab!
   Blickt aus der Ferne
   Das Silberlicht der Sterne
   In stiller Majestät herab,
   Dann weil' ich gerne
   Bei dir, o Grab!

2. Nicht ist die Brust
   Von Gram umfangen;
   Und jedes Traumverlangen
   Erstirbt. Nicht schwellt dann eitle Luft
   Mit schwerem Bangen
   Mir meine Brust.

3. O stilles Land!
   Des Neides Blicke,
   Voll scheeler Höllentücke
   Sind deinem Schoße unbekannt;
   Sie fliehn zurücke
   Von dir, o Land!

4. Hier schweigt der Gram;
   Die Sorgen fliehen;
   Hier ruhet jedes Mühen,
   Das uns des Lebens Freuden nahm;
   Die Brust durchglühen
   Nicht Zorn, nicht Gram.

5. Durch dieses Thor
   Schwingt meine Seele
   Geheiligt, sonder Fehle
   Sich zu des Ew'gen Thron empor;
   Dort singt die Seele
   Im Engelchor.

6. Sei mir gegrüßt
   In dieser Stunde,
   O Grab! zum heil'gen Bunde
   Führst du allein mich hin; du bist
   Das Thor zum Bunde.
   Sei mir gegrüßt!

7. O stilles Grab!
   Die Tage schwinden;
   Du läßt mich Frieden finden,
   Steig' ich in deinen Schoß hinab.
   In deinen Gründen
   Wohnt Ruh', o Grab!

12. An einem Gewitterabend. (Juli 1831.)

1. Entzückend duftet Balsam die Abendflur,
   Es lispelt Dank dir, Vater, der Blütenhain,
   Es flüstern hohe Feierpsalmen
   Rieselnder Bach und des Quelles Plätschern.

2. Welch fernes Murmeln wecket den trunknen Geist?
   Dort hinter jenen Bergen erheben sich
   Und kommen immer, immer näher
   Wolken, umschleiert von tiefem Dunkel.

3. Schon türmen höher drohende Massen sich,
   Bedecken weithin düster des Himmels Blau;
   Es lischt der Sterne Silberschimmer;
   Wolken verhüllen das sanfte Mondlicht.

4. Auch in dem Dunkel lobe den Schöpfer ich;
   Steigt aus des Meeres Schoße die Sonne auf,
   Umfängt mich hehre Abendstille;
   Perlen am Halme die Diamanten;

5. Es singt dir immer, Vater, Unendlicher,
   Wenn auch in schwachen Tönen, mein Saitenspiel
   In Psalmen, so die Brust durchglühen;
   Könnt' ich dich singen mit Seraphchören!

6. Dort hebt die Windsbraut wirbelnd der Erde Staub,
   Es rauscht und kracht und dröhnt der Eichenwald;
   Die Wolken rasen, sich zu haschen.
   Vater, Unendlicher, welch ein Wüten!

7. Dumpf brüllt der Donner in die Unendlichkeit,
Und ein Gedanke fliegt durch die Schöpfung hin,
Des Blitzes vielgezackte Flamme:
Bricht durch die Wolken sich tausend Bahnen.

8. Wie schwach, o Starker, ist doch des Menschen Kraft!
Du sprichst, — es bebet zitternd das Weltenall;
Der Leu verkriecht sich in die Höhle;
Schäumend umraset das Meer sein Ufer.

9. Welch' Feierstille bindet das Erdenrund!
Donner horchen, o Schöpfer, auf dein Gebot;
Die Blitze schärfen ihre Waffen,
Ob du gebietest, das All zu spalten.

10. So steht ein Kriegsheer, Feuer im Schreckensblick,
Die Brust durchwallen Mut und Entschlossenheit,
Schon hat das Aug' den Feind ergriffen,
Welchen zu morden der Busen glühet.

11. Der Donner rufet, und der gezackte Blitz
Eilt ihm voran, und — Schöpfer, Allmächtiger!
Es flammet hier die ew'ge Eiche,
Welche so lang' dem Orkan getrotzet.

12. Sie streckt Erbarmen flehend zu dir, o Gott,
Die glühenden Äste. — Welche erhabne Kraft
Vermag zu trotzen, wenn der Schöpfer
Zürnt und reißende Blitze schleudert?

13. Es stürmen Güsse, welche dem Wolkenschoß
Entstürzten, hin durch Wiese und Wald und Flur;
Wo jüngst noch Harmonien ertönten,
Hat die Verwüstung sich hingelagert.

14. Auf goldnen Saaten lastet des Hagels Druck;
Die fruchtbeladnen Äste sind hingesaust. —
Doch es verstummt des Donners Brüllen,
Und es enteilet das schwarze Wetter.

15. Wie schnell, o Vater, kann in ein Nichts dein Arm
Das All hinschleudern! Zürnest du, Ewiger,
Dann bebt der Grund des Weltgebäudes;
Furchtsam verhüllt sich der Sternenhimmel.

16. Doch was im Zorn du niedergestürmet hast,
Kannst du, o Vater, Gütiger, Ewiger,
Noch schöner wieder auferbauen:
Sprichst du ein Wort, so wacht die Schöpfung.

17. Das Schreckensdunkel nahmst du vom Himmel weg;
Es kehrt dein hoher Friede der Welt zurück;
Schon strahlt das Silberlicht der Sterne;
Tröstend schon winket der stille Mond mir.

18. Ich sinke, Vater, hin in den Staub vor dir.
Du hörst des Sohnes feierlich-still Gebet;
Du läßt den Wurm ja nicht verschmachten;
Zähltest die Haare mir auf dem Haupte.

19. Lobsingen soll dir, Schöpfer, mein Saitenspiel,
Den Feierpsalmen, so die Natur dir singt,
Den Harmonien hehrer Geister
Will, wenn auch schwach, ich mein Spiel vereinen.

13. Ermunterung. (August 1831.)

1. Wer ist, wenn der schäumende Becher uns winkt,
Der da noch in Trübsal und Kummer versinkt?
Wem engen noch Sorgen und Qualen das Herz,
Umspielen uns Freude und Jubel und Scherz?

2. Wenn alles sich schwinget in lustigen Reih'n,
Der Busen begeistert von rheinischem Wein,
Wenn alles sich drehet bald auf und bald ab,
Wer blickt da in Trauer und Wehmut hinab?

3. Auf, Träger! geflogen in lustigem Tanz!
Gewoben mit Schönen den reizenden Tanz!
Hinab und hinauf in melodischem Spiel,
Dann bunt durcheinander in regem Gewühl!

4. Es winket das Leben nur einmal uns zu,
Dann sinken wir nieder zur ewigen Ruh'.
Im Schoße des Grabes da kennt man nicht Scherz,
Da schwinden die Freuden, verweset das Herz.

5. Drum luftig, ihr Brüder! noch mahnet die Zeit;
   Drum luftig, ihr Schönen! das Grab ift nicht weit;
   Getanzet, gefungen, gefpielet, geliebt,
   Getrunken, im Trinken euch wacker geübt!

❧

14. Worte des Glaubens. (Auguft 1831.)

(Parodie auf Schillers „Worte des Wahns".

1. Drei Worte hört man bedeutungsfchwer
   Im Munde der Guten und Beften.
   Sie fchallen erquickend, nicht dumpf und leer;
   Sie können uns ftärken und tröften.
   Es reifet dem Menfchen des Lebens Frucht,
   So lang er die Worte zu wahren fucht.

2. Des Vaterlands Name ift heilig, er beut
   Uns Kraft und fpornet zum Siegen;
   Er dienet zum Schild im wogenden Streit,
   Läßt nimmer den Schwachen erliegen;
   Er ift kein Gebilde der Phantafei,
   Er ftärket den Mut, macht glücklich und frei.

3. Unfterblichkeit ift das ewige Glück;
   Sie ftärkt uns im Leiden der Erde;
   Sie führet uns einft zum Schöpfer zurück,
   Der gefprochen das mächtige „Werde"!
   Und wenn auch der Bufen im Leiden erbebt,
   Sie ift's, die die Blicke zum Himmel erhebt.

4. Und ein Gott regieret mit mächtiger Hand
   In Auen, in Fluren und Hainen;
   Er fchmücket mit taufend Blüten das Land,
   Läßt Sommer und Winter erfcheinen.
   Die Welten gehorchen dem ewigen Wort;
   Er gebeut, und es hallen die Donner fort.

5. Drum glaube feſt, es iſt ja kein Wahn!
Die drei Worte dir ewig bewahre!
Sie ſtärken dich, führt auch durch Dornen die Bahn;
Sie einen das Schöne und Wahre,
Zerreißen des Unmuts düſteren Flor
Und ſtrahlen mit himmliſchem Glanze empor.

15. Die Stille. (September 1831.)

1. Hier, wo der Silberquell in Perlen rauſcht,
Auf blanken Kieſeln ſeine Wellchen ſpringen;
Wo im Gezweig der Chor der Elfen lauſcht,
Und Feen ihren luſt'gen Reigen ſchwingen;

2. Wo ſanft der Mond durch lichte Wogen blickt
Und ſich in dem Kryſtall der Quelle ſpiegelt, —
Da fühl' ich mich dem Weltgewühl entrückt,
Der Geiſt iſt frei, von jedem Zwang entzügelt.

3. O, göttlich-ſchön iſt's in der Einſamkeit,
Von jedem Zwang, von Neid und Gram entbunden,
Wo die Verführung keine Gifte beut,
Die ſie mit Roſen künſtlich ſchön umwunden.

4. Hier glänzt der Stolz nicht in erborgtem Schein,
Und der Verleumdung Schlangenziſchen ſchweiget,
Wo man die Wahrheit redet ſchlicht und rein,
Nicht heuchleriſch ein doppelt Antlitz zeiget.

5. O Stille! Stille! ferne vom Gewühl
Der bunten Welt will meine Zeit ich leben;
Nicht in des großen Lebens regem Spiel
Unſtät, ein Ball des Ungefähres ſchweben.

6. Wenn ſich der Abend auf die Fluren ſenkt,
Sein lindes Wehn durch die Gebüſche ſäuſelt;
Wenn heimwärts ſeine Herd' der Hirte lenkt,
Und leiſe ſich des Sees Spiegel kräuſelt:

7. Dann wandl' ich einsam durch das Grün der Au
　Und horche auf das Lied der kleinen Grille;
　Wie Perlen blitzet dann am Halm der Tau;
　Nur Philomela bricht die Feierstille.

8. Dann fühlt mein Geist sich frei; die Phantasie
　Schafft sich in Wonne herrliche Gebilde;
　Ich glaube dann in süßer Sympathie
　Mich in der Geister himmlischem Gefilde.

9. Dann fliehn zurück die Zweifel dieser Welt;
　Und auf der Andacht ätherreinen Schwingen
　Erhebet sich der Geist zum Sternenzelt,
　Wo Cherubim das Dreimal-Heilig singen.

16. Die Freundschaft. (Oktober 1831.)

1. Von dem Himmel stieg die Freundschaft nieder,
　Uns zu stützen auf des Leben Pfad.
　In dem Herzen tönt's melodisch wieder:
　Göttlich ist der Freundschaft hehre Saat.
　Sie baut Städte, macht aus Menschen Brüder;
　Sie ist's, die im Unglück stärkend naht.
　Gold kann nicht die Himmlische erstiegen;
　Zu dem Herzen muß das Herz sich schmiegen.

2. Doch ist's öfters falsche Heuchlertücke,
　Was sich uns als wahre Freundschaft beut;
　Und die Scheelsucht mit verzognem Blicke
　Lauert oft nur auf Gelegenheit,
　Uns zu stacheln aus dem Himmelsglücke
　Stiller, einsamer Verborgenheit;
　Doch die Heuchlerlarve fällt danieder,
　Und es zeiget sich die wahre Hyder.

3. Nur so lang der Wein dem Faß entstiegen,
　Nur so lang die Tafel sich gebeugt,
　Unter Speisen, haben mit Vergnügen
　Hundert Freunde ihre Hand gereicht.

Kaum sieht das Geschick mit finstern Zügen,
Als in Eile jeder rasch entfleucht.
O ihr Freunde mit erborgten Mienen!
Heißet das, dem Freunde redlich dienen?

4. Wer den Freund an seinen Busen drücket,
Einen Freund, der redlich ist und treu,
Den des Himmels reine Tugend schmücket,
Der nicht kennt der Hölle Heuchelei, —
Wohl dem Sterblichen! Er ist beglücket,
Ist, obgleich in Banden, froh und frei;
In dem Unglück wird er nicht erbeben,
In dem Glücke sich nicht stolz erheben.

5. Wer dich warnet in des Glückes Tagen,
Nicht zu trauen auf unstäten Schein;
Wer dich stützet in Gefahr und Plagen,
Dich entreißt des Lebens Wirbelreihn;
Wer sein Leben für dich wünscht zu wagen, —
Er ist redlich, tugendhaft und rein;
Ihm vertraue kühn dein Thun und Streben;
Er wird wie ein Engel dich umschweben.

17. Ermahnung. (Oktober 1831.)

1. Das Eisen schwindet, brauch' es in Thätigkeit,
Laß von des Rostes Zahn es zerfressen sein.
Es schwindet, nützet es als Pflugschar,
Schwindet, vergraben im Schoß der Erde.

2. Es ist doch schöner, funkelt sein heller Glanz,
Als wenn des Rostes Masse es rings umfängt.
Wozu ein Baum, der keine Früchte
Trägt, wenn der Himmel ihm Tau geträufelt?

5. Gott gab dir Kräfte, gab dir Erhabenheit
Der Seele, schuf zum König der Schöpfung dich,
Mein Freund, und deiner Hoheit Adel
Willst du vergessend in Trägheit schwinden?

4. Die Tage eilen, lebeſt in Trägheit du;
Die Tage eilen, mühſt du im Schweiße dich.
Doch ſchöner iſt's, die Kräfte üben,
Als die verliehene Würde ſchänden.

5. Der weiten Schöpfung Wirken beſchaue doch!
Es webt die Spinne, ſchaffet der Wurm im Staub;
Es prangt der Hain mit Blütenknoſpen,
Springen beſtändig der Quelle Perlen.

6. Beſchäftigung verſüßet den Kummer dir;
Beſchäftigung zerreißet der Sorgen Flor,
Wenn ſelbſt die Freundſchaft dir gelogen,
Oder die Holde dir Lieb' geheuchelt.

18. Elegie auf den Tod Friedrichs von Matthiſſon.
(12. Dezember 1831.)

1. Töne ſanfter, florumwundne Leier,
Denn er ſchied aus dieſem Erdenplan,
So der Abendſtille hehre Feier
Wie des Mondes lichte Silberbahn
Uns gemalt, den Pinſel eingetauchet
In der Morgenröte Purpurglanz;
So der Fluren Schönheit eingeſauget
Und belauſcht der Sterne ew'gen Tanz.

2. Er iſt hin! Und ſeine Saite ſchweiget,
Die mich oft erhoben und entzückt;
Und des Lorbeers hohe Zierde bleichet,
Der des Dichters Haupt ſo ſchön geſchmückt.
Er iſt hin! O Grazien, beweinet
Euers Lieblings ewigen Verluſt,
Der den Himmel und den Lenz vereinet
Uns beſang aus freier voller Bruſt.

3. Wie der Morgentau auf jungen Roſen
Schön in tauſend Farben zitternd glänzt,
Lächelt, vom Verklärungsglanz umfloſſen,
Mit der Himmelspalme ſchön umkränzt,

Seine Laura. Ewig ihr geweihet
Rührt er nun der Saiten goldnes Spiel
Seine Seele, ewig nun erfreuet,
Ist genaht dem längst gewünschten Ziel.

4. Nimm, o Meister, diese kleine Blume,
Reizend prangte sie auf schöner Au;
Laura pflückt' in deinem Heiligtume
Solche Blumen dir beim Morgentau.
Diese Blume heißet „Stets gedenke".
Ja, ich denk', o Edler, ewig dein,
Wenn durch Fluren ich die Schritte lenke,
Wenn ich wandle durch den Abendhain.

3. Eh' du schiedest, bebten deine Saiten
Tief ergreifend noch durch manches Herz.
Manche Brust durchglühen fromme Freuden,
Manche Blicke steigen himmelwärts.
Du bist hin, wo sich die Sterne drehen;
Doch hier tönen deine Harmonien,
Und umbebt von deines Zaubers Wehen,
Wird noch manche Brust der Musen glühn.

6. Aufgestiegen zu des Himmels Freuden
Ist dein Geist in dem Verklärungsglanz.
Dort vielleicht besingen deine Saiten
fromm der Sterne schönen Reihentanz. —
Deiner ird'schen Muse Zaubertöne
Beben leis durch Wiese, Hain und Flur.
Du besangst das Wahre und das Schöne,
Du besangst die heilige Natur.

19. Beim Wechsel des Jahres. (1831/32.)

1. Wache, Menschheit, empor! Es naht in stillem
Feierschritte heran die ernste Stunde,
Wo das Jahr sich im Schwunge
Wendet und eilend die Rechte beut.

2. Fasse einmal sie noch mit Freundeswärme,
  Drücke innig und fest sie an den Busen. —
  Nimmer, nimmer erschaust du
  Stunden, die einmal zur Ewigkeit flohn.

3. Noch verschlossen ist dir und eingehüllet,
  Was der Wechsel der Zeit in dunklem Schoße
  Birgt. — Noch liegen die Würfel
  Bunt durcheinander, doch wahr und bestimmt.

4. Ob dir gerade die Zahl, ob ungrad falle,
  Weißt du nicht; doch das heißt entschloßnen Willen,
  Mutiges Streben und Harren,
  Und du bist sicher im Strome der Zeit.

5. Manches düstre Gewölk wird uns umnachten,
  Bis sich wieder ein Jahr von uns geschieden;
  Doch es wird auch des Frühlings
  Wonniger Odem das Haupt uns umwehn.

6. Würd'ger Greis, du erschaust vielleicht des Lebens
  Rest im nahenden Jahr, eh' es vollendet.
  Und von goldener Wolke
  Siehst du die Enkel im Kampfe sich müh'n.

7. Blühende Jungfrau, du stehst im Lenz der Tage;
  Hymen hält dir vielleicht die Hochzeitsfackel;
  Doch dein Genius kann auch
  Tragen die Blüte zum Himmel empor.

8. Kräft'ger Jüngling, es ruft vielleicht der Donner
  Dich hinab in den Kampf für Gott und Ehre
  Und die heilige Heimat.
  Bebe nicht, wenn auch der Blitz dich umzuckt.

9. Neues Jahr, sei gegrüßt! Das Herz schlägt höher.
  Alle sind wir bereit, dich zu umfangen. —
  Greis und Jüngling und Jungfrau
  Bieten in Wonnen die Rechte dir an.

20. An den Tod. (Januar 1832.)

1. Nicht fürcht' ich dich, obgleich die Phantasie
Und Pöbelwahn mit scheußlichem Gepränge
Dich ausgemalt, dir alle Schrecken lieh. —
Den freien Geist treibst du nicht in die Enge.

2. Nahst du heran in stillem, ernstem Gang,
Soll ich erzittern? soll ich klagen, weinen?
Führst du doch hin, wo kein Despotenzwang
Mehr drückt, wo alle frei sin?, es nicht scheinen.

3. Dort lebt sich's besser, dort auf jenen Höhn,
Wo schöner stets der Sonne Purpur glänzet;
Wo keiner Dämmerung Schleier wird gesehn;
Wo nie ein Abendrot den Berg umkränzet.

4. Dort blühet eine andere Natur;
Dort flöten andre Sänger in den Hainen;
Dort schmücken andre Blumen Au und Flur;
Dort ist es Wahrheit, nicht ein leeres Scheinen.

5. Und dieses ewige, allmächt'ge Sein,
Das durch der Schöpfung Wesen sich ergießet,
Muß auch an jenem Ort dasselbe sein,
Da es aus einem Quell das All durchfließet.

6. Soll ich erzittern vor dem biblischen Wort?
Soll denn der Tod mich in Verzweiflung treiben?
Leb' ich denn nicht nach diesem Leben fort? —
Ich bin, und darum muß ich ewig bleiben.

7. Soll ich denn trauern, wenn der Frühling naht?
Wenn er mit Blumen Au und Wiese schmücket?
Wenn er emporruft die erstarrte Saat?
Wenn er das Aug' durch neue Pracht entzücket!

8. Wenn wieder perlt der Quelle Silberfall,
Und Veilchen sich beschauen in den Teichen?
Wenn laut ertönt der Lieder Wiederhall,
Und Feen und Sylphen lauschen in den Zweigen?

21. Liebeslied. (Februar 1832.)

1. Freuden
   Und Leiden
   Im Wechselverein
   Üben
   Und trüben
   Den irdischen Reihn,
   Schwankt doch, was immer
   Das Leben uns giebt;
   Glücklich allein [1])
   Ist die Seele, die liebt.

2. Frieden
   Hienieden
   Wird selten verliehn;
   Leiden
   Und streiten
   Ist unser Bemühn;
   Strahlen der Wonne,
   Nicht selten getrübt;
   Glücklich allein
   Ist die Seele, die liebt.

3. Bauen
   Auf Auen
   In rosiger Pracht;
   Ringen
   Und dringen
   Zum Ziele mit Macht,
   Füllet mit Wonne,
   Die Kraft wird geübt;
   Glücklich allein
   Ist die Seele, die liebt.

4. Fröhlich
   Und selig,
   Zum Himmel entzückt;
   Kränze
   Im Lenze

[1]) Von Goethe.

Auf Auen gepflückt;
Wonne, wem selten
Das Leben sich trübt;
Glücklich allein
Ist die Seele, die liebt.

22. Trinklied. (Februar 1832.)

1. Der Becher, er winket,
Auf! Brüder und trinket;
Wir sind ja die Herrscher der Welt.
Wer kann sich vergessen,
Mit uns sich zu messen,
Die Gott an die Spitze gestellt?

2. Nicht drückt uns der Würde
Neidbringende Bürde;
Wir, Brüder, sind ledig und frei.
Die Kleinen und Großen
Laßt Ämter verlosen,
Wir drängen uns nimmer herbei.

3. Wir wollen nicht klagen,
Nicht stets uns zerplagen
Und Undank ernten zum Lohn.
Laßt andre sich neiden
Um qualvolle Freuden
Und Kummer und Sorgen und Hohn.

4. Wir sitzen im Kreise
Nach ähnlicher Weise
Und leeren den Freudenpokal;
Sind heiter und bieder
Beim Tone der Lieder,
Bei der Gläser klingelndem Schall.

23. Vertrauen auf Gott. (Februar 1832.)

1. Traue fest auf Gottes Walten,
   Wenn ein Sturm dich wild umheult;
   Trau' auf Gott, er wird dich halten,
   Wenn sich selbst der Boden teilt.

2. Trau' auf Gott, wenn dich verraten
   Freunde, die du treu gewähnt;
   Trau' auf Gott, wenn grambeladen
   Du vom Spott noch wirst verhöhnt.

3. Trau' auf Gott, und nicht verlassen
   Weilst du auf dem Erdenrund;
   Er kann nimmer, nimmer hassen,
   Giebst du wahr Vertrauen kund.

4. Rein und heilig sei dein Leben,
   Liebevoll dein Gehn und Thun;
   Dich wird Gottes Huld umschweben,
   Seine Liebe bei dir ruhn.

5. Gott verläßt den Wurm im Staube
   Nicht, auch dich verläßt er nicht.
   Traue, hoffe, liebe, glaube,
   Halte streng auf Recht und Pflicht.

6. Und wenn eine Schuld dich beuget,
   Zeige Reue und Vertraun;
   Den, der so vor Gott sich zeiget,
   Wird auch Gott in Liebe schaun.

7. Wirf dich kühn in Gottes Arme,
   Der Allmächt'ge ist dir nah,
   Ist dir nah in Freud' und Harme,
   Ob auch nie dein Aug' ihn sah.

❧

24. Abendfeier. (März 1832.)

1. Das Tosen schweigt,
   Der Abend steigt
   Herab auf Flur und Au;

Es schimmern Myriaden Sterne
Auf mich herab aus weiter Ferne
Dort aus des Himmels Blau.

2. Den Busen schwellt
Vom Sternenzelt
Ein heiliges Gefühl.
Frei durch die Räume ohne Schranke
Erhebet froh sich der Gedanke
Zum ew'gen, hohen Ziel.

3. Kein Saitenschlag,
Kein Wort vermag
Es zu verkündigen,
Was sich bewegt in reinen Seelen,
Die mit den Geistern sich vermählen.
Die Stund' ist hehr und schön.

4. Die Opferzeit,
Nur Gott geweiht
Naht sich im Feierschritt;
Es herrscht ein allgemeines Schweigen,
Des Himmels Engel nur sind Zeugen:
Vor Gott die Seele tritt.

3. Still, hehr, nicht dreist
Schwingt sich der Geist
Zu Gottes Thron empor;
Betritt des Heiligtumes Hallen,
Wo Lob- und Feierhymnen schallen
Aus frohem Engelchor.

6. Doch schweig, Gesang,
Schweig Harfenklang;
Du lobest ihn zu schwach.
Durch alle Welten, alle Fernen,
Aus allen Myriaden Sternen
Hallt Gottes Liebe nach.

25. Melancholie. (März 1832.)

1. Alle meine Träume sind entschwunden
Alle meine Hoffnung ist dahin;
Mich umgaukeln nicht mehr frohe Stunden,
Düster ist mein sonst so heitrer Sinn.

2. Fröhlich lebt’ ich in der Jugend Tagen,
Denn ich kannte Kummer nicht und Schmerz;
Ach, jetzt stöhne ich nur Trauerklagen,
Fragend blickt mein Auge himmelwärts.

3. Fragen möchte es den Gott der Höhen,
Welches Trauerlos mir sei bestimmt,
Welches Wutorkanes düstres Wehen
Meines Lebens Harmonie verstimmt.

4. O, wie glücklich lebt’ ich in der Jugend,
Wo des Frühlings Blume mir geblüht!
Sie ist hin, und ach! umsonst sie suchend
Schwind’ ich hin, da jede Freude flieht.

5. Doch dem Menschen ist nicht Ruh’ und Frieden,
Nicht der Freude Harmonienklang;
Nein, ihm ist nur Last und Kampf beschieden
Auf des Lebens dornbestreutem Gang.

6. Kämpfen soll er, glauben, hoffen, wagen,
Wenn des Schicksals Nacht ihn auch umfängt;
Nimmer soll er beben, nie verzagen,
Wenn auch Last auf Last sein Herz bedrängt.

7. Sind die Würfel einst des Kampfs gefallen,
Ist der Feind der Tugend einst besiegt;
Naht die Zeit, wo Feierhymnen schallen,
Wenn zu Gott die Seele aufwärts fliegt:

8. Dann wird er belohnt für alle Mühen,
Wird belohnt für Last und Kampf und Zwang;
Dann wird ewig ihm ein Frühling blühen;
Lauschen wird er ew’gem Harfenklang.

9. Ja, auch ich will kämpfen in dem Leben,
Das mit düsterm Schleier mich umwebt;
Nimmer will ich zagen, nimmer beben,
Bis mein Geist der Hülle einst entschwebt.

10. Dann werd' ich geflügelt und gehoben
Eilen aus des Lebens ird'schem Drang;
Ewig ihn, den Ewigen zu loben
Mit der Seraphschöre Festgesang.

26. Sängerglück. (März 1832.)

1. Nicht schrecket mich des Sturmes wildes Toben,
Nicht schrecket mich des Blitzes Schlangenlauf;
Vertrauensvoll blick' schuldlos ich nach oben.

2. Wühlt sich des Meeres tiefste Tiefe auf,
Und rast empor die wutgepeitschte Welle,
Dann blick' ich still zum Ewigen hinauf.

3. Bald kehrt zurück des Himmels schöne Helle,
Die Sonne strahlt aus ätherlichtem Blau
Und spiegelt sich im Spiegel jeder Quelle.

4. Hüllt sich die Flur in undurchdringlich Grau,
Und schweben zitternd luftige Gestalten
Aus sumpf'gem Moor durch Wiese, Wald und Au;

5. Ich glaub' nicht an gespenstige Gewalten,
Sie sind gewebt aus leichtem, luft'gem Dunst,
Die einem Feigen oft schon Schrecken malten.

6. Mich stimmet froh des Augenblickes Gunst;
Warum soll ich denn vor der Zukunft zittern?
Ich bin beglückt im Mutterarm der Kunst.

7. Laßt jeden froh sein eigen Gut zersplittern;
Er selber ist sich ja der größte Thor;
Er bebt und zagt vor kommenden Gewittern.

8. Ich bin beglücket in der Grazien Chor.
   Mich kümmert nicht der Menschen buntes Treiben,
   Wo mancher schon Verstand und Herz verlor.

9. Mich locken Güter nur, die immer bleiben.
   Die Schönheit nur ist's, die mich wahr entzückt,
   Doch solche nicht, so Jahre bald verreiben.

10. Nur die Natur, so reizend-schön geschmückt,
    Nur die Natur mit ihren Gütern allen
    Wird warm ans warme, volle Herz gedrückt.

11. Nur der Natur soll jeder Hymnus schallen,
    Sie ist an Schönheit unermeßlich groß;
    Frei durch die Blumen kann der Frohsinn wallen.

12. Ich lobe mir mein zugeteiltes Los.
    Dem Unmut ist mein Busen fest verschlossen;
    Ich ruh' der Freude in dem reichen Schoß.

13. Die Liebe, schön von höherem Reiz umflossen,
    Die Freundschaft in dem strahlenden Gewand,
    Die Tugend, hehr von Himmelsglanz umgossen;

14. Die Blumen an des Wiesenbaches Rand,
    Den Frühling auf den neuverjüngten Fluren,
    Des Sommers ährenwogend-reiches Land;

15. Des Herbstes frohe segenreiche Spuren,
    Die ganze Schöpfung fasset mein Gemüt;
    Und frei durch alle Räume der Naturen
    Singt Freud' und Wonne laut mein Feierlied.

27. Gebet. (März 1832.)

1. Unermeßlich ist das Reich der Welten,
   Unaussprechlich aller Sterne Zahl;
   Und durch alle Myriaden Wesen
   Leuchtet des allgüt'gen Schöpfers Strahl.
   In dem Sandkorn schafft, wie in der Sonne,
   Unsers ewigen Erhalters Hand.

Und wir rufen, wallt in aller Schöpfung,
Ewiger, dein Hauch in Meer und Land:
„Vater unser, der du bist in den Himmeln!"

2. Alle Wesen dieser weiten Schöpfung,
Alle Wesen glauben einen Gott.
Mag das Wort auch anders sich gestalten,
Alle Wesen lieben einen Gott.
Mag der Geist im Schwunge sich erheben,
Oder mag er still in Demut nahn;
Alle Wesen rufen, alle Geister
Zu der Urkraft ew'gem Thron hinan:
„Geheiliget werde dein Name!"

3. Nicht im Staub ist unser stetes Bleiben,
Mächtig zieht es uns zur Höh' empor;
Und wir fühlen, daß uns Gott bestimmet,
Einst zu wandeln in der Sel'gen Chor.
So von Sehnsucht, so von Gottvertrauen
Nach dem Höhern unsre Brust geschwellt,
Beten wir, den Blick emporgehoben,
Zu dem güt'gen Vater aller Welt:
„Zu uns komme dein Reich."

4. Vater, der du unsers Hauptes Haare
Wie des Meeres Tropfen all' gezählt,
Der du uns mit Lust zur Freud' erfüllet,
Gegen Schmerzen uns mit Kraft gestählt,
Willig fügen wir uns deinem Worte,
Folgen gerne, wie dein Mund gebeut;
Gütig führest du ja einst die Guten
Zu des Himmels ew'ger Herrlichkeit.
„Dein Wille geschehe,
Wie im Himmel, also auch auf Erden."

5. Schöpfer und Erhalter unsers Lebens,
Dir gehorchen Aue, Wald und Flur;
Und es bringt auf deinen heil'gen Willen
Tausendfält'ge Früchte die Natur;
Du befiehlst, und Hagelwetter schlagen
Nieder, was so schön emporgeblüht;

Darum flehen wir zu deiner Güte,
Jedes Aug' erwartend auf dich sieht:
„Unser tägliches Brot gieb uns heute."

6. Gern verzeihen, wenn der Freund gefehlet,
In die Arme schließen selbst den Feind,
Ist dein Wille. Wir sind alle Kinder
Eines Vaters, der's so gütig meint;
Und wir alle, alle können wanken,
Können gleiten auf der Lebensbahn;
Darum, Vater, rufen wir auch alle
Deine Milde, deine Güte an:
„Vergieb uns unsre Schulden,
Wie auch wir vergeben unsern Schuldigern!"

7. Vielfach ist der Lebenspfad gewunden,
Und durch Dornen führt er oft uns hin;
Auch ist oft mit Rosen er bekränzet;
Auch auf Felsen öfters Blümchen blühn.
Manche Klippe ist zu überschreiten,
Wo der Böse schlau sein Netz gespannt;
Darum flehen wir um Kraft von oben,
Nicht zu wanken an des Abgrunds Rand:
„Führe uns nicht in Versuchuug,
Sondern erlöse uns von dem Übel.
                    Amen."

28. Frühlingslied. (März 1832.)

1. Es wallt der Lenz in jungem Glanz,
Geschmückt mit buntem Blütenkranz,
        Durch Hain und Flur.
Erwachet sind die Harmonien,
Es tönen tausend Melodien
        Durch die Natur.

2. Es windet sich dem Erdenschoß
Nun das Geschlecht der Blumen los
        Am Bachesrand.

Das Veilchen lauscht, die Rose nicket,
Bald ist mit Blüten reich gesticket
Der Flur Gewand.

3. Jetzt wähle ich mir Blumen aus
Und binde einen Blumenstrauß;
Jedoch für wen? —
Wem werd' ich meine Kränze weihen?
Wem Blumen in die Locken streuen,
So bunt und schön?

4. Elise, Dir pflück' ich den Strauß,
Für Dich nur wähl' ich Blumen aus
Im Frühlingsschein.
Du bist die Teuerste vor allen;
Dir sollen meine Lieder schallen,
Nur Dir allein.

29. Der Deutsche. (27. Mai 1832.)

1. Ernst und Liebe sind des Deutschen Güter
Auf des Lebens Gang.
Knechtisch fällt er nicht zur Erde nieder
Vor Despotenzwang.

2. Ernstlich treibt er männliche Geschäfte,
Nicht ein leeres Spiel;
Und ihn führen wohlgebrauchte Kräfte
Zum ersehnten Ziel.

3. Und die Liebe schlägt in seinem Herzen
Heilig, wahr und rein.
Wer mit Liebe fälschlich nur will scherzen,
Kann kein Deutscher sein.

30. Leitstern. (Mai 1832.)

1. Drängt dich schwer des Schicksals Hand,
Stehst du da im Streit der Stürme,
Beut sich dir zu Schutz und Schirme
Keine Hand, verzage nicht.

2. Auf dich selber hab' Vertrauen.
   Wenn dich dieser Leitstern führet,
   Bist du sicher. Nie verlieret
   Sich, wer selber sich vertraut.

3. Nur sich selbst vertraut der Mann;
   So wird nimmer er betrogen,
   Fährt er auch auf tück'schen Wogen.
   Handle so, du stehest fest.

31. Ermunterung. (Juni 1832.)

1. Schmecket die Freude,
   Kostet des Bechers
   Winkenden Nektar,
   Freunde; es mahnet,
   Sehet, des Glases
   Perlender Kranz.

2. Trinket die süßen
   Säfte der Reben,
   Freunde, behende.
   Seht, es enteilet
   Schwebenden Flügels
   Tückisch die Zeit.

3. Haschet die schnelle,
   Eh' sie entgleitet.
   Kostet die Freude
   Leicht und gefällig,
   So wie die Biene
   Blumen beraubt.

32. Abendwehmut. (Juli 1832.)

1. Friedensbote dort in blauer Ferne,
   Abendstern, wie bist du doch so schön!
   Könnt' ich doch, ich möcht' es gar zu gerne,
   Auf die Welt aus deiner Höhe sehn!

2. Ruhig blickſt du, voll der ſanften Milde,
   Heitern Auges auf die Welt herab;
   Strahleſt friedlich hier auf dem Geſilde
   Auf ſo manches Jünglings frühes Grab.

3. Du biſt ruhig, wenn die Winde ſtürmen;
   Ruhig, wenn die Wut in Wäldern brauſt;
   Ruhig, wenn ſich Wogenberge türmen;
   Ruhig, wenn dem kühnen Schiffer grauſt.

4. So auch blickt der Weiſe in das Leben,
   In der Tage wechſelvolles Sein;
   Mag die Zwietracht ihre Fackel heben,
   Er iſt ruhig; denn er iſt ja rein.

33. Doppeltes Akroſtichon. (Auguſt 1832.)

Ein beglücketes Sein iſt unſer Leben.
Lobgeſang für der Liede Himmelswonne
Iſt die heilige Sprache aller Weſen.
Selig ſind wir, einander ewig treu, wie
Epheu innigſt umfängt die ſtarke Eiche.

34. Parodie auf „Hektors Abſchied" von Schiller. (Auguſt 1832.)

Das Vaterland.

Freiheit! willſt dich ewig von mir wenden,
Wo mit gier'gen, ſchmutzbedeckten Händen
Der Tyrann in Kerkernacht dich zwingt?
Wer wird künftig doch uns Arme lehren
Menſchenrecht und Völkerwohlfahrt ehren,
Wenn der Zwingherrn Feſſel dich umſchlingt?

Der Genius.

Nicht mehr lange fließen deine Thränen!
Nach dem hohen Ziele iſt mein Sehnen,
Das ich ganz, nicht halb erringen muß.

Wenn ich hingestürzt die Gnaden=Götter
Alle, dann erschein' ich dir ein Retter;
Du wirst frei, — denn fest ist mein Entschluß.

Das Vaterland.

Bis du freudig einziehst in die Halle,
Zittre ich vor jedem lauten Schalle,
Jedem Wort, das drohend mich verdirbt.
Ach, bis mir die Freiheit einst erscheinet,
Hab' ich längst mein Leben hingeweinet,
Meine Kraft, die schon im Keime stirbt.

Der Genius.

All mein Sehnen will ich, all mein Denken
Auf dein Recht, auf deine Wohlfahrt lenken,
Vaterland, verzweifle nur noch nicht!
Laß das Klagen, Teures, laß das Trauern!
Laß die Wolken auch das Licht vermauern!
Glaube fest, die Sklavenfessel bricht.

35. Vergebliches Streben. (28. Oktober 1832.)

1. Unterdrücket nur stets in fein gewebter Methode
   Den sich bildenden Geist, welcher nach Freiheit verlangt.

2. Nimmer vermögt ihr zu binden die Kraft des freien Bewußtseins.
   Heischet Bildung die Zeit, trotzet sie jeglichem Zwang.

36. Dezember-Lied. (3.—16. Dezember 1832.)

1. Klagen
   Und zagen,
   Weil Winter regiert;
   Bäche
   Und Fläche
   Und alles gefriert?
   Soll ich wohl klagen

Als schwächlicher Wicht?
Wahrlich, ich klage
Und weine auch nicht.

2. „Kälter
„Durch Wälder
„Fährt schneidender Oft;
„Alles,
„Ja, alles
„Beugt tötender Froft!"
Laß ihn nur beugen,
Verzweifle nur nicht!
Fort muß einft wieder
Der grämliche Wicht.

5. „Weiße
„Vom Eise
„Sind Tiefen und Höhn!"
Sage,
Ich frage,
Kann Schönres man fehn,
Als wenn der Unfchuld
Schneefarbiges Kleid
Rings fich den Blicken
Im Winter deut?

3. „Labend
„Am Abend
„Ergötzt uns die Flur;
„Wüfter
„Und düfter
„Ift jetzt die Natur!"
Abende lang mir
Der Winter fie fchickt,
Wird an den Bufen
Die Pfeife gedrückt.

5. Klage
Und zage!
Ich folge dir nicht.
Fröhlich

Und selig
Beim zitternden Licht
Bin ich am Ofen,
Mein Liebchen im Arm
Bin ich von außen,
Von innen so warm.

❦

37. Winterlied. (Januar 1833.)

1. O sag'! o sprich!
Was kümmert mich
Des düstern Winters Stürmen!
O lasse nur
Auf Wald und Flur
Sich Schneekolosse türmen!

2. Laß flimmernd weiß
Von Reif und Eis
Baum, Bach und Quelle starren!
Laß von dem Frost,
Von Nord und Ost
Auch meine Fenster knarren!

3. Ich klage nicht
Und zage nicht!
Ich werde nicht erbangen!
Denn meine Brust
Füllt Frühlingslust,
Der Lenz stillt mein Verlangen.

❦

38. Der Rheinwein. (Februar 1833.)

1. Am Rhein, am Rhein,
Da wächst der echte Wein;
Dort springt die Nektarquelle.
Man pflanzte Reden an
Auf jeder ruhmgekrönten Stelle,
Wo Heldenthaten
Der Ahnen Mut gethan.

2. Am Rhein, am Rhein,
   Da wächst der echte Wein.
   Dort liegt er noch im Fasse
   Schon manche Jahre alt,
   Seitdem zum unversöhnten Hasse
   Gen jeden Feind sich
   Vereint die deutsche Gewalt.

3. Am Rhein, am Rhein,
   Da wächst der echte Wein.
   Nur der kann Kraft verleihen
   Und Mut dem deutschen Mann;
   Er weiß, zum Kampf uns einzuweihen,
   Geht's zu der Freiheit
   Auf blut'gem Pfad hinan.

4. Am Rhein, am Rhein,
   Da wächst der echte Wein,
   Drum laßt die Gläser klingen
   Bei fröhlichem Gemüt!
   Laßt uns dem Wein jetzt munter singen
   Und auch der Freiheit
   Ein echtes, deutsches Lied!

39. An einen in die Ferne reisenden Freund.
(Februar 1833.)

1. Nun lebe wohl! ich folgte dir so gerne,
   Doch mir verbeut's ein höheres Geschick.
   Nimm diesen Kuß noch mit in weite Ferne,
   Und denk' zuweilen auch an mich zurück.
   Du gehest hin zum Lichte andrer Sterne;
   Vielleicht harrt deiner dort ein schönres Glück.
   Doch nicht verachte eines Freundes Lehren,
   Kannst du nicht mehr aus seinem Mund sie hören.

2. Das Laster flieh, und laß dich nicht betrügen
   Von seinem Prunk und äußern Gaukelschein;
   Der wilden Lust nicht darfst du unterliegen,
   Sie greift sonst tötend in dein Innres ein;

12

Vertrau' nicht gleich, wenn manche dir sich schmiegen
Gefäll'gen Sinns mit fert'gen Schmeichelein.
Wie mancher ward im Todesnetz gefangen,
Wenn er gefolgt, wie ihm Syrenen sangen.

3. Leutselig, nicht gemein sei dein Betragen;
Auf alles hör', doch alles rede nicht.
Wenn weise Männer dir ein Wörtchen sagen,
Darauf zu achten, dies sei deine Pflicht.
Doch darfst du nicht sogleich ein Urteil wagen,
Dies setzt dich in ein vorteilhaftes Licht.
Verachtend darfst du nicht auf jeden schauen,
Doch auch nicht gläubig einem jeden trauen.

4. Prüf' alles streng, und wähle klug aus vielen
Nur e i n e n treuen, tugendhaften Freund;
Auch wirst du nicht in herrischen Gefühlen
Das Weib verachten, das es redlich meint;
Und siehst du ihren Sinn aufs Beste zielen,
So sei in Lieb' und Freundschaft ihr vereint.
Das Weib vereint in einem einz'gen Wesen
Die höchste Tugend mit dem höchsten Bösen.

5. Nun lebe wohl! Bewahre deine Ehre;
Und thut es not, so sprich fürs Vaterland;
Aufmerksam zieh aus allem eine Lehre;
Beachte jedes Alter, jeden Stand;
Was du nicht kannst, das nimmer auch begehre;
Aus deinem Geist sei jeder Traum verbannt.
Sei treu dir selbst, und alles wird gelingen,
Und manches Gut wirst du zurück einst bringen.

                          ✠

40. Abendlied. (März 1833.)

1. Ei, wie herrlich senkt sich labend
Auf die Fluren rings der Abend,
Wenn der letzte Strahl der Sonne stirbt,
Und im Gras das frohe Heimchen zirpt!

2. Einmal tönen noch die Lieder
   Muntrer Vögel feiernd wieder,
   Und dann eilen sie der stillen Ruh'
   Hier auf Bäumen, dort im Grase zu.

3. Sinnend geh' ich bald durch Felder,
   Bald durch Wiesen, bald durch Wälder.
   Feld und Wald und Wiese unterweist
   Von der Größe Gottes meinen Geist.

41. Das Blümchen. (7. April 1833.)

1. Es blühet ein Blümchen
   In himmlischer Pracht;
   Nicht lockt mich die Rose,
   Wenn dieses mir lacht.

2. Die Tulp', Anemone,
   Das Veilchen am Bach,
   Die Lilie, sie alle
   Stehn diesem weit nach.

3. Es duftet Entzücken,
   Es füllet die Brust
   Mit himmlischer Freude,
   Mit heiliger Lust.

4. Doch selber dem Himmel
   Entsprossen und rein,
   Kann's auch nur in reinen
   Herzen gedeihn.

5. Dies Blümchen heißt Liebe.
   Wer kennet es nicht?
   Wohl dem, der dies holde
   In Reinheit sich bricht.

6. Elise,[1] ich reiche
   Dies Blümchen dir dar;
   Ihm deut sich dein Busen
   Zum Weihealtar.

---

[1] Seine Braut.

12*

7. Dort wird sich's entfalten
   Zum herrlichen Kranz;
   Du kennest des Blümchens
   Bedeutung und Glanz.

❦

42. Frühlingslied. (Mai 1833.)

1. Schon führt der Lenz die laue Luft zurück;
   Es schweigt des Nordes kaltes Brausen.
   Und heiter lacht der Himmel unserm Blick;
   Zephyr besiegt der Stürme Grausen.

2. Verlasset jetzt das niedre Hüttendach.
   Nun schnell ins Freie hingeeilet!
   Vernehmet alle Philomelens Schlag,
   Die dort im Haine singend weilet.

3. Der Geist bedarf jetzt der Erheiterung;
   Das Auge will dem schönen Grün entgegen;
   Es regt die Rechte sich, es übt im Sprung
   Der Fuß sich nun auf schneebefreiten Wegen.

4. Sei mir gegrüßet neubelebte Flur!
   Willkommen mir ihr offnen Räume!
   Willkommen jede Schönheit der Natur,
   Wald, Wiese, Feld und Blütenschmuck der Bäume!

5. Ich weile gern in euerm freien Reich,
   Wo mich kein Sklavenband bedrücket.
   Wie gerne wär' ich immer hier bei euch!
   Ich bin so froh, so selig, so beglücket.

❦

43. Beim Tod eines zu früh verstorbenen Mädchens. (Mai 1833.)

1. Nicht tot ist dieses Mädchen;
   Es liegt im sanften Schlaf.
   Entschwunden ist der Traum,
   Der in der Ruh es schreckte.

2. Kaum sah in dieses Leben
Ihr unschuldsvoller Blick,
So rief ein Engel schon
Sie ab zum Thron des Ew'gen.

3. Mit einer Hand voll Blumen,
Gepflückt auf dieser Erd',
Stieg sie zu Gott empor —
Wir werden bald ihr folgen.

4. „Beglücket sind die Kleinen,
Drum kommet her zu mir!"
Amalie vernahm
Den Ruf und ward gehorsam.

5. Drum weinet nicht, ihr Eltern!
Sie kniet vor Gottes Thron
Anbetend. Bald auch kommen
Wir alle hin zu ihr.

44. Frühlingslied. (Mai 1833.)

(Vergleiche Horazens Oden IV, 12.)

1. Sieh, wie die Segel schwellen
Bei lauem Frühlingswind!
Wie zu dem Lauf, dem schnellen,
Die Schiffe rüstig sind!
Nicht starren mehr die Wiesen
Vom Winterreife weiß;
Und heiter, lärmlos fließen
Die Flüsse sonder Eis.

2. Die Schwalben kehren wieder
Und bauen sich ihr Nest
Beim Zwitschern froher Lieder
An Dach und Balken fest;
An Schattenquellen singen
Die Hirten, und umher
Die lust'gen Lämmer springen
Im Grase kreuz und quer.

3. Lädt dieses nicht zum Trinken,
   Mein K r a u s,[1]) uns mächtig ein?
   Siehst du nicht liebreich winken
   Das Gold, so süß, so rein?
   Drum schneller mit den Sorgen,
   Mit allen Grillen fern!
   Verspare sie auf morgen,
   Heut' seh' ich sie nicht gern.

4. Denk' an die letzte Stunde,
   Denk' an den Knochenmann!
   Den Finger auf dem Munde
   Sag', locken die dich an? —
   Drum, eh' sie uns begehren
   Ins düstre Schattenreich,
   Laß uns die Gläser leeren,
   Auf, auf, mein Kraus, jetzt gleich!

45. Im Frühling. (Mai 1833.)

1. Der Schnee ist fort, das Feld ist grün,
   Und Blützn treibt der Wald;
   Die Bäche gleiten ruhig hin,
   Der Hirten Lied erschallt.
   Und alles bewegt sich in lustigem Sein,
   Im Wasser die Fische, die Vögel im Hain.

2. Nichts ist von dauerndem Bestand,
   Dies lehrt uns jeder Tag.
   Heut' blüht und grünet Au und Land,
   Es schallt der Vögel Schlag; —
   Und morgen schon welfet das Blättchen, das kaum
   Dem Aug' sich gezeiget am sprossenden Baum.

3. Doch kommt der Lenz in neuem Kleid
   Zurück auf unsre Flur,
   Lebt alles wieder auf, dann freut
   Sich alles seiner Spur.
   Und jubelnde Lieder ertönen zum Preis
   Dem Lenz, der besieget des Winters Eis.

---

[1]) Ein Studienfreund. —

4. Doch steigen wir ins stille Grab,
   In Mutter Tellus Schoß,
   Dann stirbt auch alle Freud' uns ab. —
   O armes Menschenlos!
Nichts höret das Ohr, vom Scheine des Lichts,
Dem holden, genießet das Auge dann nichts.

5. Drum sollen Lieb', Gesang und Wein —
   Gibt's wohl was Schönres noch? —
   Mein einziges Bestreben sein.
   Dies Trio lebe hoch!
Es stimme auf Erden ein jeder mit ein:
Es lebe die Liebe, das Lied und der Wein!

46. Einsamkeit. (Juli 1833.)

1. Wie? Du glaubst, ich wandle allein, mich einsam ergehend
   Fern vom Wogen des Markts und dem Getriebe des Hofs?
2. Wahrlich, am mindesten bin ich allein, wenn allein ich dir scheine;
   Ist der Gedanke mir doch treuer Begleiter allhier.

47. Die Welt. (Juli 1833.)

Nicht mit Unrecht unsre Welt
Mancher für 'nen Garten hält,
Wo viel schöne Blumen sprossen.
Aber wo so viele blühn,
Ist auch stets das Kraut der Mühn
Und der Schmerzen aufgeschossen.

48. An eine Eiche. (August 1833.)

1. Hehre Eiche! schon ruhte in deinem Schatten der alten
   Deutschen starkes Geschlecht. Welcher Gedanke für mich!
2. Langsam wächst du empor, doch trotzest du jeglichem Sturme
   Wahrlich, dauernd ist nicht immer, was schnelle geschieht!

49. Das Geld. (Juli 1833.)

Der Gott der Welt,
Das liebe Geld,
Kommt hinkend, lahm zu mir gezogen;
Kaum sieht mein Blick
Das schöne Glück,
So ist's auf Schwingen schon entflogen.

50. Ermunterung. (November 1833.)

(Frei nach Horaz Oden I, 9.)

1. Sieh nur, wie auf Berg und Hügel
   Schnee in Masse liegt;
   Sieh des Flusses klaren Spiegel
   Von dem Eis besiegt!

2. Sieh des Forstes Bäume starren
   Schimmernd in dem Reif.
   Hörest du der Wagen Knarren
   Und das hell Gepfeif?

3. Dürres Holz, herbeigetragen
   Munter zum Kamin!
   Hier soll in des Winters Tagen
   Uns der Frühling blühn.

4. Jetzt gefüllet die Pokale
   Mit des Rheinweins Glut!
   Er ist bei dem frohen Mahle
   Stets das beste Gut.

5. Alles andre jetzt vergessen,
   Ach und Weh verbannt!
   Gottes Huld wird schon ermessen,
   Was beglückt das Land.

6. Frage nicht: Wie leb' ich morgen?
   Jede Stunde sei
   Dir Gewinn! Nicht darfst du sorgen,
   Ob du ewig frei.

7. Heute bist du's, darum freue
   Du des Lebens dich!
   Misch' dich in des Tanzes Reihe;
   Mach' es nur, wie ich!

8. Naht das Alter einst am Stabe,
   Weicht die Freud' der Brust;
   Völlig stirbt zuletzt im Grabe
   Jede Erdenlust.

❧

51. Die Tochter des Landes. (2. Dezember 1833.)

1. Um ihre Wiege spielen Blütenzweige,
   Um ihre Wiege auf der freien Flur.
   Jetzt ist sie größer, springt sie hin zum Teiche,
   Sucht nach der Veilchen stillverborgner Spur.
   O güt'ge Gottheit! jede Gabe reiche,
   O, schenk' ihr jede Wonne der Natur!
   O, seht, wie dort beim abendlichen Kühlen
   Unschuldig-frohe Lämmchen sie umspielen!

2. Sie ist vergnügt. Was soll sie viel verlangen?
   Konzerte spielen ihr im Buchenhain.
   Sie kennt nicht Flitterglanz, nicht leeres Prangen,
   Und steife Bälle laden sie nicht ein.
   Sie tanzt und springt mit frischen, roten Wangen;
   Gesundheit ist's, nicht der Gesundheit Schein.
   Das Antlitz, das ihr Gott so schön gegeben,
   Weiß sie mit Farben nicht zu überkleben.

3. Wie ihre blonden Locken fließend fallen,
   Ein liebes Spiel dem losen Zephyrhauch!
   Und ihres weißen Busens reizend Wallen!
   Und ihr entzückend-schönes blaues Aug'!
   Jetzt horchet sie dem Lied der Nachtigallen,
   Sich Rosen pflückend an dem Blütenstrauch.
   Bald kannst du Veilchen, bald die kleinen blauen
   Vergißmeinnicht' an ihrem Busen schauen.

4. Doch kennt sie auch des Lebens ernste Seiten,
Nicht bloß der Kindheit frohe Tändelein.
Schau' munter sie im großen Garten schreiten,
Sie prüft und teilt der Beete schöne Reihn;
Sie überlegt des Jahres rasche Zeiten
Und setzt geschäftig Kohl und Pflanzen ein;
Denn nur sich selbst von eignem Gut zu nähren,
Will sie nichts wissen, will sie nichts entbehren.

5. Die Küche weiß sie reichlich zu bestellen;
Nichts mangelt ihr in jeder Jahreszeit.
Besorgt, — muß ihr aus allem Nutzen quellen,
Und aufgehäuft liegt manches ihr bereit.
Der Keller birgt, der Boden, hundert Stellen
Enthalten, was abwechselnd uns erfreut.
Auch stille Arbeit: spinnen, bügeln, nähen
Kannst du sie all' geschäftig üben sehen.

6. Und reicht sie endlich voll unschuld'ger Liebe
Dem lange Sehnenden als Braut die Hand,
Wie glücklich beide! Gleiche reine Triebe
Umschlingen sie mit schönem Rosenband.
Wie selten scheint die Sonne ihnen trübe!
Der Unmut ist wie düstrer Gram verbannt.
Wie innig froh, wie glücklich sind sie beide,
Wird ihnen nun die süße Elternfreude!

52. An die Nachtigall. (Dezember 1833.)

1. Freundin bin ich der Nacht und Freundin des schönen Gesanges;
Und Philomela genannt bin ich aus Lieb' zum Gesang.

2. Schlaflos bringt Philomela die Nacht beim muntern Lied hin;
Wach ist sie selber, doch uns lullt sie in lieblichen Schlaf.

3. Sprich, Philomela, warum durch Gesang die Nacht zu besingen
Strebst du? „Daß kein Feind nahe dem jungen Geschlecht."

4. Aber kannst du den Feind durch Gesang von dem Neste abwehren?
„Kann ich es, kann ich es nicht, — immer doch wach' ich so gern."

5. Deine Stimme, sie lävt zum Gesang, mahnt, Liedchen zu lernen;
Höre, der Landmann singt lobend dich, wie dir gebührt.

6. Deine Stimme besiegt im Gesang die Töne der Zither;
Äols Harfengetön schweiget, sobald du beginnst.

7. Deine Stimme verjagt den Samen des Grams und der Sorgen;
Und beim sanften Getön fliehet die klemmende Angst.

8. Du bewohnest das Blütengefild, dich freuet das Grüne;
Und im belaubten Baum nährest die Jungen du auf.

9. Horch', es tönet wieder der Wald von deinem Gesange;
Und in Harmonie lispeln die Blätter des Baums.

10. O, dir weichet der Schwan, dir weicht die geschwätzige Schwalbe,
Und der Papagei gönnet dir gerne den Sieg.

11. Niemals ahmt ein Vogel dir nach in der Kunst des Gesanges;
Zwitschernd singest du oft leise und stille für dich.

12. Zwitschre mit zitternder Zunge das stets sich verändernd Gelispel;
Laß mich den süßen Gesang hören in fließendem Ton!

13. Gönne dem horchenden Ohr die lieblichen, süßen Accorde!
Schweige mir nimmer, o schweig' nimmer entzückendes Lied!

❧

53. Die Rosen. (Dezember 1833.)
(Vgl. Anth. Rom. III. 292 und Auson. idyll. 14.)

1. Frühling war's, und der Morgen entstieg dem rosigen Osten,
Und mit kühlerem Wehn traf er das feine Gefühl.

2. Strengere Lüfte eilten voran dem Gespanne des Phöbus,
Und sie ermahnten, des Tags Wonne zu achten in Eil'.

3. Ich durchwandelte jetzt des Gartens schneidende Wege,
Mich zu ermuntern gewillt, da ja der Morgen so schön.

4. Und Tautröpfchen erblickt' ich von neigendem Grase hernieder
Zittern, andere dort standen auf stärkerem Kraut.

5. Runde Perlchen umfingen auf Zweigen einander in Liebe,
Und mit himmlischem Tau füllten beide sich schnell.

6. Päftums[1]) Rofengärten, betaut, erglänzten in Schönheit,
Da fich nun eben erhob Lucifers prächtiger Stern.

7. Hie und da noch hing an gereiften Gebüfchen ein Perlchen
Tau, an des jungen Tags Strahlen zu fterben beftimmt.

8. Raubt Aurora den Rofen die Röte, oder verleihet
Neue fie ihnen? Und malt fchöner die Blumen der Tag?

9. Ein Tau zeiget fich, eine Farbe und nur ein Morgen. —
Herrin ift Venus allein; Morgen und Blumen find ihr.

10. Ift es auch ein Geruch? Nein! jener durchwürzet die Lüfte.
Nahe bei uns verhaucht diefe den Balfamgeruch.

11. Allumfaffende Göttin des Tags und der Blumen ift Venus;
Sie befiehlt, und es glänzt alles im herrlichften Rot. —

12. Nur ein Augenblick, und es teilen der fproffenden Rofen
Keime fich aus, und fie find gleich nach den Räumen geteilt.

13. Diefe fproffet, verhüllt von der fchließenden Decke der Blättchen;
Jene ift purpurgeftreift fchon in der Spitze zu fehn.

14. Diefe eröffnet am Rande die angefüllte Knofpe,
Und von dem purpurnen Haupt nimmt fie die Krone hinweg.

15. Jene entfaltet den herrlichen Schmuck des fchönen Gewandes,
Denn nach der Blätter Zahl glaubt fie felbft fich gefchätzt.

16. Jetzt, jetzt hat fich die lachende Pracht des Stockes geöffnet;
Tief in den Blumen erfchauft gelblichen Samen du jetzt. —

17. Ach, und diefe, die eben noch prangte im Glanze der Blätter,
Ift fchon blaß, und fällt jegliches Blättchen derab.

18. Staunend fah ich des eilenden Sommers flüchtiges Schwinden;
Daß geboren noch kaum — Greife die Rofen fchon find.

19. Während ich ftaun', entfällt die purpurne Zierde den Blumen;
Und der Boden erglänzt rötlich mit Blättern bedeckt.

20. So viel Leben, fo viel verfchiedne Geftalten enthüllet
Ein Tag, und ein Tag nimmt fie auch alle hinweg.

_____

[1]) Stadt in Lucanien.

21. Ja, wir klagen, Natur, daß so kurz das Leben der Blumen;
Kaum dem Auge gezeigt, raffst du auch alle dahin.

22. Nur so lang ein Tag, so lang ist das Leben der Rosen;
Kaum der Reife genaht, sind sie vom Alter besiegt.

23. Die Aurora anschaut, am Morgen ins Leben treten,
Die sieht Hesperus schon bleich und vom Alter gebeugt. —

24. Wohl doch, daß sie, bestimmt, nach wenigen Tagen zu sterben,
Neu erblühen und neu schaffen ihr eignes Geschlecht. —

25. Pflücke die Blumen, o Mädchen, so lange du jung und in Blüte!
Denn die Tage, bedenk', eilen geflügelt dahin.

54. Das glückliche Leben. (Dezember 1833.)
(Martial X, 47.)

Was ein Leben zum wahren Glück erhebe,
Will ich, teuerster Martial, dir nennen:
Ein Vermögen, ererbt, nicht schwer erworben,
Ein fruchtbares Gefild, — zum Leben Nahrung,
Nie Streit, selten Klientschaft, Seelenfrieden,
Edle Kräfte, ein stets gesunder Körper,
Weise Einfachheit, auserwählte Freunde,
Nicht gesuchteste Speis', kunstlose Tafel,
Sorgentbundene Nacht, nicht weinberauschet,
Eine züchtige, doch nicht düstre Gattin,
Und ein Schlaf, der die lange Nacht verkürzet, —
Das sein, was ich nur bin, sonst nichts verlangen,
Wünschen weder das Lebensend', noch fürchten.

55. Sprüche des Bias. (Dezember 1833.)
(Ausonius, Septem sap. lud.)

1. Was ist das höchste Gut? — Ein schuldbefreites Gewissen.
Und das größte Verderben? — Ein Mensch ist dieses dem andern.

2. Wer ist reich? — Der nimmer begehrt. Wer dürftig? — Der
Geizhals.

3. Welches doch ist der Jungfrau herrlichste Gabe? — Die Reinheit.
    Welche ist rein? — Von welcher der Ruf zu lügen sich fürchtet.

4. Was ist des Weisen Pflicht? — Nicht schaden, wenn er es könnte.
    Was ist den Thoren eigen? — Nicht schaden können, und wollen.

56. Sprüche aus Salomo. (Januar 1834.)

1. Wahrlich, treffliches Weib, du bist die Freude des Mannes;
    Bist ihm das teuerste Gut, lieber als Perlen und Gold.

2. Öffnest du die Lippen, dann strahlt ihm entgegen die Weisheit;
    Dir auf der Zunge schwebt Anmut und Milde und Lieb'.

3. Klug sei die Frau, und sie trägt als stützende Säule die Wohnung;
    Ist sie thöricht, dann stürzt sie's mit der eignen Gewalt.

4. Hast du ein Weib gefunden, das treu und rechtlich und fleißig,
    Dann, dann lächelt das Glück, Freude und Wonne dir zu.

5. Wie der gewaltige Mann sich Macht verschaffet und Reichtum:
    So schafft Anmut das Weib, Achtung und Liebe und Huld.

6. Einen goldenen Ring entweiht ein Rüssel des Schweines.
    Ihm vergleich' ich das Weib, dem die Reinheit entflohn.

7. Einem Edelgestein, gefaßt in erhebenden Goldschmuck,
    Ihm vergleich' ich das Weib, welches die Sitte bewahrt.

8. Eine tüchtige Frau ist der Schmuck und die Krone des Mannes;
    Abscheu, Schmerz und Verdruß ist ihm ein schändliches Weib.

9. Schon der Knabe verrät in seinem Wirken sein Innres:
    Ob er die Tugend dereinst, ob er das Laster befolgt.

10. Tiefes Wasser ist in des Mannes Seele der Ratschluß;
    Aber der Kluge schöpft sinnend ihn dennoch heraus.

11. Schlägt dir freudig das Herz, dann ist fröhlich und heiter dein
                                   Antlitz;
    Leidet das Herz, dann ist schwerer der Odem gepreßt.

12. Übermut, dir folgt auf dem Fuße die kriechende Demut;
    Weisheit aber gesellt stets zur Bescheidenheit sich.

13. Wird von des Unglücks Schlägen die Kraft des Mannes gebrochen,
    Dann ist das liebende Weib Stütze ihm kräftig und Trost.

57. Sprüche. (Januar 1834.)

(Aus Syrus und anderen römischen Dichtern.)

1. Sicher lebst du, und nicht umhüllen dir Wolken die Stirne,
   Ward dir ein liebendes Weib, welches der Tugend getreu.

2. Reiche die Hand du dem Mädchen, das Tugend liebet und Gott
   scheut,
   Und das vermögendste Weib wird dir in ihrem Besitz.

3. Wie? Du redest von Sorgen und Kummer? — Noch kannst du
   sie tragen.
   Heftiger Kummer und Schmerz schweigen und denken in sich.

4. Wie? Du fürchtest die künftige Zeit, die in Nebel gehüllt ist?
   Thöricht bist du fürwahr. Weißt du denn, was dir noch wird?

5. Mädchen, traue mir nicht zu sehr auf die Blume der Schönheit!
   Denn am Morgen in Pracht, ist sie am Abend verwelkt.

6. Wie? Du plauderst in einem fort und weißt nicht zu schweigen?
   Und ich glaube bestimmt, daß du zu reden nicht weißt.

7. Was du geschwätzt und geplaudert mit unvorsichtigem Geiste,
   Nimmer machst du es gut, rede auch, was dir beliebt.

8. Nimmer verachte Geduld, sie ist das erprobteste Mittel
   Gegen jeglichen Schmerz, welcher dich peinigend drückt.

9. Lacht Fortuna dir immer, und häuft sie dir Schätze auf Schätze,
   O, dann, teuerster Freund, fürcht' ich für deinen Verstand.

10. Heut ist ein Schüler von Gestern, vom Heute lernet das Morgen.
    Du nur willst mir nicht klug werden im Laufe der Zeit?

11. Traue nicht allzu sehr Fortunas glänzenden Gaben!
    Ein zu feines Glas, schnelle zerspringt es und leicht.

12. Lebt' ich immer in einerlei Pracht und einerlei Glücke
    Ohne Wechsel und Tausch, nimmer mehr wär' ich beglückt.

13. Nicht an voller Tafel, auch nicht bei schäumendem Becher,
    Nein! in Unglück und Not lernst du kennen den Freund.

14. Weißt du selber das Maß dir in jeglichem Ding zu bestimmen,
    Wahrlich, dann bist du beglückt, freust dich des herrlichsten Guts.

15. Sucht dein herrisches Selbst, in jegliches Ding sich zu mischen;
    Liebst du nur innig, was dein; ferne dann fliehe von mir.

16. Suchst du nicht, reichen Gewinn aus verwerflichen Thaten zu
                                   ziehen;
  · Liebst du Gott und Gesetz: sei mir dann herzlich gegrüßt!

58. Ermahnung. (Februar 1834.)

1. Mein Freund, hemm' deine Klagen,
    Sie nützen wahrlich nichts.
    Die Welt in Trümmer schlagen, —
    Mein Freund, an Kraft gebricht's.

2. Du kannst die Welt nicht ändern,
    Sie ist einmal gemacht.
    Ich seh' in allen Ländern
    Fürwahr nur lauter Pracht.

3. Mußt nach der Welt dich richten,
    Nicht richten sie nach dir.
    Hier gilt's kein schönes Dichten,
    Die Wirklichkeit ist hier.

4. Mußt nach der Deck' dich strecken,
    Dich krümmen, bist du groß;
    So kannst du dich bedecken,
    Sonst liegst du kalt und bloß.

59. Aus einem Sonettenkranz. [1]) (März 1834.)

E.

1. Einfalt und Anmut, himmlische Geschenke,
    Der Unschuld von dem Ewigen verliehen!
    Vor euch muß jede Ziererei entfliehen.
    In euer Anschaun ich mich gern versenke.

---

[1]) Es sind 23, durch die einzelnen Buchstaben des Alphabets (A, B, C 2c.) verbundene Sonetten, aus denen 3 besonders kennzeichnende ausgewählt sind. Der ganze Sonettenkranz ist seiner Braut gewidmet.

2. Zu euch, der wahren Schönheit Urquell, lenke
Die Schritte jede Schöne! und verblühen
Wird bald der Afterschönheit leeres Mühen.
Dies, junge Unschuld, dieses überdenke!

3. Elise, der ich stets in Liebe singe,
Der ich der Musen Gabe gerne bringe,
Besitzet jene hochgerühmten Dinge.

4. Und sie sollt' ich nicht an den Busen drücken?
Du, Teure, mußtest innig mich beglücken,
Da solche Himmelstugenden dich schmücken.

T.

1. Trittst du hinaus ins rege Menschenleben,
So suchst du, an ein Herz dich anzuschließen,
Die Lust dir zu erhöhn und zu versüßen
Die Schmerzen, die sich dir entgegenheben.

2. Ist treu dies Herz, dem du dich hingegeben,
So bist du glücklich. Deine Tage fließen
In Lust und Freude, wie auf Blumenwiesen
Die bunten Schmetterlinge lustig schweben.

3. Ein solches treue Herz hab' ich gefunden;
Es schlägt für mich, wird ewig für mich schlagen
In Glück und Unglück, Freude, Lust und Klagen.

4. Ein Engel hat das Liebesband gewunden
Und dann in Lust und himmlischem Behagen
Zur Treue unsre Herzen fest verbunden.

W.

1. Willst du des Lebens wahrhaft dich erfreuen,
So nimm ein Weib. Des regen Lebens Leiden
Sind ferne dir; mit immer neuen Freuden
Wird deinen Pfad ein liebes Weib bestreuen.

2. Wie sollte wohl dich solche Wahl gereuen?
Das Weib, das Anmut, Zucht und Schönheit kleiden,
Es ist des Mannes süßes Augenweiden;
Er weiht sich ganz der Lieben, Holden, Treuen.

3. Es einen Sanftmut sich und Huld und Milde
Und Harmonie und Lieb' in ihrem Herzen;
Und ganz Gefühl ist ihre reine Seele.

4. Wer blickt nicht gern nach solchem Engelsbilde?
Du heilest liebend jeder Wunde Schmerzen,
O Weib, du Schatz, den ich mir gerne wähle.

❦

60. Aus einem Elegienkranz.[1]) (Mai 1834.)

1. Jugendlich Leben durchatmet die Flur; es fühlet die Schöpfung
Neu sich verjüngt; denn es stieg nieder vom Himmel der Mai.

2. Träg' entfernt sich der Winter nach seinen nordischen Klüften,
Einen düsteren Blick wirft er noch öfters zurück.

3. Aber der Mai, in blühenden Jahren ein kräftiger Jüngling,
Sieget, und Blumengepräng' sprosset, wohin er nur tritt.

4. Da ich klein noch im Knabenkleide die Fluren durchhüpfte,
War es Sitte (doch jetzt suchet umsonst sie mein Aug'),

5. Daß am ersten des Mais ein jeglicher Liebende pflanzte
Seiner Geliebten vors Haus einen geringelten Mai.

6. Als der klassische Boden der Griechen noch üppige Früchte
Trieb, als der Isthmus noch spornte zum rühmlichen Kampf:

7. Da war herrlich dein Los, o Fichte! des Siegenden Stirne
Warst du ein trefflicher Preis, lobtest ihn nahe und fern.

8. Und dann wurdest du hier, wo des Lebens Licht ich erblickte,[2])
Sicherer Liebe Pfand. Jünglinge pflanzten dich hier,

9. Um zu beweisen, wie treu ihr Herz nur schläg' der Geliebten,
Vor das Fenster der Maid. Herrlich nun prangtest du da,

10. Breitetest aus die grünenden Äste, das Zeichen der Hoffnung,
Dein spät welkendes Grün deutete ewige Treu'!

11. Doch jetzt bist du dahin, o rühmliche Sitte! Verwelket
Alles doch, was die Erd' Schönes und Hohes erzeugt!

---

[1]) Der ganze Kranz umfaßt 22 Elegien, die der Braut des Verfassers gewidmet sind. — [2]) In Heidesheim.

12. Alles ändert die Zeit, die gewaltige; stürzt sie doch Reiche,
    Baut aus Trümmern und Schutt mächtiger andere auf.

13. Dich allein, o Frauengeschlecht germanischen Stammes,
    Mög' nie ändern der Zeit mächtige, herrische Kraft!

14. Mögest du stets bewahren der Anmut reizenden Gürtel;
    Und der Unschuld Schmuck, mög' er dir nimmer entfliehn!

15. Möge die Liebe dir stets inwohnen und heilige Treue;
    Mög' dir der Seine Strand Herz nicht verwirren und Kopf!

16. Glücklich fühlet sich dann der Deutsche, wenn er ans Herz dich
    Schließt; und du bist ihm Trost, bist ihm das irdische Glück.

61. Die Lerche. (März 1834.)

1. Kaum erschließt Aurora die östlichen Pforten des Himmels,
   Steigst du mit Trillergesang fröhlich zum Himmel empor.

2. Höher und immer höher entschwebst du dem Auge, doch immer
   Schaust du mit forschendem Blick nieder zum Erdengefild.

3. Himmel und Erde möchtest du gern mit einander verbinden,
   Darum steigst du empor, wiegst dich dann wieder herab.

4. So auch magst du, mein Freund, das Irdische liebend umfassen
   Und zum Himmel empor richten den forschenden Blick.

5. Wind' aus beiden dir klug den Kranz des eilenden Lebens:
   Stirbt das eine, dann kann nimmer das andre bestehn!

62. Weiser Genuß der Lebens. (Juni 1834.)
(Vergl. Horaz, Oden II, 3.)

1. In gleicher Stimmung such' den Geist zu halten,
   Sei's nun, daß dich ein hartes Los bedrückt,
   Sei's, daß des Glückes allbeherrschend Walten
   Befreundet auf dich niederblickt!

2. Nicht ewig wirst du auf der Erde leben,
   Mein teurer Freund, du magst der Traurigkeit,
   Du magst der Klage gänzlich dich ergeben
   In deines Daseins wechselvoller Zeit;

13*

3. Du magst, auf weichen Rasen hingestrecket,
   Von bunter Frühlingspracht umblüht,
   Falerner trinken, der dir weidlich schmecket,
   Wodurch des Lebens Kraft erglüht.

4. Hier blick' doch her, wie schön sich hier verbindet
   Der hohen Fichte schwesterlich Gezweig!
   Wie gastlich sich die Silberpappel findet
   Zu jener in der Lüfte heiterm Reich!

5. Vereinet streun sie wieder ihre Schatten
   Auf dieses Bächlein, das in Eile springt
   Und plätschernd durch die Farbenpracht der Matten
   In Schlangenbogen silberfarben dringt.

6. Hierher laß schnell des Bacchus Gaben bringen!
   Laß, da sich alles freudig kränzt und schmückt,
   Der Rose schönen Schmuck ins Haar uns schlingen,
   Sei'n wir auf Augenblicke doch beglückt!

7. Die reichen Felder wirst zurück du lassen,
   Die weiten Villen folgen dir nicht nach;
   Dein Erbe wird mit Lust den Schatz umfassen,
   Den Schatz, der dir so oft den Schlummer brach.

8. Denn ob wir reich, ob arm — nichts hilft hienieden;
   Geliebter Freund, was ich dir sage, glaub'!
   Es ward vom ew'gen Lose uns beschieden:
   Die Hülle sinkt und wird zu Staub.

9. Die Lose liegen in der Urn' zusammen,
   Sie springen sicher all' heraus.
   Zuerst nur wandelt, wessen Name
   Zuerst erscheint, ins Friedenshaus.

63. An Torquatus. (Juni 1854.)
(Horaz, Oden IV, 7.)

1. Der Schnee zerrann, und den Gefilden kehrte
   Das Gras zurück; in schönem Grüne steht
   Der Baum; es wechselt jugendlich die Erde;
   Die Bäche wichen schon zurück ins Bett.

2. Mit Nymphen und den Schwestern eng verbunden,
   Tanzt Charis jetzt im leichten Flügelkleid.
   Nichts hat Bestand; dies lehrt das Jahr, die Stunden,
   Die Räuberinnen der so holden Zeit.

3. Zephyr vertreibt die Kält'; der Frühling weichet
   Dem Sommer; aber der entflieht, sobald
   Der reiche Herbst uns seine Früchte reichet;
   Doch auch er weicht des Boreas Gewalt.

4. Die Monde sind zwar bald zurückgekommen,
   Doch wir, sind wir einmal des Todes Raub,
   Sind wir bei Tull, bei Äneas dem Frommen,
   So bleiben ewig Schatten wir und Staub.

5. Wer weiß, ob noch die obern Götter spenden
   Uns einen Tag zu unsrer Lebenszeit;
   Nur das entgeht des gier'gen Erben Händen,
   Was man zum eigenen Gebrauch sich beut.

6. Bist du einmal des Todes Hand verfallen,
   Hat Minos dir dein Urteil schon gefällt,
   So führt nicht Stand, nicht Tugend, nichts von allem,
   Torquatus, dich zurück in diese Welt.

7. Denn die Gewalt, aus Plutos finsterem Lande
   Hyppolyt zu befreien, sie gebricht
   Dianen selbst; von dem lethäischen Bande
   Pirithous reißen kann auch Theseus nicht.

❦

64. Die Mittelstraße. (Juni 1834.)
(Horaz, Oden II, 10.)

1. Am besten lebst du, wenn du nicht zu kühn
   Hinaus dich wagest ruf des Meeres Höhe,
   Nach allzu ängstlich am Gestade hin
   Dich treiben läßt, besorgt vor Sturmes Nähe.

2. Wer stets die goldne Mittelstraße liebt,
   Der lebt entfernt vom Schmutz der niedern Hütte,
   Lebt ferne vom Palast, den Neid umgiebt,
   Gesichert, nüchtern in des Friedens Mitte.

3. Die hohe Fichte wird vom Sturm erfaßt
Und hingebeugt; es trifft aus dunklem Wetter
Der Blitz des Berges Haupt, der Türme Last
Stürzt nieder mit laut krachendem Geschmetter.

4. Die Brust, die vorbereitet, scheut im Glück
Und hofft im Unglück, daß das Los sich wende.
Zeus führt uns zwar mit feindlich-düsterm Blick
Den Winter zu, — doch ist ihm auch ein Ende.

5. Drückt schwer dich jetzt des Loses harter Gang, —
Dies ändert sich. Nicht immer spannt die Sehne
Apollo, nein, er wird zum Frohgesang
Bewegen die nun schweigende Kamene.

6. Beweise wacker dich im Mißgeschick
Und mutig, — doch einraffe du geschwinde
Die Segel, die ein allzugroßes Glück
Aufschwellend füllet mit zu günst'gem Winde!

65. Rose ohne Dornen. (Juni 1834.)
(Sonett.)

1. „Daß ich nicht rings mit Häkchen mich umgebe,
Mich sicher glaube ohne jede Waffe;
Daß eine Rose ohne Dorn' erschaffen,
Befremdet dich? du glaubst nicht, daß ich lebe?

2. Mißtrau'scher Freund! dein scharfes Aug' erhebe
Zu mir, doch nicht mit liebekaltem Gaffen.
Bin ich nicht schön? nicht reizend-jung erschaffen,
Daß ich mit Wonne auf dich niederschwebe?"

3. Verzeihe, wenn mein Argwohn dich betrübte!
Kein Mädchen glaubt' ich ohne laun'sche Tücke,
Und ohne Dornen glaubt' ich keine Rose.

4. Doch wie ich einsam hier nur dich erblicke,
So, glaub' ich, blüht auf Mutter Erde Schoße
Ein Mädchen selten, das beständig liebte.

66. Lebensglück. (Juli 1834.)
(Horaz, Oden III, 1.)

1. Ich hasse ein unheiliges Geschlecht
Und scheuch' es fern. Vernehmet mich mit Schweigen!
Ein Lied, das in der Erde weiten Reichen
Noch nie gehört, stimmt meine Leyer an
Der Jungfrau und dem Jüngling und dem Mann.

2. Auf Bürgern ruhet hart des Fürsten Stab;
Hoch über Fürsten schwingt die starke Rechte
Des Allbeherrschers aller Erdenmächte
Das ew'ge Zepter. Zeus bewegt das All
Mit seinen Wimpern, seinem Lockenfall.

3. Baust du mit Bäumen längre Strecken an,
Ward dir ein Vorrecht von bewährtem Adel,
Sind Leben dir und Sitten ohne Tadel, —
Kein Unterschied herrscht bei dem ew'gen Los.
Wir sinken alle in der Erde Schoß.

4. Droht deinem schuld'gen Haupt ein rächend Schwert,
Nicht werden dir des Kaisers Speisen schmecken,
Der Vögel Chöre können nicht erwecken
Die Ruh' des Innern; tönende Schalmein,
Sie wiegen dich in süßen Schlaf nicht ein.

5. Lieblich und ruhig ist des Landmanns Schlaf.
Der Schlummer scheuet nicht die niedre Hütte,
Scheut nicht des Thales blütenreiche Mitte,
Scheut nicht des Silberbaches kühlen Rand,
Scheut nicht die kaum begrünte Felsenwand.

6. Wer immer nur, was nötig ist, verlangt,
Den kümmern nicht des Meeres hohe Wellen,
Die an den Felsen brausend sich zerschellen;
Den kümmert nicht des Wetters Hagellast,
Der Fruchtbaum nicht vom Sturme wild gefaßt;

7. Und nicht der Felder unfruchtbare Saat,
Und nicht der Sonne allversengend Feuer,
Und nicht des Winters furchtbar Ungeheuer;
Ihn kümmert nicht der Schatz von Persien
Und nicht der Glanz von Neu-Arabien.

8. Dort steigt zum Himmel ein Palast hinan;
   Hier baut ein Plutus fern vom festen Lande
   Aus Ekel auf des Meeres tiefem Sande
   Sich eine Wohnung, um von Plagerein,
   Von Unmut und Verdruß befreit zu sein.

9. Doch nimmer weichet ihm die hagre Furcht;
   Die schwarze Sorge bleibet nicht zurücke,
   Und steuerst du entgegen deinem Glücke
   Auf hoher See, schwingst du dich auf dein Roß,
   Die Sorge schwingt sich mit, läßt dich nicht los.

10. Wenn nun der Unmut nicht dem Golde weicht,
    Wenn reiche Mähler nimmer ihn verscheuchen,
    Wenn fest er anklebt feingewürkten Zeugen: —
    Soll ich mit Reichtum, gegen schöne Qual
    Vertauschen dieses stille Friedensthal?

67. Grabgesang

auf den Tod von Jakob Holz[1]) den 6. Juli 1834.

1. Auch der Edle ruht im Erdenschoße;
   Seine Hülle decket dieser Staub.
   Ach! so wird denn alles Schöne, Große,
   Alles Hohe einst des Todes Raub!

2. Nichts mehr ruft den Teuern uns zurücke!
   Unerbittlich ist das Grab; es hält,
   Was ihm ward vom ewigen Geschicke,
   Unersleht, als Herrscher einer Welt!

3. Wohl zufrieden legt der Greis die Qualen
   Und die Bürde seines Lebens ab;
   Er sah seiner Tage Freudenstrahlen
   Und er steiget ruhig in das Grab.

---

[1]) Bruder seiner Braut.

4. Aber nicht allein dem greisen Haare
   Winkt des Todesengels kalte Hand;
   Denn sie decket schon auf schwarzer Bahre
   Dich, den Jüngling, mit dem Grabgewand!

5. Alles Wissen, alle hohen Gaben,
   Die im Leben dich so schön geschmückt,
   Sind in kühler Erde mitbegraben,
   Nie von einem Auge mehr erblickt!

6. Unschuldvoll und fröhlich floß dein Leben
   In der Tage schönem Wechselspiel.
   Plötzlich sahen wir den Sturm sich heben, —
   Und der Jüngling stand an seinem Ziel!

7. Ging hinüber, ach! und ließ uns alle
   In der Trauer tiefstem Schmerz zurück. —
   O! wer klagte nicht bei solchem Falle?
   Heiße Thränen füllen jeden Blick.

8. So wird alles Herrliche dem Staube,
   Alles, was entblüht dem Erdenschoß,
   Einst dem Grabe, einst dem Tod zum Raube!
   Ach! ist dies der hohen Menschheit Los?

9. Nein! nicht alles ruht im Schoß der Erde,
   Zu des Todes ew'gem Schlaf verdammt.
   Nein! zu Gott, der einstens sprach: „Es werde!“
   Der die ew'ge Sonne angeflammt,

10. Steigt der Geist empor auf lichten Schwingen
    Zu der Urgeschöpfe heil'ger Schar,
    Feiernd Jubelhymnen dort zu singen
    An des Schöpfers ew'gem Weihaltar.

11. Darum hemmen wir die lauten Klagen
    Um den Freund, der auf zu Gott sich schwang!
    Ihn im Herzen wollen stets wir tragen,
    Der so früh vollbracht den Lebensgang!

68. Gratulationsgedicht
zum Geburtsfeste des Professors Dr. Fr. Osann.
(24. August 1834.)

1. Gaudete mecum! nunc alacres pede
   Pulsate terram! Gaudia dulcia
   Cepere mentem, frons serena est,
   Tempora sunt redemita flore.

2. Illic sedebam sub patula ilice
   Sensusque sensi, totus in aere
   Alto morabar, — me prehendit
   Nescio quis deus, an quis heros,

3. Mecumque velox pervolat aera.
   Valles, paludes, culmina, flumina
   Praetervolant agrique culti
   Terrigenis segetesque laetae.

4. Me nunc recepit silva Heliconia.
   Cantus sonabant dulce per aera,
   Musaeque iucundae ambulabant
   Et Charites graciles per umbras.

5. Sollers Apollo purpureis rosis
   Comptus capillos, dulcisonam tenens
   Testudinem ad se convocavit
   Mercurium Charitesque dicens:

6. Nunc prima vitae lumina conspicit,
   Quo nemo nostro foedere dignior.
   Salvere vita in perbeata
   Egregium puerum iubete!

7. Cunas quietas tu Charitum choro
   Serves, tumultus ne rapidae opprimat
   Vitae nitentem florem, opimos
   Qui feret innumerosque fructus!

8. Ne procidat iam limine in aspero
   Infans, labores! — Cum nitidos ferat
   Flores iuventus, des lubenter
   Maiugena eloquium venustum!

9. Ore in deserto Nestorei lepor
   Mellis moretur! Possideat bonas
   Artes facultatesque doctas,
   Sit facilis tamen et benignus!

10. Doctus peritis, incola patriae
    Iustus, severus sit pater et pius
    Natis suis coniunxque fidus
    Coniugem amet deamantem aperte! —

11. Huic obsequentes Pleiones nepos
    Et Gratiae almae protinus avolant.
    Iamiam reductus cerno clari
    Lumina Luciferi serena.

Deutsche Übersetzung.

1. Mit mir erfreut euch! wieget in froher Lust
   Euch hin! Mir füllet himmlischer Wonnehauch
   Die Seele, rein ist mir die Stirne,
   Blumen bekränzen mir, seht! die Schläfe.

2. Dort in des Eichwalds heiligem Dunkel saß
   Ich still Gedanken sinnend und fortgerückt
   Ins Reich des Äthers, — da ergreift mich,
   War es ein Gott, oder war's ein Halbgott?

3. Und eilet hoch mit mir durch die Lüfte hin.
   Vorüber fliegen Thäler und weite Seen
   Und Flüss' und Berg' und reiche Felder,
   Glänzend im goldenen Schmuck der Saaten.

4. Nun nahm mich auf der schattige Helikon.
   Gesänge tönten süß durch die Bäume hin,
   In angenehmen Schattengängen
   Freuten die Grazien sich und Musen.

5. Jetzt rief Apollo, purpurner Rosenschmuck
   Ins Haar geflochten und in der Linken sein
   Süßtönend Saitenspiel, der Maja
   Sohn und die holden Chariten, sprechend:

6. Dem Lebenslicht eröffnet das Auge jetzt
Ein Knabe, unsrer Liebe vor allen wert.
Heißt ihn im glückumblühten Leben,
Heißet den Trefflichen mir willkommen!

7. Hin um die Wiege schwebet, Chariten ihr,
Und wachet, daß kein reißender Lebenssturm
Zernicke mir die schöne Blume,
Welche so viel' und so reiche Frucht bringt!

8. Daß nicht an rauher Schwelle der Knabe schon
Ausgleite, sorget! — Sprosset die Jugend nun
Zur Reife, dann, o Sohn der Maja,
Schenke dem Jüngling der Rede Anmut!

9. Ihm auf den Lippen wohne die süße Kraft
Nestor'scher Worte! Edles Wissen sei
Und schöne Kunst ihm, doch bei allem
Sei er geselligen, biedern Sinnes!

10. Den Weisen sei er weise, dem Vaterland
Ein guter Bürger, liebend und streng zugleich
Der Kinder Vater, die ihn herzlich
Liebet, der Gattin ein treuer Gatte! —

11. Ihm schnell gehorchend eilten die Grazien
Mit Majas Sohn fort. Ich nun zurückgeführt
Erschaue, wie das junge Tagslicht
Heiter heran dort im Osten steiget.

69. Psyche wird über das Totenreich belehrt.
(August 1834.)

(Aus „Amor und Psyche", VI. Gesang, Str. 16—24.)

1. Nicht weit von dort[1]) erschaust du Tänarus
Vom Weg entfernet, an verborgnen Orten;
Dort zeigt die Öffnung sich zum Tartarus,
So wie ein steiler Pfad durch offne Pforten;

---

[1]) Lacedämon.

Und überstieg die Schwelle nur dein Fuß,
Dann geht es g'radeswegs, glaub' meinen Worten!
Zu Plutos Burg. — Doch schreite nicht ganz leer
Durch jene styg'sche Finsternis einher!

2. Zwei Bissen trage du in beiden Händen
Aus Gerstenmehl und süßem Wein, im Mund
Zwei Münzen. Wenn du nun nach manchem Wenden
Bedeutend vorgerückt, dann gibt sich kund
Ein lahmer Esel und in manchen Enden
Ihm gleich ein Treiber, der dich fleht: „Dem Bund
Ist Holz entfallen, reich' mir's doch, mein Lieber!"
Du aber gehe schweigend schnell vorüber.

3. Bald drauf gelangest du zum Acheron,
Wo Charon seine finstre Herrschaft übet;
Und er verlangt sogleich des Fahrens Lohn.
Denn seinen Kahn ans andre Ufer schiebet
Er nur für Geld. — „Du redest wohl in Hohn!
Wird denn der Geiz bei Toten auch geliebet?
Thut Charon nichts umsonst? Auch Pluto nicht,
Von dem man nur mit größter Achtung spricht?"

4. „Und ist es not, daß vor des Lebens Ende
Ein Armer sich erfleht ein Reisegeld?
Und kann er nicht, sind nicht beschwert die Hände
Mit Reisemünzen, gehn in jene Welt?" —
Dem rauhen Fährmann, daß den Kahn er wende,
Sei deiner Münzen eine zugestellt,
Mit eigner Hand, es darf dir nur nicht bangen,
Muß er aus deinem Munde sie empfangen.

5. Und. fährst du auf dem trägen Fluß, dann reicht
Ein Greis die morschen Hände dir entgegen,
Ihn in den Kahn zu ziehn. Doch nicht erweicht
Sei deine Seele, laß dich nicht bewegen
Durch unerlaubtes Mitleid. Ist erreicht
Das andre Ufer, dann nach kurzen Wegen
Wirst du beim Weben alte Frauen sehn;
Sie werden dich, Hand anzulegen, flehn.

6. Auch dies thu' nicht! Denn dieses und noch vieles
Wird dir begegnen durch Cytherens List.
Daß dir entfalle auf dem Weg des Zieles
Ein Bissen nur. Denn wahrlich klein nicht ist
Solch ein Verlust. Des freudigen Gefühles,
Sogar des Lichts in diesem Leben bist
Du dann beraubt, ist e i n e r dir entfallen.
Drum klug gehandelt in des Orkus Hallen!

7. Des Pluto weites, leeres Haus bewacht
Ein Hund, dreiköpfig, furchtbar, ungeheuer;
Die Rachen bellen gleich des Donners Pracht.
Umsonst schreckt er die Toten, denn geheuer
Sind sie vor seiner Zähne gift'gen Macht.
Er ist Proserpinas Palast ein treuer,
Schlafloser Hüter. Einen Bissen hin
Geworfen ihm, kannst du vorüber fliehn.

8. Drauf wirst du zur Proserpina gelangen.
Sie nimmt dich freundlich auf und spricht dir zu,
Nicht zu verschmähn der reichen Sitze Prangen
Sowie ein gutes Frühstück. Aber du
Setz' dich zur Erde, und wenn du empfangen
Ein Stückchen Schwarzbrot, iß es dann in Ruh'.
Dann sag', aus welcher Absicht du gekommen,
Und geh, wenn du die Gab' von ihr genommen.

9. Der zweite Bissen zähm' den wilden Blick
Des Hundes; gib dem Fährmann dann zum Solde
Die andre Münze, schiff' den Fluß zurück,
Betritt die frühern Spuren, und das holde
Licht dieser Luft zu sehn gibt dir das Glück.
Doch diese Büchse öffne nicht, und sollte
Auch Neugier drängen. Kümmre gar dich nicht
Um des verborgnen Schatzes göttlich Licht!

70. Sprüche. (Oktober 1834.)

1. Hoffe, geliebtester Freund, und trockne die Thräne des Unmuts
Doch nicht hoffe zu sehr! Hoffen und Wirken beglückt.

2. Sieh mir die Dinge nur an, sie sind meist nicht, was sie scheinen;
Freude gewähret dir oft, was dir nur Trauer verspricht.

3. Trachte nach dem, was wahr und sich ziemt, und du lebest be=
glücket,
Hält für thöricht dich auch mancher erbärmliche Wicht.

4. Glücklich fürwahr, so erscheint mir der Mann, den das Leben
belehret,
Mutvoll zu tragen die Last, welche das Leben ihm häuft.

5. Wahrhaft glücklich lebest du nur, wenn du nicht in die Ferne
Sehnend schaust und vergißt, was dir die Nähe gewährt.

6. Freiheit, heiliger Schild und stark, zu beglücken die Menschen!
Wirst du ein Degen, dann ist Ruhe dahin uns und Glück.

7. Was sind die herrlichsten Güter des Deutschen? Herzliche Liebe,
Wahrheit, Geist und Natur, Treue und tiefes Gemüt.

8. O, verachte mir nicht den Wert der himmlischen Tugend!
Denn zum Ruhm und zum Glück sprossest du, Jüngling, in ihr.

9. Will dir im Augenblick nicht alles sich fügen, so zürn' nicht;
Harre geduldig, die Zeit bringet ja Blüten und Frucht.

10. Ach, wie bin ich so müd' das süß=langweilende Schwätzen!
Redet, und freudig vernimmt euere Worte mein Ohr.

11. Wahrlich, die Zunge zügeln, das ist der Tugenden erste;
Denn kein geschliffenes Schwert dringt wie die Zunge so tief.

12. Epheu schlinget sich fest um den schützenden Stamm und ergrünet;
Und an dem Herzen des Manns grünet und blühet das Weib.

13. Emsig im häuslichen Kreis soll walten die züchtige Hausfrau,
Aber ins Leben hinaus wirke der thätige Mann.

14. Plagen dich drückende Sorgen, so darfst du nicht immer dich
grämen,
Lache zuweilen, es fliehn viele der Wolken hinweg.

15. Klagt mir doch nicht ob jeglichem Zwang! ihr ruht ja so prächtig
In den Kollegien dort, die ihr gezwungen besucht.

16. Wahrlich, es schläft sich so süß, wenn der hochgelehrte Professor
Breit sich brüstend doziert, was er oft selbst nicht versteht.

71. Kranz des Lebens. (Dezember 1834.)
(Sonett.)

1. Bringt Blumen mir, die schönsten, die zu finden
   Auf Mutter Erde reich geschmückten Auen!
   Bringt rote mir zu weißen und zu blauen,
   Den Kranz des Lebens will ich jetzo winden.

2. Auch dunkle Blumen muß zum Kranz ich binden;
   Denn nirgends ist auf immer ja zu schauen
   Der Freude Rosenrot, und wir vertrauen
   Dem Glücke heut, und morgen sehn wir's schwinden.

3. Drum bringt auch Rosmarin und Thränenweiden
   Und Rosendornen, um darin zu kleiden
   Der Lilien Unschuld und des Veilchens Demut.

4. Mit Freude wechselt Leid, mit Wonne Wehmut;
   Drum muß zum Kranz ich bunte Blumen binden,
   Wie sich im Leben bunte Tage finden.

72. Jahreswechsel. (Dezember 1834.)

Altes Jahr.

Ei, nur gemach, Herr junger Grobrian!
Hab' er Geduld mit einem alten Mann!
Man sieht es ihm an den Federn an,
Welch Vögelchen er ist. und daß er auf den Bänken
Der Schule noch viel Hosen nicht verseffen.

Neues Jahr.

Ich dächt', man wäre hier nicht so vermessen,
Am Rand des Grabs an Schmähung noch zu denken.

Altes Jahr.

Er hat es wohl mit unsern jungen Herrn,
Die sich in blauer Luft so gern
Mit ihrer Schwärmerei verlieren.
Sie wollen jedes Dorf mit Freiheitsfahnen zieren,
Und sind meist selbst nicht frei
Von Leidenschaft und Schmeichelei.

Neues Jahr.

Gestrenger, ich verbitte mir das Schmähen,
Sonst ist es um Ihren grauen Kopf geschehen.

Altes Jahr.

Da seht, wie hoch das Feuer lodert,
Und wie der junge Held beherzt die Lanze fordert!
Jedoch ich scheide nun, die Blüte fiel herab,
Die Hülle sinket bald ins Grab. —
Doch Freund, wir wollen nicht in Feindschaft scheiden.
Was ich erprobt an Freuden und an Leiden,
Es diene dir zum Spiegel!
Bau' nicht Gebirge, ehe du noch Hügel
Dir klug erbaut: dann türmt sich's immer besser,
Der Bau wird fest, der Bau wird täglich größer.
Des Volkes reiner Sinn ist wach;
Es weiß, daß Freiheit nur sich gründet auf Gesetz;
Von sich geworfen hat es des Unglaubens Netz;
Gott ist ihm wieder der Lenker der Welt,
Der alles schuf und auch alles erhält.
Hilf langsam nun und klüglich nach,
Mit weisem Sinn mit Männerhänden;
Zum schönsten wird sich das Werk vollenden.

Neues Jahr.

Ich danke dir, hier meine Hand!
Was du mir übergibst, ist mir ein teures Pfand,
Ich werd' es klug auf Zinsen leihen.
Das schöne Werk es muß gedeihen.
Zwar kostet's noch der Mühe viel,
Bis wir erreicht das schöne Ziel.
Erwachet ist des Volkes Geist,
Der kühnen Schwungs das Weltenall umkreist;
Dem guten Fürsten liegt sein treues Volk am Herzen;
Es stillen sich der Zwietracht herbe Schmerzen;
Und alles lebt, ich hoff's, in Lieb' verbunden
Bald eines schönen Daseins schöne Stunden.
Leb' wohl, o Greis, was du nicht ganz vollbracht,
Ich hoff's vollendet zu sehn mit Gottes Schutz und Macht.

73. Lehrers Wunsch. (Januar 1835.)

1. Wär' ich ein Jägersmann,
   Streift' ich die Wälder dann,
   Sänge in froher Lust
   Trara aus freier Brust;
   Jegliche Stund' wär' ich gesund,
   Birschte so heiter in lustigem Sinn
   Auen durch, Felder und Wälder dahin.

2. Wär' ich ein Advokat,
   Schafft' ich den Armen Rat,
   Drehte nicht um und um
   Wahrheit und Recht herum.
   Keiner Gewalt
   Schwarze Gestalt
   Brächte mich je von den Wegen des Rechts.
   Glücklich wie viele des Menschengeschlechts!

3. Könnt' ich Herr Pfarrer sein,
   Lebt' ich so fromm und rein!
   Denn was der Hirte thut,
   Scheinet der Herde gut.
   Christliche Huld,
   Weise Geduld
   Hebet der Menschen oft irrenden Chor
   Kräftig zur himmlischen Tugend empor.

4. Wär' ich Professor gar,
   Lehrt' ich so hell und klar,
   Ohne verdrehten Schluß,
   Wie man recht denken muß;
   Gäbe mir nicht
   Stolzes Gewicht,
   Zeigte, entfernet vom Dünkel der Zunft,
   Gerne dem Schüler den Weg zur Vernunft.

74. Schneiderehrlichkeit. (Februar 1835.)

1 „Und ja, ich sag's, ich schwör's fürwahr,
Nur ehrlich dauert immerdar."
Mit diesen Worten brachte neulich mir
Mein Schneider einen Rock nach allerneustem Schnitt.

5 „Hier, ehrlich dauert ewig, hier
Bring' ich euch die Überreste mit."
So legt er mir die Pläckchen vor.
Potztausend! welche Ehrlichkeit! Ein Ohr
Von einer Spitzmaus ist zweimal so breit

10 Als jedes Pläckchen! O die Schneiderehrlichkeit!
Wie ich so alles nun genau beachte
Und manches durch mein Mikroskop betrachte,
Da heult die Feuerglocke von dem Turm
Und ruft des Volkes wilden Sturm.

15 Des Schneiders Wohnhaus steht in Flammen.
Er schlägt die Hände überm Kopf zusammen
Und schreit: „Ach, ich geschlagner Mann,
Was fang' ich nun, was fang' ich an!
Zehn Ballen Placken, meiner Ehrlichkeit Gewinn,

20 Zehn Ballen fraß das Feuer hin!
Drei Placken, ach, sie waren lang und breit
Genug selbst für das allergrößte Kleid!"

75. Der Geist um Mitternacht. (Februar 1835.)

1. Und saht ihr niemals, wenn die Mitternacht
Vom schwarzen Himmel sich gesenkt,
Wie dort ein Geist verzweiflungsvoll mit Macht
Ein weißes Tuch im Winde schwenkt?

2. Es gehet Wilhelm nun an Rosas Grab,
An Rosas, die so frühe schwand.
Der Rose Schmuck, wie bald doch fiel er ab,
Die eine Zierd' im Garten stand!

14*

3. Es schwur ihr Wilhelm treue Liebe zu;
   Sie schenkte ihm ihr treues Herz.
   Bald, ach! entfloh der Liebe Glück und Ruh',
   Denn Wilhelm trieb mit anderen Scherz.

4. Ein weißes Tuch, worauf mit Kunst gestickt
   Ihr beider Name sinnvoll stand,
   Verschenkt er einst, von Liebeslust berückt,
   In einer feilen Dirne Hand.

5. Bald brach der guten Rosa junges Herz,
   Dem Leben schloß ihr Aug' sich zu.
   Vertobt ist jeder Kummer, jeder Schmerz;
   Die Arme hat im Tode Ruh'.

6. Es war die Zeit der düstern Mitternacht,
   Da fuhr ein Schauer durch die Brust
   Wilhelmen, der noch bei der Dirne wacht,
   Vergiftet ist ihm seine Lust.

7. Es sträubet sich so wild sein Haar empor,
   In seinen Adern rinnt's wie Eis;
   Er stürmt hinaus, da krächzt der Eulen Chor,
   Es schwirrt und tobt das Nachtgeschmeiß.

8. Und weiter, immer weiter jagt's ihn fort,
   Und immer schwerer keucht er auf.
   Die Nacht entflieht, er ist am rechten Ort, —
   Ein Leichenzug hemmt seinen Lauf.

9. Schön Röschen senkt man in der Erde Schoß,
   Ein Schrei durchbebt die weite Luft,
   Und Wilhelm will des sel'gen Röschens Los
   Mitleiden in der kalten Gruft.

10. Er weint und klagt und todt und starrt und sinnt,
    Und wie der Schlag die Mitternacht
    In Schauer zeigt, da Wilhelms Herzblut rinnt; —
    Sein Dolch hat ihn zur Ruh' gebracht.

11. Und hat vom Himmel sich herabgesenkt
    Die Geisterstund' der Mitternacht,
    Steht Wilhelm dort auf Rosas Grab und schwenkt
    Ein weißes Tuch mit grauser Macht.

76. Ins Stammbuch. (Februar 1835.)

Sei ein Engel hier auf Erden,
Dennoch drohen dir Beschwerden;
Mißgunst, Kummer, Feindschaft, Neid
Harren dein und manches andre Leid.
Steh als Mann und nimmer weiche,
Stehe wie im Sturm die Eiche!
Greife mutig in das Leben
Mit Verstand und frommem Sinn!
Ach, die raschen Horen schweben
Auf der Stürme Flügel hin!

77. Sehnsucht nach dem Frühling. (März 1835.)

1. O, komme doch, du lieber Mai,
Mit deinen Wonnen allen
Und spiel' auf deiner Festschalmei
Zum Lied der Nachtigallen!

2. Ich bitte innigst, komme bald
Auf unsre dürren Auen;
Laß uns in Flur, in Thal und Wald
Dein buntes Kleidchen schauen!

3. Komm bald mit deinem sanften Hauch
Und deinem süßen Wehen!
Dir nicket Dank der Blütenstrauch,
Nach dir die Veilchen sehen.

4. Und ich, wie eil' ich dann hinaus
Aus meinem engen Stübchen,
Zu pflücken einen Busenstrauß
Für mein Herzinnigliebchen.

78. Wilhelmine, die Allgeliebte, Allbeweinte, für Hessens Wohl zu früh verschieden. (27. Januar 1836.)

Erster Chor.

Vater, Vater, hör' mein Flehen!
Hör' des Kindes Bitte an!
Ewiger! zu deinen Höhen
Steigt mein fromm Gebet hinan.

„Traue fest auf Gottes Walten,"
Sprachst du, „ob dich Sturm umheult!
„Trau' auf Gott! er wird dich halten,
„Ob sich selbst die Erde teilt."

Beide Chöre.

Ja, wir trauen deinem Worte,
Nahen dir mit Kindessinn.
Öffne deiner Gnade Pforte!
Blick' erbarmend auf uns hin!

Zweiter Chor.

Ach! die Mutter liegt danieder,
Schwer danieder, guter Gott!
Ach! schon starren ihre Glieder,
Nahe, nah' dem bittern Tod!

Laß den Tod der Liebe weichen!
Allgewalt'ger! Deiner Macht
Sich der Zedern Wipfel neigen,
Und dem Tage weicht die Nacht.

Beide Chöre.

Der Gedanke, ach wie schmerzlich!
Unsre Mutter ist nicht mehr!
O, wir liebten sie so herzlich!
Laß sie uns, Allgütiger!

Ein Bote.

O, laßt uns niederfallen
Vor Gottes Angesicht,
Ihm Dankgebete bringen!
Die Mutter stirbt uns nicht.

Ihr Aug' blickt wieder heiter,
Es lächelt sanft ihr Mund.
Die gute, liebe Mutter
Ist wieder bald gesund.

Alle.

Allmächtiger! wer kann dich würdig loben?
Mit uns vereinigt euer Dankgebet,
Ihr Engel all', die ihr im Himmel droben
Anbetend vor dem Throne Gottes steht!

Nun sind wir nicht verlassen hier auf Erden.
Uns lebt die Mutter, die uns innig liebt,
Uns liebreich hilft, uns lindert die Beschwerden,
Die mit uns weint, wenn sich das Aug' uns trübt.

Wir alle lieben sie so treu und offen;
Für sie schlägt liebevoll der Kinder Brust.
Erhalte uns, Allmächtiger, wir hoffen,
Noch lange, lange diese Lust!

Ein anderer Bote.

Kinder, unsre Mutter,
Gott verlaß uns Arme nicht!
Kinder, unsre Mutter ist nicht mehr!
Noch einmal rötete sich ihre Wange,
Noch einmal schloß ihr sanftes Aug' sich auf;
Sie sah den Himmel offen
Und sagt' uns Lebewohl!

Wilhelmine.

Wo bin ich? Ich lebe?
O Wonne, o Pracht! o Himmel, o Glanz!
O des Edelgesteins, das die Sonn' einfaßt!
Des ätherischen Scheins, der das All umfleußt!
O der goldenen, funkelnden Sterne!
Doch wo ist, der das Fest mir bereitet, der Fürst,
Das Vertrauen des Volks, mir der beste Gemahl
Und die innig mich liebenden Kinder?

Chor der seligen Geister.

Willkommen, Wilhelmine, uns willkommen!
Willkommen in des Himmels Herrlichkeit!

Du haft gesiegt nach langem Leidenskampfe!
Drei Tage, lange Tage starbest du!
Du starbst so edel, starbst so groß!
Wall' nun mit uns zu Gottes Throne hin!
Dort schaue die Vorangegangenen,
Sie freuen sich an Gottes Herrlichkeit!
Sieh deinen Vater, deine Mutter,
Sieh deine Tochter, eine Blume,
Noch kaum geöffnet, sank sie hin,
Um hier von Gottes Allmachtsglanz umsonnt
Für dich sich schöner zu entfalten.

Schutzgeist.

Du weinest? weinest eine heiße Thräne?
Du weinest um den Gatten, um die Kinder?
Doch tröste dich, Gott lebt!
Er lebt und wacht und wird die Deinen schützen.
Geh hin vor Gottes Thron,
Fall nieder mit den Deinen, die dort beten,
Vereine dein Gebet mit dem Gebet
Der Engel!

Wilhelmine.

Mein hehrer Schutzgeist, Lenker meiner Bahn,
Geh, tröste meinen Gatten, meine Kinder!
Tröst' meine treuen Hessen!
Sag' allen, vor des Ew'gen Thron
Fleht' ich für sie!
Sie sollen nicht mehr weinen
Um meinen frühen Tod!
Sag' meinem Gatten, ich umschwebte ihn,
Und würde Ruhe ihm vom Himmel bringen.

79. Ins Stammbuch. (April 1836.)

Das Leben zeigt sich uns in wechselnden Gestalten.
Der Tage raschen Lauf, wer könnte fest ihn halten?
Wes Menschen Bleiben ist an einem sichern Orte?
Wes Schifflein ruhet stets in sturmbefreitem Porte? —

Drei Sterne leiten uns durch dieses bunte Leben:
Glaub', Hoffnung, Liebe, uns vom güt'gen Gott gegeben.
Und wenn zu diesen sich noch die Freundschaft gesellt,
Dann ist von günst'gem Wind das Segel uns geschwellt;
Wir fahren wohlgemut, stark gegen Sorg' und Pein,
Durch Klipp' und Wogen in des Friedens Hafen ein.

❦

80. Hymnus

zur Hochzeitsfeier des Großfürsten Alexander
Nikolaus von Rußland mit der Prinzessin Maximiliana
Wilhelmine Auguste Sophie Marie von Hessen.

(4. Mai 1840.)

1. Dulce iam cantat galeata alanda;
   Iam melos prodit philomelae ab ore;
   Laeta ovis saltat, petulansque piscis
   Ludit in undis.

2. Ver adest, crines redimitum amoenis
   Floribus! Fundit violas rosasque,
   Primulas fundit, cyanos, dianthos,
   Bellidas hortis.

3. Palmitis laeti tumet, ecce, gemma!
   Arva iam florent, viridantque prata;
   Integrat dulci taciturnus umbras
   Lucus amori.

4. Vere nam regnat validus Cupido.
   Osculum Psychae rapuit venustae
   Vere Amor primum, Zephyrumque Flora
   Vicit amoena.

5. Adstitit Phoebo Thetidis marinae
   Ad domum flectens rutilas quadrigas;
   De polo vertit niveam Dianam ad
   Endymiona.

6 Sic dei telum neque Nicolaus
Scivit elabi, neque Ludovicus;
Attamen fecit simul et Cupido
Vulnere laetos;

7. Dans Alexandram superatam amore,
Nec minus dignam quoque Guilelmam.
Haec virum amplectens tenet, — haec ad astra
Celsa reversa est.

8. Visne mirari Mariam pudicam,
Atque Alexandrum iuvenem domari,
Queis Amor dudum tribuit sagittas
Auricolorcs?

9. Virgo par viti est viduae, sed ulmo
Iuncta florescit, gravidasque dives
Nutrit en uvas, pueris, puellis
Deliciosas.

10. Vocibus laetis celebrate montes,
Arbores, valles, fluviique festum!
Alites dulces geniali ab ore
Fundite cantus.

11. Ducite alternas, Charites, choreas!
Fundite ad caelum modulos, Camenae!
Doctor argutae sapiens Thaliae
Percute chordas!

12. Vocibus laetis pueri et puellae,
Feminae, festumque viri sacrate!
Virgines myrti tenerae coronam
Nectite sponsae!

13. Hassia exsulta soboli venustae!
Russia exsulta soboli decoro!
Iunxit illustres Cythereis ambos
Foedere dulci.

14. Praepotens fautrix Venus et Cupido,
Nec minus fratres Helenae benigni
Per vagum vitae mare tutam eorum
Ducite navem.

Deutsche Übersetzung.

1. Lieblich tönt uns neu der Gesang der Lerche;
   Philomele singet in Festakkorden;
   Freudig hüpft das Lamm, und im Teiche spielen
       Lustige Fische.

2. Seht den Lenz, die Locken umkränzt mit holden
   Blumen! Reichlich streut er den Gärten Rosen,
   Veilchen, Schlüsselblumen, Cyanen, Nelken,
       Streut er Maßliebchen.

3. Sieh! es schwillt des freudigen Weinstocks Knospe,
   Auen blühen in voller Pracht, und die Wiesen grünen;
   Schatten treibt der schweigende Hain dem süßen
       Liebesgekose.

4. Denn im Frühling herrscht der gewalt'ge Amor.
   Auch im Frühling raubt' er der holden Psyche
   Einst den ersten Kuß, und in Floras Fesseln
       Zwang er den Zephyr.

5. Auch dem Phöbus stand er zur Seite, lenkend
   Rasch das Viergespann zu der Thetis Wohnung;
   Abwärts zu Endymion führt vom Himmel
       Er die Diana.

6. So auch konnte Nikolaus nicht des starken
   Gottes Pfeil, nicht Ludewig auch entgehen;
   Glücklich doch und froh sind durch Amors Wunde
       Beide geworden.

7. Denn er zwang zur Liebe ja Alexandra,
   Zwang zur Lieb' nicht minder auch Wilhelmine.
   Jene hält den Gatten umarmt, — zum Himmel
       Wandte sich diese.

8. Glaubst du, daß der Liebe Gewalt Maria
   Nicht gefühlt, die züchtige, und der blühende
   Alexander, denen schon längst Goldpfeile
       Amor bereitet?

9. Einer Rebe gleichet die Jungfrau; ist sie
   Mit der kräftigen Ulme vereint, so blüht sie,
   Bringet reichlich mächtige Trauben, lustvoll
       Knaben und Mädchen.

10. Auf! den Festtag preiset mit frohem Jauchzen
    Nun, ihr Berge, Thäler und Bäum' und Flüsse!
    Singt, ihr Vögel, jetzo in Freudentönen
        Süße Gesänge!

11. Tanzet Festreihen, ihr Charitinnen!
    Musen, laßt zum Himmel Gesänge schallen!
    Und die Lyra spiele Thaliens weiser
        Lehrer Apollo!

12. Auf! den Festtag preiset mit frohem Jauchzen
    Nun, ihr Knaben, Mädchen und Fraun und Männer!
    Auf! der jungen Braut nun das Myrthenkränzchen
        Windet, ihr Jungfraun!

13. Hessen! laut aufjauchze der holden Tochter!
    Rußland! laut aufjauchze dem edlen Sohne!
    Zwischen Fürst und Fürstin das süße Bündnis
        Knüpfte Cythere.

14. Möge Amor, möge die mächt'ge Venus,
    Und nicht minder Helenas güt'ge Brüder
    Durch des Lebens wechselndes Meer gesichert
        Führen Ihr Schifflein!

81. Erinnerung an die Stadt Mainz. (1840.)

1. Hier, wo mein Blick entfesselt in blaue Ferne dringt,
Hier, wo zur Seite jubelnd die Nachtigall mir singt,
Hier, wo vorüberwallet der majestät'sche Rhein,
Es ladet hier zum Denken mich die Erinnrung ein.

2. Voll Wehmut und voll Liebe ruht still auf dir mein Blick,
O Mainz! Im Geist gewahr' ich dein wechselndes Geschick.
Geschlechter sahst du blühen in frischer Jugendkraft,
Geschlechter sahst du schwinden, vom Tod hinweggerafft.

3. Einst wurdest gegen Deutsche von Römern du gebaut,
Nun ist zum deutschen Lande der Schlüssel dir vertraut.
In deinem Schoße fühlte und fühlt der Geist sich frei;
Dein Bürger weiß, was Leben, er weiß, was Denken sei.

4. Du haſt des Heilands Lehren, des bleibt dir ew'ger Ruhm,
Vor andern früh erbauet der Kirche Heiligtum.
Britannien erzeugte den Helden, dir ſo wert,
Der, voll der Liebe Gottes, den Heiland hier gelehrt.

5. Der große Karl, er pflegte mit Liebe dich und Luſt,
Wie eine Mutter drücket den Säugling an die Bruſt.
Doch haſt du auch der Liebe, der Huld dich wert gemacht,
Mit deines Lichtes Strahlen erhellet manche Nacht.

6. Was deine Lehrer pflanzten, trug tauſendfält'ge Frucht.
Zum Friedensſtab verwandelt hat ſich der Lanze Wucht.
Wo düſtre Wälder ſtarrten, da wogt nun reiche Saat,
Wo Heidenhorden trotzten, blüht nun ein Chriſtenſtaat.

7. Zwar drohte deiner Blüte das ſtolze Rittertum,
Doch da errang Walpode ſich unvergeßnen Ruhm.
Die Räuberburgen ſanken, frei ward des Bürgers Fleiß,
Und reiche Frucht bezeichnet des neuen Wirkens Kreis.

8. Im raſchen Schwung der Horen erblüht' oft die Natur,
Und in des Friedens Schatten trug Segen jede Flur.
Jedoch es ſollte ſchmücken dich ein noch ſchönrer Kranz,
Noch höher ſollte ſtrahlen dir neuen Ruhmes Glanz.

9. Hier hat in vollen Tönen manch Saitenſpiel gerauſcht,
Ihm haben biedre Männer und edle Fraun gelauſcht.
Du, Frauenlob, vor allen wie reich, wie hoch beglückt!
Durch milder Frauen Liebe wie keiner noch geſchmückt!

10. Hier, wo den Chriſtenglauben einſt Bonifaz gelehrt,
Hat Gutenberg zur Mutter den erſten Blick gekehrt.
Ja Gutenberg ſo heißet der Mann, den Gott geſandt,
Um Gutes auszuſtreuen in aller Menſchen Land.

11. Er hat die Kunſt erfunden, die Rom und Griechenland
Verſchloſſen war; gelöſet hat er das Zauberband.
Nun wird das Wort gedrucket und ſo viel tauſendmal
Geſandt in alle Reiche als neuer Lichtesſtrahl.

12. Zwar hat nicht ird'ſche Wonne dem Edeln hier geblüht,
Doch auch nach eitelm Glücke nicht ſtrebte ſein Gemüt.
Er fand den Lohn im Guten, das er erdacht im Geiſt;
Sein Ruhm verwelket nimmer, ſo lang der Erdball kreiſt.

13. Religion, das größte, das hehrste Gut der Welt,
Die, stürzt auch alles nieder, empor den Menschen hält,
Sie strahlt in hellerm Lichte vom Christentum verklärt,
Vom Glauben, den der Heiland hienieden selbst gelehrt.

14. Das Grauen ist gelichtet der finstern Heidenzeit;
Es schwand das bleiche Schrecken, der Wahn ist nun zerstreut.
Der Christ erkennt und glaubet, was Gott ihm offenbart;
Er weiß, daß Gott entstammet, was rings sein Blick gewahrt.

15. Die Wissenschaft, die strenge, die nimmer müßig schweift,
Die alles Hoh' und Höchste in ihrem Reich begreift,
Sie, so der Dinge Wesen und Grund zu fassen strebt,
Die sich vom schwanken Irrtum zum Reich des Wahren hebt;

16. Sie, die Natur und Freiheit und Zwang und Geist erfaßt,
Die zu begreifen strebet, warum man liebt und haßt:
Philosophie, sie schwang sich auf lichter Geistesbahn
Mit nimmer müden Schwingen zum Ziele himmelan.

17. Was kaum der Mensch geahnet, das Reich der frühern Welt,
Hat seine reichen Wunder dem Forscherblick erhellt.
Die Sage, so die Menschheit gewiegt in ihrem Schoß,
Sie steht nun als Geschichte so herrlich und so groß.

18. Die Wunderwelt der Sprachen, der Heilkunst innre Macht,
Die heller stets und klarer zum Morgenrot erwacht;
Der Kreis der schönen Künste mit frischer Kraft erblüht,
Sie wecken Lust und Wonne im menschlichen Gemüt.

19. Die Kenntnis alles Edeln im Reich des Schriftentums
Hat mächtig sich verbreitet und freut sich hohen Ruhms.
Einst klang des Dichters Saite dem engen Freundeschor,
Nun dringen ihre Laute zu vieler Menschen Ohr. —

20. Führ' schnell mir nun vorüber, dem Blicke halb verdeckt,
O Phantasie, die Kämpfe, von Bürgerblut befleckt!
Erwähne nicht die Männer, die mit dem Kriegerschwert
In Mainz so viel des Schönen, des Edeln viel zerstört.

21. Doch nenne mir die Namen der Biedern, die gestrebt,
Dem Bürger zu bereiten das Glück, das ihn erhebt;
Die Geistesbildung wollten, des Menschen höchstes Glück
In Freud' und Lust des Lebens, so wie in Mißgeschick.

22. Dir, Breidenbach, verwelket nie dein errungner Kranz,
Dir, edler Schönborn, strahlet stets hell des Ruhmes Glanz.
Wie könnt' ich wohl vergessen der Kraft und Biederkeit,
Die, Erthal, Du und, Dalberg, dem teuern Mainz geweiht?

23. Ihr hobet jedes Wissen, ihr schütztet jede Kunst;
Die Musen all' erfreuten sich eurer hohen Gunst.
Ihr habt den Baum gepflanzet, der seiner Äste Pracht
Stets weiter hin verbreitet mit ungeschwächter Macht.

24. Aus vielen Gauen strömet das Volk in reicher Zahl
Hierher, wo ihm entsprungen des neuen Lichtes Strahl.
Und alle fühlen innig der Freude hohen Schwung:
Sie bringen Gutenbergen des Dankes Huldigung. —

25. Hier, wo den Garten Deutschlands bespült des Rheines Flut,
Wie wird nach hundert Jahren hier blühen jedes Gut,
Vom edlen Fürstenhause geliebt und unterstützt
Das alles Gute gefördert und alles Schöne schützt?

26. Ja, Mainz, dein Ruhm welkt nimmer! Ein jeder Mund dich preist,
So lang nach ew'ger Ordnung im Lauf die Erde kreist.
Doch wenn du stets beschützest Religion und Kunst
Und Recht und alles Wissen, dann bleibt dir Gottes Gunst.

27. Im Schatten holden Friedens, in wahrer Freiheit Schoß
Erblühet alles Edle so herrlich und so groß.
Der Bürger wirke mutig, er freue sich des Glücks,
Er fürchte nicht die Tage des herben Mißgeschicks.

28. Die Kunst erbaue freudig hier ihren Weihaltar;
Hier wirk' in Lust und Wonne der Musen hehre Schar;
Der Weise sinne liebend dem Glück der Menschheit nach. —
Schon sieht mein Geistesauge den neuen Jubeltag.

82. Die Bettlerin von Locarno. (14. März 1842.)
(Nach H. v. Kleists Novelle gleichen Namens.)

1. Soll das scheußliche Gerippe stets zerstören mir das Glück?
Kommen Tage süßen Friedens nie und nimmer mir zurück?
Soll in Angst und halb verzweifelt ich nicht schlafen jede Nacht?
Soll das Haar empor mir sträuben stets die finstre Höllenmacht?

2. Friedlich flossen meine Tage, — mir vom liebsten Weib verschönt.
Heute jagt' ich hoch auf Felsen, wo der Uhu ächzt und stöhnt;
Morgen in dem grünen Forste ging ich nach dem scheuen Wild;
Dann ergötzt' ich mit der Gattin mich im gelben Saatgefild.

3. So entschwand der Lenz und Sommer, beide sich an Wonne gleich,
Und es bot den vollen Segen uns der Herbst, so traubenreich;
Und dann kam der düstre Winter, und man sah des Rauhen
Spur,
Wie mit Ingrimm eingedrücket hier dem Forst und dort der Flur.

4. Und da ging ich aus zu jagen, und schon dunkelte die Nacht,
Noch hatt' ich kein Wild geschossen, und es pfeift der Schnee und
kracht,
Wie nach Haus ich eil' mit Ärger, daß mir heut' das Glück
versagt
Jedes Wild, gerecht zum Schusse, der sonst glücklich stets gejagt.

5. Und wie ich ins Zimmer trete mürrisch und mit düsterm Sinn,
Ruht auf Stroh im mitten Zimmer eine alte Bettlerin.
Packe dich mit deiner Streue, ruf' ich, rasch von diesem Ort,
Leg' dich, wenn du dich nach Ruhe sehnest, hinterm Ofen dort.

6. Und es hebet sich mit Mühe auf die alte Bettlerin,
Und sie hinkt auf ihren Krücken kraftlos nach dem Ofen hin,
Fällt zu Boden, hebt sich wieder, kriecht zum Ofen, stöhnt so
schwach,
Blickt zum Himmel, seufzt und betet und verscheidet allgemach.

7. Und da faßte mich ein Schauer, reckte mir das Haar empor,
Und mir war's, als ob ich hörte noch der Totenvögel Chor.
Seit der Stunde stöhnen, ächzen Geister nun an diesem Ort,
Seit der Stunde schwand mein Glücksstern, und der Seele Ruh'
ist fort.

8. Käufer lockt die schöne Lage von Locarno, doch erschreckt
Eilen sie sogleich von hinnen, wird die Schauermär entdeckt.
Soll das scheußliche Gerippe stets zerstören mir das Glück?
Kommen Tage süßen Friedens nie und nimmer mir zurück?

9. So sprach Guido von Locarno düstren Sinnes, finstren Blicks;
Ihm zur Seite saß Ludmilla, würdig schöneren Geschicks.

Und sie streicht ihm sanft die Wange, und es brennt ihr heißer
Kuß
Auf des Gatten blasser Lippe, jetzo ihm kein Frohgenuß.

10. „Zweimal hast du schon gewachet am verhängnisvollen Ort,
Doch ersah noch nichts dein Auge; trieb dich blinder Schrecken
fort?
Dieses mag ich nicht zu glauben. Lieber Guido, laß mich heut'
Mit dir wachen, ob der Geist sich etwa unsern Blicken beut."

11. Kaum noch senkt am hohen Himmel sich die Nacht auf Berg
und Thal,
Gehet in das Geisterzimmer hin Gemahlin und Gemahl;
Und sie nehmen, ohne klar sich des Warum bewußt zu sein,
Noch den starken, treuen Hofhund in das Zimmer mit hinein.

12. Und sie sitzen auf den Betten, sind vom Schlafe unbesiegt,
Und der treue Hofhund schlummernd in des Zimmers Mitte liegt.
Jetzt schlägt zwölf die Uhr des Schlosses, daß es durch die Stille
schallt,
Nun erheben sich die Geister mit unhemmbarer Gewalt.

13. In des Zimmers Mitte ächzt es, hebt sich auf; es spitzt das Ohr
Rasch der Hund und wedelt ängstlich; tapp, tapp, schreitet hinkend
vor
Etwas, nicht vom Aug' gesehen, keucht zum Ofen, legt sich hin,
Raschelt wie im Stroh und schweigt dann wie mit ausgestorbnem
Sinn.

14. Stieres Blickes eilt Ludmilla aus dem Zimmer; Guido haut
Wie im Wahnsinn mit dem Schwerte durch die Luft und schreiet
laut:
„Fahre, scheußliches Gerippe, du Geburt der finstern Nacht,
fahre, von dem Schwert getroffen, zu dem Geist der Höllen-
macht!"

15. Schon im Wagen sitzt Ludmilla, will entfliehn im raschen Lauf,
Hu! da steigen aus dem Zimmer Rauch und Flammen wirbelnd
auf.
Alles spornt sie an zur Hilfe, doch umsonst; im Wahnsinn eilt
Sie nun fort, von Schmerz betäubet, ihr so reichlich zugeteilt.

16. In dem Zimmer, das er selber angezündet, sinnbethört,
　　Liegt Graf Guido, kaum noch kenntlich, von der Flamme fast
　　　　　　　　　　　　　　　　　　　　　　verzehrt.
　　In dem Zimmer liegt bis heute schreckend sein verbrannt Gebein,
　　In des Schlosses öde Gegend tritt der Wandrer schaudernd ein.

83. Herzog Ernst. (1848.)
(Ein Romanzenzyklus.)

I.

1. In Östreichs üppigen Fluren, im reichen Baierland,
　　Umzog einst Volk und Herrscher der Liebe schönes Band.
　　Der Unterthanen Vater, — ein schönes Fürstenlos,
　　Sich überall zu wissen in seiner Kinder Schoß!

2. Gerecht war stets und weise des Baiernherzogs Wort,
　　Darum auch fand er Liebe und Treu' an jedem Ort;
　　Zwar hieß er Ernst, doch Milde war stets mit Ernst gepaart,
　　Ein Fürst von edelm Sinne, ein Fürst von deutscher Art.

3. Der Gatte und der Vater so schön vereinigt hier!
　　Dem biedern Ernst beschieden war aller Frauen Zier,
　　Die schöne Adelheide, und Ernst, der junge Sohn,
　　So wert, dereinst zu herrschen auf seines Vaters Thron.

4. Bald starb der biedre Herzog, die Leiche sank hinab,
　　Der Auferstehung harrend, ins stille kühle Grab;
　　Doch auf zum beffern Jenseits schwang sich die Seel' empor,
　　Den Ewigen dort zu preisen in seiner Engel Chor.

5. Zu froher Lust der Mutter wuchs ihr der Sohn heran,
　　Der junge Ernst, betretend des würdigen Vaters Bahn
　　Und stark an Leib und Seele ward bald der kühne Mann:
　　Hei, wie noch große Ehren in dieser Welt er gewann!

6. So weise und so bieder, so tapfer wie er war,
　　Erwählt' er sich mit Vorsicht aus der Genossen Schar
　　Den jungen Grafen Wetzel zum Freunde; dieser schloß
　　Dem jungen Ernst aus Liebe sich an als treuer Genoß.

II.

1. In diesen Zeiten herrschte auf deutschem Kaiserthron
Der große Otto, Heinrichs des Großen mächtiger Sohn.
In Braunschweigs Mauern hat er des Lebens Licht erblickt,
In Aachen hat ihn würdig die Kaiserkrone geschmückt.

2. Hei, wie im blutigen Kampfe der Ungarn Stolz er brach,
Die Deutschland zugefüget viel Unglück und viel Schmach!
Die Heiden wollten vernichten des Christentumes Saat,
Doch neu und schöner erblühte der Christen mächtiger Staat.

3. Im Schmucke holder Jugend war die viel schöne Braut,
Britanniens würdige Tochter, dem Kaiser angetraut;
Sie war eine weise Hausfrau, an Tugend reich und Zucht,
So wie zur steten Gefährtin im Leben der Mann sie sucht.

4. Doch ach! nur wenig Lenze sah sie hienieden blühn
An Ottos Seite, — da welkt schon des Lebensbaumes Grün,
Da ruft sie Gott hinüber vor seiner Allmacht Thron,
Da ward für irdisches Wirken ihr reicher Himmelslohn.

5. Im langen Trauerzuge, mit kaiserlicher Pracht,
Bringt man die frühe Leiche zur stillen Grabesnacht. —
Und Otto lebet einsam, er denkt voll Trauer der Zeit,
Da ihm die treue Gattin gewandelt an der Seit'.

6. Nach Jahren doch gedenkt er mit Sinn des Apostels Wort,
Mehr fromm ein eh'lich Leben an einem festen Ort,
Als unstet umzuwandeln von schwerer Versuchung gequält,
Die, ihr als Opfer gefallen, so viele Helden zählt.

7. Es fragt darum der Kaiser des Reiches würd'gen Rat;
Was dieser ausgesonnen, es wird alsbald zur That:
Ein Bote reitet schnelle fern hin ins Baiernland
Der Herzogin zu bieten des deutschen Kaisers Hand.

III.

1. Auf Gottes Wegen wandelnd, in stiller Häuslichkeit
Lebt Adelheid indessen, zum Wohlthun stets bereit.
Wie betet sie voll Andacht! wie heiter ist ihr Sinn!
Wie fließt bei gutem Wirken die Zeit so munter hin!

2. Sie weiß, daß der verlaffen, der nur auf Menfchen baut;
     Drum in des Lebens Wirren fie einzig Gott vertraut.
     Sie übt fo gern Erbarmen, Verzeihung und Geduld,
     Dereinftens zu verdienen des ewigen Vaters Huld.

3. Sie denket an den Gatten, den fie voll Luft erkor;
     Sie denket an den Gatten, den fie fo früh verlor!
     Sie wäre fo gern vereint mit ihm vor Gottes Thron,
     Doch auf der Erde wandelt noch Ernft, ihr lieber Sohn.

4. Des Reiches Ritter hegten fchon längft in treuer Bruft
     Den Wunfch, es möge die Fürftin empfinden der Liebe Luft
     Empfinden und genießen. Sie foll im Jugendglanz
     Sich nicht erfreun? Ihr welken foll früh des Lebens Kranz?

5. Sie bitten fie fo dringend, fie legen ihr ans Herz
     Das eigne Wohl und Wehe, des Sohnes Luft und Schmerz,
     Daß endlich fie erweichet zu Sohn und Rittern fpricht:
     „Ich will den Wunfch erfüllen, — entehret er mich nicht."

6. Da kam zu guter Stunde des Kaifers Bote heran,
     Sein Wort fogleich befcheiden er vorzutragen begann. —
     Dir werden fo blaß die Wangen, fchön' Adelheid; dir fchlägt
     Das Herz mit ftärkerm Pochen, vom Schrecken aufgeregt!

7. Du ziehft den Sohn beifeiten, du redeft diefes Wort:
     „O wäre des Kaifers Bote doch aus der Burg uns fort!
     Wie foll die Hand ich reichen zum neuen Ehebund,
     Da an den tiefften Schmerzen mein Herz noch krank und wund?

8. Ich fürchte, wenn dem Kaifer ich reiche meine Hand,
     Nicht immer wird Euch beide umziehn des Friedens Band.
     Wie welkte mir das Leben, wie weinte mir das Herz,
     Wenn zwifchen Euch fich drängte der Zwietracht bittrer Schmerz."

9. O Mutter, nimmer fürchte ein folches. Gottes Gnad',
     Der unfer höchfter Kaifer, fie führe auf den Pfad
     Der Rechten mich; es leite mich feiner Güte Stern,
     Daß ich gefallen möge dem Kaifer, meinem Herrn!

10. Stets dienftbar will ich folgen ihm, wenn das Glück ihm lacht,
     Und ftandhaft bei ihm halten, naht eine Unglücksnacht.
     Ihn will ich und die Seinen mit treuen Armen umfahn,
     Daß ftets ich darf willkommen mich feinem Throne nahn.

11. So durch des Sohnes Rede beruhigt, läßt sofort
Die Herzogin verkünden dem Kaiser dieses Wort:
„Mein Kaiser und Gebieter, du haft mir zugewandt
Dein Herz voll Lieb' — ich reiche in Liebe dir die Hand."

IV.

1. Dort, wo den Garten Deutschlands bespült der blaue Rhein,
In Mainz, das unter den Städten der schönfte Edelstein,
Dort kamen auf stolzen Roffen wohl mit noch stolzerm Sinn
Zahlreiche Hochzeitsgäste zu Luft und Jubel hin.

2. Doch alle Pracht der Ritter, so schön und hoch ihr Glanz,
Erblaßt vor den Juwelen, die wie ein Sternenkranz
Die Stirne Adelheidens umleuchten und erhöhn
Die Majeftät, die nimmer so hehr nun noch gesehn.

3. Sie sitzt auf hohem Zelter, der ihrer wert geziert;
Er schreitet einher so mutig, von Pagen wird er geführt,
Und würdig reitet zur Seite der Kaiser seiner Braut:
Zum hohen Dome rufen die Glocken hell und laut.

4. Gewechfelt sind die Ringe, der Treue Schwur gehört,
Froh aus dem hohen Dome ist man zurückgekehrt;
Geendet ift der Jubel, der Gäfte Schar zerstreut,
Hei, wie sind jetzo Kaiser und Kaiserin erfreut!

5. Von Stadt zu Städten ziehen nun Kaiser und Kaiferin,
Belohnend hier der Freunde dem Recht ergebnen Sinn,
Beftrafend dort die Frevler, die Recht verletzt und Pflicht:
Wie ift gerecht und weise, wie gnadvoll ihr Gericht!

V.

1. Groß ift die Macht der Frevler, groß ift der Verleumder Kunft;
Mit Lügen sich zu schmeicheln ift hoher Könige Gunft,
Ift ihnen oft gelungen. Wie mancher edle Held
Erlag den falschen Ränken, der stark gesiegt im Feld!

2. Graf Heinrich sinnt schon lange auf schändlichen Verrat;
Was ftill er ausgebrütet, erscheinet nun als That.
Schlau weiß er zu berücken den Kaiser, daß sein Sohn,
Der junge Ernft, ihm strebe nach Leben und nach Thron.

3. „Geh!" ruft erzürnt der Kaiser, „erwähle dir ein Heer,
   Zerstreu' des Knaben Schützer; laß eines Mannes Speer
   Ihn fühlen, daß er wisse, es sei ihm nicht erlaubt,
   Nach einer Kron' zu greifen, sie drücke wund sein Haupt!"

4. Mit einem mächtigen Heere zieht rasch ins Baiernland
   Graf Heinrich, dort zu wecken des Aufruhrs wilden Brand,
   Den Herzog zu verjagen, das Land als Eigentum
   Zu nehmen, sich schon freuend an Krieges Lohn und Ruhm.

5. Die Bürger rüsten eiligst, sie rüsten sich so gern
   Für Ernst, den jungen Herzog, den vielgeliebten Herrn.
   Es ruhet Karst und Sense, es ruhet Egge und Pflug,
   Zur Kriegswehr heizt das Eisen der Blasebälge Zug.

6. Gar manchen Schaden leitet Graf Heinrich hier und dort,
   Und seinen Scharen spottet beherzt manch kleiner Ort.
   Vom Heldenmut verteidigt. Er kann die Kraft hier sehn
   Der Helden, die voll Liebe dem Tod entgegengehn.

7. „Und hab' ich treu doch immer zu leisten mich bemüht,
   Was meines Amts, dem Kaiser und Vater! doch erglüht
   Sein Haß — doch nein! Verleumdung und blasser Neid versucht,
   Uns beiden zu vergiften der Freundschaft süße Frucht!"

8. So rief erzürnt der Herzog, als Nachricht er bekam
   Von Heinrichs bösen Thaten. Die Ritterschaft er nahm,
   Die besten seiner Mannen, und eilte rasch dahin,
   Wo seine Bürger bekämpften den Feind mit Heldensinn.

9. Der Kampf entbrennt aufs neue. Den Bürgern wächst der Mut,
   Der Herzog und die Ritter entflammen Kampfesglut
   Im Herzen ihrer Kämpfer. Graf Heinrich läßt das Feld;
   Die Siegesfahne schwinget der Ernst, der junge Held.

VI.

1. Und neue Scharen sendet der Kaiser; denn er hat
   Geschworen, nichts zu schonen, kein Dorf und keine Stadt,
   Bis er den Trotz gebrochen des jungen, stolzen Sohns,
   Bis sicher er sich freuen kann seines Kaiserthrons.

2. Von harter Not umfangen, schickt nun der Herzog hin
   Zum Kaiser einen Boten, den treuergebnen Sinn
   Des Sohnes zu bezeugen; Verzeihung zu erflehn,
   Wann er den Kaiser beleidigt durch irgend ein Vergehn.

3. Von Adelheid empfangen, berichtet treu und wahr
Der Bote ihr des Sohnes stets wachsende Gefahr.
Sie eilt sogleich zum Kaiser, sie bittet auf den Knien,
Umsonst! es wird dem Herzog vom Kaiser nicht verziehn.

4. „Von Freunden treu beraten, ward mir aus ihrem Mund,
Wofür Gott stets ich danke, ein schwarz Verbrechen kund:
Wie nach dem Lehen trachtet mir Ernst, dein schlechter Sohn,
Damit der Bube steige auf meinen Kaiserthron!"

5. In ihr Gemach gekommen, wirft sich die Kaiserin,
Laut betend, innig weinend vor einem Kreuze hin:
„O Christus, Welterlöser, o aller Menschen Heil,
Dir ward, voraus verkündet, so harte Qual zu teil.

6. Du Herrscher aller Herrscher, jetzt thronest du in Pracht,
Dir hat ja Gott der Vater verliehen alle Macht!
Des Heiligen Geistes Gaben du hast sie; es entzieht
Kein Ding sich deinem Auge, was irgend nur geschieht.

7. Ich weiß es, guter Heiland, daß eine Sünderin,
Daß ich in Sünden empfangen, in Sünden geboren bin,
Doch wolle kund mir machen, wer meinen Sohn verklagt,
Wer ihn, der immer rechtlich und gut, zu morden wagt!"

8. Drauf bei dem Kaiser findet den Grafen sie und spricht:
„Verräter, denn so nenn' ich dich in dein Angesicht!
Hast meinen Sohn verleumdet! Doch Gott, der Rächer lebt;
Der Strafe nicht entgehst du, die drängend dich umschwebt."

9. Mit dieser Kunde sendet den Boten sie zurück
Zum Sohn, er möge trauen auf Gott und auf sein Glück.
„Schwur mir der irdische Kaiser," spricht Ernst, „Verderben, Tod,
Sei du, o Herr des Himmels, mein Helfer in der Not!"

VII.

1. Was wollen diese Haufen? Was reißet sie in Hast
Verworren durch einander hin nach dem Kaiserpalast?
Ein dumpfer Ton verkündet. Geschehen ist ein Mord!
Wer wagte sich als Mörder an solch ehrwürdigen Ort?

2. Der Herzog Ernst und Wetzel, sein treuer Kampfgenoß,
Sie waren kühn nach Speier ins kaiserliche Schloß
Gedrungen, — und ermordet von ihrem Racheschwert,
Liegt Heinrich, den der Kaiser vor allen hoch geehrt.

3. Bestattet war die Leiche mit feierlicher Pracht,
Und in dem Rat der Fürsten des Reiches strenge Acht
Gesprochen schon den Mördern; mit großem Heere zieht
Gen Regensburg der Kaiser, wo harter Kampf erglüht.

4. Die treuen Bürger kämpfen für Ernst den blutigen Streit,
Für ihren Herrn zu sterben, sind alle ja bereit.
Sie schleudern von der Mauer Holz, Pfeil und Stein herab,
Ha, wie so vielen Freuden wird hier ein frühes Grab.

VIII.

1. Der Sachsenherzog Heinrich, ein treuer Freund und Held,
So bieder in dem Frieden, so mutig auf dem Feld
Des Kampfes, weiß zu lenken des Kaisers hohen Geist,
Daß er frei Geleit dem Sohne nach Regensburg verheißt.

2. Ernst mahnt die treuen Bürger, den Kaiser anzuflehn
Um Gnade und Verzeihung für alles, was geschehn.
Er will des Blutes schonen, will büßen, wenn er gefehlt
Als er für Recht und Freiheit den blutigen Kampf gewählt.

3. Wie sollt' er auch noch kämpfen? Sein Häuflein ist zu klein,
Der Hoffnung Raum zu geben, dereinst noch Sieger zu sein.
Er mag das Schifflein steuern wohl eine kurze Stund'
Auf hoher See im Sturme, — dann sinkt es auf den Grund.

4. Er ruft die Freunde zusammen in einen Kreis und spricht:
„Ihr habt mir treu geholfen nach ritterlicher Pflicht
Im Kampfe gegen den Kaiser, als er im Zorn gedacht,
Was ich wohl nie verdiente, zu stürzen meine Macht.

5. Nun laß' ich ab vom Kampfe; ich will den höhern Herrn,
Der jedes Blümchen labet, den preiset jeder Stern,
Ihn will ich gern versöhnen, will büßen, eh' der Tod
Vor sein Gericht mich rufet nach seinem strengen Gebot.

6. Ich will zur heiligen Stätte, wo Christus lebte und starb
Und uns das Heil am Kreuze auf Golgatha erwarb.
Wollt ihr mich hin begleiten?" Und wie aus einem Mund
Erscholl ein Ja, und machte die treue Liebe kund.

7. Und den Entschluß vernommen hat kaum die Kaiserin,
So sendet sie dem Sohne viel teure Pelze hin,
Viel Silber auch und Kleider von überreicher Pracht,
Daran viel Gold und Purpur dem Blick entgegenlacht.

8. Er schenket seinen Freunden, was jedem wohlgefällt,
   Für sich er nur gar wenig der schönen Pracht behält.
   Das Kreuz wird angeheftet — sie ziehen freudig fort,
   Von frommen Wünschen begleitet, hin nach dem heiligen Ort.

IX.

1. Durch Deutschlands weite Gauen, nach Osten hingewandt,
   Zieht Ernst mit seinen Genossen und kommt ins Ungarnland,
   Wo ihn mit Ehr' und Freundschaft der König hold empfängt
   Und ihm beim baldigen Scheiden noch reiche Gaben schenkt.

2. Bald glänzet unsern Helden Konstantinopels Pracht
   Entgegen, wo gebietet des Griechenkaisers Macht;
   Der heißt, weil er gehöret von Ernsts bewiesenem Mut,
   Sie alle froh willkommen, bewirtet alle gut.

3. Und während sie ausruhen, sich freuen an dem Glück,
   Das ihnen hier bereitet ein günstiges Geschick,
   Läßt Schiffe schnell bereiten der Kaiser und versehn
   Mit allem, abzusegeln, wenn günstige Winde wehn.

4. Kaum blies der Wind von Westen ins Segel, daß es schwoll,
   Als auch ein lautes Rufen der Freudigen erscholl.
   Sie nahmen herzlich Abschied, vertrauten Gott sich an,
   Und auch sogleich geordnet der Ruderschlag begann.

5. Sie waren schon fünf Tage gesteuert durch die Flut
   Und hatten nicht empfunden des Meeres grause Wut;
   Doch jetzo kommt's von Osten so finster und so schwül,
   Es wälzen sich die Wogen in dumpfigem Gewühl.

6. Bald türmen sich die Fluten vom tiefsten Meeresgrund
   Empor, mit Grausen blicket das Auge in den Schlund
   Der schäumenden Gewässer, in wilderregtem Lauf
   Entstürzen sie und türmen stets wütender sich auf.

7. Der eine schreit und bebet, der andre hebt mit Flehn
   Empor die Hände und betet, — ja, was man nie gesehn,
   Der Steuermann erblasset, verlieret Kopf und Sinn
   Und gibt das Schiff dem Sturme zum bösen Spiele hin.

X.

1. Was ist's, das hier den Blicken der Staunenden sich beut?
Was ist's, das nach den Leiden zuerst sie hier erfreut?
Eine Stadt mit weiten Straßen; das Pflaster, das sie schaun,
Es ist von bunten Steinen grün, rot und weiß und braun.

2. Die Stadt umläuft im Runde ein Graben, tief und breit,
Gefüllt mit klarem Wasser, so groß er ist und weit.
Die Thore wie die Türme, der Mauer schöner Kranz,
Sie glänzen in die Weite, geziert mit Goldes Glanz.

3. Ernst waffnet seine Leute, zu forschen, wer da wohnt,
Ob hier ein Christenkönig, ob hier ein Heide thront.
Voran die Christenfahne, in Waffen jeder Held,
So ziehen sie von dem Schiffe zur Stadt durch weites Feld.

4. Die Thore waren offen, es ließ sich niemand sehn,
Und Ernst befahl, mit Vorsicht erst alles zu durchspähn,
Eh' sie die Stadt betraten; da alles sicher schien,
Mocht' er nicht länger zögern, er ließ hinein sie ziehn.

5. Stets größer ward ihr Staunen, da ihrem forschenden Aug'
Sich niemand zeigen wollte. Ein leiser Zephyrhauch
Umwehte sie so leise, und süßer Ambraduft
Von Blumen und von Speisen erfüllte rings die Luft.

6. Auf einem großen Raum wohl mitten in der Stadt
Stand ein Palast gar herrlich, und Ernst mit den Seinen betrat
Die Schwelle, ging dann weiter in einen großen Saal, —
Fast ward das Auge geblendet von Gold und Silberstrahl.

7. Auf Stühlen und auf Tischen der Teppiche bunter Glanz,
Und goldene Gefäße in schön geordnetem Kranz.
Auf den Tischen Wein und Speisen, wie sie der Wunsch begehrt,
Und niemand doch zu sehen, der so die Gäste beehrt!

8. Da sprach der junge Herzog zu der Genossen Schar:
„Mitbrüder und Gesellen, bringt Lobgesänge dar
Dem Herrscher aller Herrscher, der uns in dieser Stadt,
Nachdem wir lang gedarbet, den Tisch bereitet hat.

9. Und wie ihr stets befolget mein Wort, so thut auch heut'.
Eßt jetzt mit mir und trinket, wie's euer Herz erfreut;
Doch von dem Gold und Silber und was hier prächtig gleißt,
Berührt mir nichts, besieget der Habsucht gierigen Geist.

10. Gott will uns hier versuchen, ob Geiz, der Übel Quell
Uns wohl beherrschen könne. Drum stellt euch klar und hell
Vor Augen, wie so strenge dort strafte Gottes Hand,
Als Achor einen Mantel in Jericho entwandt.

11. Bald kommt hierher zurücke wohl jeder in sein Haus,
Drum traget Trank und Speise in unser Schiff hinaus,
Daß wir nicht fürder darben". — Und jeder thut erfreut,
Was nur zu ihrem Heile der Herzog wünscht und gebeut.

XI.

1. Ernst ging allein mit Wetzel, der ihm ein treuer Genoß,
Nun durch die weiten Straßen der Stadt, und manches Schloß
Erregte ihr Erstaunen; hier Brunnen, Gärten dort
In Schönheit prangend, — das Ganze erschien als Zauberort.

2. Nun traten beide Helden in einen großen Saal,
Von Marmor schön erbauet; der Diamante Strahl
Glänzt ihnen da entgegen von einem prächtigen Thron.
Hier, schien es, hielt das Scepter der mächtigste Erdensohn.

3. Zunächst dem Saale traten sie in ein Schlafgemach,
Hier waren stets die Geister der süßen Ruhe wach
Und fächelten dem Schläfer; zwei Betten, schön verziert,
Sie hätten unsre Helden zum Schlafen bald verführt.

4. Und wie sie weiter schritten durch all die bunte Pracht,
Lud eine Sommerwohnung sie ein in magische Nacht,
Von Cedern rings verbreitet und Palmen. Süßer Duft,
Von leichtem Wind beweget, erfüllte rings die Luft.

5. Zwei Quellen klares Wasser, die warm und jene kühl,
Sie luden ein zum Bade, wie's jedem wohlgefiel.
Sie stiegen beide nieder ins Bad, das jeder erkor,
Sie fühlten sich so wohlig, wie nimmer noch zuvor.

6. Nachdem sie sich erfreuet im Bade, gingen sie
Ins Schlafgemach zurücke, und süße Harmonie
Schien, sie zum Schlaf zu laden: sie legten sich zur Ruh'
Und schlossen bald, süß träumend, die müden Augen zu.

XII.

1. Was ist's, das unsere Helden aus süßen Träumen schreckt?
   Was ist's, daß jeder sich eiligst mit Schild und Panzer deckt?
   Sie hören Siegsgesänge und kriegerischen Ton.
   Besteigt ein neuer König hier etwa seinen Thron?

2. Schnell löset sich das Rätsel. Es naht mit Siegsgesang
   Des Landes mächtiger König, und Festtrommetenklang
   Mischt sich zum Ton der Hörner, drein schallt der Jubellaut:
   Heil, Heil dem großen König! Heil, Heil der schönen Braut!

3. Zum Schlosse dringt die Menge, die Säle füllen sich,
   Es woget auf und nieder in freudigem Gemisch;
   Man setzet sich zu Tische, es steigt der Speisen Duft
   Empor aus hundert Schüsseln und würzet rings die Luft.

4. Und Ernst und Wetzel sehen, sie hatten sich versteckt,
   Sie sehn, was Furcht und Grauen und Lust und Grimm erweckt:
   Der König und die Seinen sind Menschen, schön gebaut,
   Nur Hals und Kopf ist Kranich! Wem hätte nicht gegraut?

5. Auf einem Throne sitzet an des Königs rechter Seit',
   Ihm wohl als Braut erkoren, eine minnigliche Maid.
   Von ihrem Kleide leuchtet viel Gold und Edelgestein
   Und wecket rings im Saale des Tages hellen Schein.

6. Sie stammt aus fremdem Lande, das zeigt dem Blick sich klar,
   Da sie menschlich ist gewachsen. Wie in der Sterne Schar
   Hell glänzt das Licht des Mondes, und wie das Morgenlicht,
   So strahlt, wenn auch voll Wehmut, ihr holdes Angesicht.

7. Der König streckt den Schnabel, er fordert einen Kuß
   Mit süßem Liebesgeschnatter. Sie will nicht, — und sie muß?
   Sie beuget sich zur Seite, verhüllet sich und schreit, —
   Und rasch zur schnellen Hilfe ist Herzog Ernst bereit.

8. Ihn hält der Freund zurück. „Was hilft uns jetzt der Mut?
   Wir werden nur erwecken des Feindes Grimm und Wut.
   Sieh, ab ja läßt der König von seinem Wunsch. Der Schmaus
   Geht sicher bald zu Ende, dann eilt die Menge nach Haus.

9. Hat sich der Schwarm zerstreuet, dann laß uns mutig sein
   Und klug, von ihren Räubern die Schöne zu befrein."
   Und Herzog Ernst gehorchet, zwar ungern, seinem Freund,
   In dem sich Mut und Klugheit so trefflich stets vereint.

10. Bald ist der Schmaus beendet, entfernt der Gäste Schwarm;
Nun aber wird beginnen der Schönen Leid und Harm.
Trabanten geh'n in Ehrfurcht zur Seit' und führen sie,
Und lieblich, sinnbezaubernd spielt süße Harmonie.

11. Nun Bräutchen, spricht der König, leg' ab dein Festtagskleid,
Ich führe dich zum Bette, der frohen Lust geweiht. —
„Zurück, Verwegner!" — Folgst du nicht willig, wird Gewalt
Dich zwingen. Auf, Trabanten, entkleidet sie alsbald!

12. Dem Herrscherwort gehorchend, ziehn schnell mit rascher Hand
Die Diener ihr vom Leibe das schöne Obergewand.
Jetzt nicht mehr hält zurücke sich Ernst, er stürzt herbei
Und stößt den Knecht zu Boden, der fällt mit lautem Schrei.

13. Der König, sich schon freuend in schnöder Sinnenlust,
Sieht sich die Braut entrissen, er faßt sie unter der Brust
Mit seinem spitzen Schnabel, verwundet sie — und stirbt,
Von Ernst durchbohrt, sich tröstend, daß sie kein andrer wirbt.

14. Ernst faßt sie in die Arme, von Wetzel unterstützt,
Er hofft sie noch zu retten, er glaubt sie leicht geritzt
Vom Schnabel des Kranichkönigs. „Oh," stöhnt sie, „wie erfreut
Mich Gott, daß ich sterben kann bei euch, ihr Christenleut'!

15. Mein Vater ist der König von Indien; ich ward
Von diesem Kranichherrscher entführt auf Räuberart.
Belohn' euch Gott die Treue, die ihr an mir gethan!
Luft! Luft! Lebt wohl! O Heiland, nimm mich in Gnaden an!"

16. Mit tiefem Mitleid blicket Ernst auf die tote Braut,
Da tobet durch die Säle der Aufruhr wild und laut;
Es schlagen beide Helden so mutig drein und gut,
Daß weit den Boden benetzet der Kranichhelden Blut.

17. Sie ziehen aus dem Schlosse stets fechtend sich zurück
Und hauen manchem Kranich den Schnabel vom Genick,
Bis sie zum Thor gelangen, das wird mit Kraft gesprengt,
Und rasch dann zu den Schiffen der Rückzug hingelenkt.

XIII.

1. Bald hatten von Agrippa die Segel sie gewandt.
Sie fuhren schon zwölf Tage, und noch ersah kein Land
Das Aug', soweit es reichte; ein unermeßlich Meer
Erschien die blaue Fläche der Fluten ringsumher.

2. Da eilt bestürzten Blickes, Verzweiflung im Gesicht,
Der Steuermann zum Herzog. „O, betet, betet!" spricht
Mit Zittern seine Zunge; „o, fleht zu Gott empor
Um Rettung, denn uns stehet ein schneller Tod bevor!

3. Fleht um der Seele Rettung, daß sie das Heil erwirbt,
Wenn bald in wenigen Stunden den Tod der Körper stirbt.
Dort, seht ihr dort die Bäume? den Berg, der weithin gleißt?
Magnetberg wird er geheißen, der alles an sich reißt.

4. Es sind gebrochne Maste die Bäume, und hinab
Verschlungen ruht die Mannschaft im tiefen Wellengrab.
Hier ist uns keine Rettung, seht, wie schon eilt das Schiff
Dem Berg zu, dort zu bersten an einem Felsenriff!"

5. Und Herzog Ernst: „Der Himmel erwirbt sich nur durch Not,
Die wir auf Erden leiden, bevor uns ruft der Tod.
Drum wollen wir uns freuen, wird hier uns Schmerz zu teil,
Uns dadurch zu verdienen das ewige Seelenheil.

6. Jerusalem, du werte, du auserwählte Stadt,
Die Gott mit seinen Leiden so schön gezieret hat!
Wir sollen dort nicht schauen, o Heiland, Jesu Christ,
Wo du, uns zu erlösen, dereinst gewandelt bist!

7. Unendlich, unerforschlich, ist deiner Weisheit Grund.
Wie freuten wir so innig uns schon der hehren Stund',
Wo wir erschauen würden der Schädelstätte Höhn,
Wo Ölberg wir und Kidron und Emmaus würden sehn.

8. O Freunde, edle Ritter, vertraut in jeder Frist
Auf Gott den guten Vater, auf den Heiland Jesus Christ!
Ihm wird das Meer gehorchen, wie früher es gethan;
Es wird sich friedlich ebnen und bilden sichere Bahn.

9. Laßt uns der Sünden entladen, von Sünden uns waschen rein,
Daß doch der Gnade Gottes wir würdig mögen sein!
Und werden dann begraben wir in des Meeres Schlund,
So geht doch nur der Körper, die Seele nicht, zu Grund."

10. So spricht er tief gerühret; demütig, reuevoll
Bekennen sie ihre Sünden, entsagen Haß und Groll,
Empfangen dann den Heiland mit andachtsvollem Sinn
Und fahren mit Vertrauen nun zu dem Berge hin.

XIV.

1. Der schnelle Strom der Fluten riß rasch zum Todesort
Das Schiff und warf's im Grimme an eine Felswand dort,
Aus welcher Feuer und Flammen sich wirbelten; es sprang
In Trümmer auseinander, daß weithin es erklang.

2. Von Schrecken, Gram und Wunden und Leiden hingerafft
Sieht Ernst die Genossen sterben; ihm schwindet selbst die Kraft.
Das nagt ihm an der Seele, er wünschet sich den Tod,
Der ihn allein kann retten aus Trübsal und aus Not.

3. Zum schwachen Troste legt er die Leichen auf den Rand
Des Felsens; doch wie staunt er, als er sie nicht mehr fand,
Da er am frühen Morgen sie zu besuchen eilt,
Die mit ihm Glück und Unglück so treulich stets geteilt.

4. Ein schrecklich Ungeheuer, das man noch nie gesehn,
Es war, die Toten witternd, von seinen Felsenhöhn
Herabgekommen und hatte sie über das Meer gebracht,
Und sieh, da naht es wieder, so grausig wie die Nacht!

5. Der Körper ist ein Löwe, die Augen — Feuerglut,
Ein Adlerkopf; die Krallen, sie packen fest und gut
Das stärkste Tier; der Schnabel, was der im Grimm erfaßt,
Zerfleischet und zerrissen es schnell im Tod erblaßt.

6. Das Ungeheuer schwinget auf breitem Flügelpaar
Empor sich über die Fluten gleich einem schnellen Aar.
Es eilt zu seinem Neste, auf einem Felsen erbaut,
Wo nach der Nahrung hungernd die Brut ihm niederschaut.

7. „Soll dieses Ungeheuer, so schrecklich es auch droht,
Es nicht vielleicht vermögen, zu retten uns vom Tod?
Es könnte wohl uns tragen, wir sind ihm nicht zu schwer,
In seinen starken Krallen hin über das weite Meer."

8. So Wetzel. Und vom Himmel schien dieses Wort gesagt,
Nicht wird ja Held geheißen, wer nicht das höchste wagt.
Sie gehen zum Wrack der Schiffe, hier alles zu durchspähn,
Ob, was zum Wagnis dienlich, sie etwas können sehn.

9. Hier glänzen Gold und Silber und Steine hoher Pracht,
Doch alles dies verschwindet wie vor dem Tag die Nacht,
Als sie in einem Winkel jetzt Ochsenhäute erschaun;
Die dienen, um den Krallen des Greifs sich zu vertraun.

10. Ernst leget nun mit Wetzel die starken Waffen an
Und jeder der fünf Genossen zu nähen nun begann;
Bald liegen sie auf dem Felsen, verschlossen in der Haut,
Der Greif stürzt eiligst nieder, sobald er sie erschaut.

11. Er packt sie mit den Krallen, er packt sie fest und gut,
Schwingt sich empor und eilet hoch über die blaue Flut.
Die Genossen sehn frohstaunend, wie er fern sich niederläßt;
Dort legt er seinen Jungen die beiden in das Nest.

12. Kaum spüren beide Helden, daß alles ruhig sei;
So schneiden mit den Schwertern sie rasch die Haut entzwei
Und sehen sich im Freien und sehen hier die Brut,
Die schlafend liegt und dennoch nach Fleische lechzt und Blut.

13. Sie steigen rasch hernieder, stets schwebend in Gefahr,
Es möchte wieder erscheinen der grauenvolle Aar.
Sie bedroht in hundert Gestalten der Tod am Felsenhang,
Bis daß ins Thal hernieder die Rettung ihnen gelang.

XV.

1. In kurzer Zeit auch brachte der Greif der Genossen zwei,
Im zweiten Flug und dritten von fernen Felsen herbei.
Der fünfte blieb zurücke und weihte sich dem Tod
Mit Freundessinn, die andern zu retten aus der Not.

2. Und zwischen rauhen Felsen in einem düstern Thal,
Da fanden sie sich endlich zusammen allzumal.
Zahlreich, zu Schiff und fröhlich betraten sie das Meer,
Nun irren sechs verlassen in wilder Gegend umher!

3. Notdürftig stillt den Hunger der wilden Beeren Frucht;
Umsonst, den Durst zu löschen, wird lang ein Quell gesucht.
Nachdem sie viel geforschet und jedem Ton gelauscht,
Sind sie in einem Thale, drin laut ein Bergstrom rauscht.

4. Sie gehen nun zusammen am Fluß das Thal entlang,
Am Thal und Fluß sich freuend und doch im Herzen bang.
Nun stehen sie und starren vor hohem Felsgestein,
Und in des Berges Dunkel rauscht rasch der Strom hinein.

5. Allmählich steigt vom Himmel herab die finstre Nacht,
Doch durch des Dunkels Grauen strahlt hell der Sterne Pracht.
Ernst sinkt mit den Genossen zur Erd' und betet laut,
Und Mut hebt ihre Seelen, sobald der Morgen graut.

6. Und mancher Baum entstürzet, getroffen von dem Schwert,
Dem scharfen unsrer Helden, laut krachend hin zur Erd'.
Ein Floß wird rasch gebauet; jetzt steuern auf der Flut,
So gut es immer gehet, die Helden voller Mut.

7. Voll Gottvertrauen fahren sie in den Berg hinein
Und stoßen stark und öfters an schroffes Felsgestein.
Und Gott, der stets sie schützte, der schützet sie auch jetzt,
Daß trotz der gewalt'gen Stöße ihr Floß sich nicht verletzt.

8. Im Berg rollt lauter Donner, da schallet dumpf Getön,
Da tobet stürmisch Brausen, da seufzet lang Getöhn,
Da stehn empor die Haare, da fröstelt kalt die Haut:
Tod scheinet zu verkünden ein jeder neue Laut.

9. Da mitten in dem Dunkel erscheint ein lichter Glanz,
Es strahlet wie im Feuer ringsum der Felsen Kranz.
Hei, wunderbar! es ist ja vom hellsten, klarsten Schein
Der ganze weite Felsen ein einziger Edelstein.

10. Ernst schlägt mit kräft'gem Hiebe ein Stück sich ab davon:
Das glänzt dereinst so herrlich in Kaiser Ottos Kron'.
Ein Stoß noch, daß in Trümmer beinah' ihr Floß zerbricht,
Und o! sie sehen wieder der Sonne freundlich Licht.

XVI.

1. Wie staunen unsre Helden, wie ist ihr Herz erfreut,
Als eine prächtige Gegend sich ihren Blicken beut,
Mit Wiesen und mit Wäldern und Dörfern überdeckt
Und Städten, was im Herzen Vertrauen ihnen weckt.

2. Die Leute, die sie sehen, sind wunderbarer Art,
Sie haben Händ' und Füße, Gesicht und Hals und Bart,
Und Kopf wie andre Menschen; nur statt der Augen Paar
Nimmt man auf ihrer Stirne ein einzig Aug' nur wahr.

3. Ernst geht mit seinen Genossen durch einen Wiesenplan,
Von Bäumen schön umkränzet, zur nächsten Stadt hinan.
Hier wird er angestaunet, der selbst nicht minder staunt;
Doch scheinet gegen die Fremden das Volk hier gut gelaunt.

4. Man führt sie zu dem Fürsten, der sitzt auf hohem Thron,
Zur Rechten sitzt die Gattin, zur Linken ihm der Sohn.
Der Fürst empfängt sie freundlich; der Augen klares Paar
Nimmt er mit frohem Staunen an unsern Helden wahr.

5. Besonders ist die Fürstin von hoher Lust entzückt.
Ernst beugt das Knie zum Handkuß, da wird die Hand ihm gedrückt
So warm, so voll Bedeutung, — doch Ernst bleibt ruhig kalt,
Das eine Aug' entstellt ihm die schöne Frauengestalt.

6. Der Fürst nun läßt sie kleiden in prächtiges Gewand,
Froh, daß so seltne Menschen der Zufall ihm gesandt;
Ernst fühlt sich froh und heiter, obgleich er nicht vergißt,
Daß, will es Gott, sein Bleiben an diesem Ort nicht ist.

XVII.

1. Von Unruh' aufgeschrecket, stieg einstmal Ernst empor
Zum hohen Turm; der Morgen, er öffnete das Thor
Im Osten rosenfarben und weckte Leut' und Land,
Daß alle sich entrafften des Schlafes leichtem Band.

2. Und dort im Westen steiget empor ein andres Licht,
Des blut'ger Schein erschreckend durch graue Dämmrung bricht;
Sechs Dörfer stehen in Flammen. Ernst eilt zum Fürsten hin:
Auf, auf! zu Hilf' den Armen! ruft er mit Ritterfinn.

3. „Das sind die alten Feinde, die oft das Land verheert;
Noch niemand war so mächtig, der ihnen dies verwehrt.
Skiopedes, so werden die Grausamen genannt,
In großen Scharen kommen sie aus dem Mohrenland.

4. Und nicht wie andre Menschen bewegen sie sich fort,
Auf einem Fuße eilen sie rasch von Ort zu Ort.
Und brennt die Glut der Sonne, sie schützen sich davor,
Sie strecken nur. zum Himmel den breiten Fuß empor.

5. Wer mag die Schnellen fangen? Nicht Berg, nicht Felsgestein
Hemmt ihren Lauf, sie stürzen sich selbst ins Meer hinein.
Sie eilen über die Wogen in unhemmbarem Lauf;
So schießt kein Kiel, und bläht auch der Ost kein Segel auf.

6. Ernst fordert Leut' und Pferde. Auf einem Seitenpfad
Nun eilen raschen Trabes sie hin zum Meergestad'
Und schneiden so den Feinden die Flucht zum Meere ab. —
Flieht, flieht, einfüßige Mohren, denn eurer harrt das Grab!

7. Nun geht's zum blutigen Kampfe. Hei, was das Schläge setzt!
Hier springen Schwert und Lanze, dort wird der Schild zerfetzt;
Die Helden fallen röchelnd zu Boden, hundertfach,
Es rasseln die Geschosse in dumpfigem Gekrach.

8. Nun schallen Siegsgesänge, der Feinde Schar erliegt;
Der Herzog hat auf immer die Lustigen besiegt;
Sie liegen tot zur Erde. Nur einen führt der Held
Als seinen Kriegsgefangnen mit fort vom blut'gen Feld.

XVIII.

1. Nun sitzen alle fröhlich beim heitern Siegesmahl:
Ernst, Wetzel, Fürst und Fürstin und Gäste in reicher Zahl;
Da kommt von den Pannochen ein Bote, hergesandt,
Den schuldigen Zins zu holen für seines Königs Land.

2. Getrübt ist schnell die Freude beim heitern Siegesmahl,
Es fliehen Scherz und Jubel; die Lust, sie weicht der Qual.
Kaum ist ein Feind bezwungen, so naht ein neuer sich,
Nicht minder kühn und grausam, nicht minder fürchterlich.

3. Hu! grausend ist ihr Anblick. Sie haben nur ein Ohr
Von übermäßiger Größe, das werfen sie empor
Breit wie ein Tuch und hüllen so Kopf und Schulter ein —
Sich schützend vor der Sonne erschlaffend heißem Schein.

4. „Geh, sage deinem König," nun Ernst zum Boten spricht,
„Der Zins, der sei zu Ende; man fürchte fürder nicht
Sein leeres Drohn. Er möge, verdröss' es ihn, nur nahn
Mit einem Heer und Schande statt Siegeslohn empfahn."

5. Und ohne lang zu säumen, ergreifet Ernst die Wehr
Mit Wetzel und bewaffnet sein mutentflammtes Heer.
Der König der Pannochen, ein schlecht geübter Held,
Erscheinet bald voll Ingrimm mit einem Heer im Feld.

6. Kaum sieht ihn Ernst, so spornt er auf ihn sein mutig Roß,
Treibt ihm durch Schild und Panzer sein scharfes Wurfgeschoß.
Der König sinkt; die Seinen, sie kämpfen noch mit Macht,
Und dann als Helden fallen fast alle in der Schlacht.

7. Der Fürst der harrt indessen erwartungsvoll und bang,
Da schallen Siegsgesänge und kriegerischer Klang;
Ernst führt die Siegerscharen, es jubelt groß und klein,
Und streuet bunte Kränze zur frohen Stadt hinein.

8. Ihm schenkt der Fürst in Gnaden fünf große Städt' am Meer
Zum Lohn für seine Thaten; und weise herrschet er
Und übt gerecht und milde des Herrschers heilige Pflicht,
Wohl wissend, daß er stehe dereinst vor Gottes Gericht.

16*

XIX.

1. Das Fest der Thronbesteigung, so wichtig für den Staat,
Der Fürst begeht es jährlich im prächtigsten Ornat.
Da kommt auch Ernst zu Hofe; man sieht ihn immer gern,
Erscheint er doch beständig ein heller Rettungsstern.

2. Viel Fürsten und Gebieter, sie stellen da sich ein,
Im Königssaal erglänzet viel Glanz und Edelgestein.
Doch von den Großen allen ist unser Held geehrt,
Obgleich er einen Vorzug vor andern nicht begehrt. .

3. Man hatte abgeschüttelt der Pflichten schwere Last
Und freute sich herzinnig — da trat ein finstrer Gast
Zum Saal herein, der ragte bis zu der Decke hinan
Und war kaum mehr als Knabe, gewiß noch nicht ein Mann.

4. Er war vom Riesenkönig mit Botschaft hergesandt,
Als Stab trug einen Baumstamm er in der mächt'gen Hand.
„Schickt den Tribut!" Er spricht es, daß weithin es erschallt,
Die Donnerstimme passet wohl zu der Riesengestalt.

5. Von Schrecken bleich erbeben und zittern alle jetzt, —
Nur Ernst nicht, der tritt mutig zum Riesen hin und spricht:
„Die Zeit ist abgelaufen, wo man Tribut euch schickt,
Ihr müßt ihn künftig holen, wenn es euch nur auch glückt."

6. Voll stolzen Grimms hernieder der Riese auf ihn blickt
Und gehet seinem König, der hierher ihn geschickt,
Die Botschaft anzumelden, die seinen Sinn empört,
Als er vom Wundermenschen die höhnische Rede hört.

7. Es ist vom Hof des Fürsten kaum Herzog Ernst zurück,
Da muß er bald erproben sein ritterliches Glück.
Ein Heer von Riesen nahet Gewitterwolken gleich.
Auf, Herzog Ernst und Wetzel, verteidigt euer Reich!

8. In einem dichten Walde, durch den die Riesen ziehn,
Da harren Ernst und Wetzel und viele Helden kühn
Im Hinterhalt; da nahet der Riesen mächtige Schar,
Doch in den zackigen Ästen verwickelt sich ihr Haar.

9. Wie Absalon gefangen, erleiden sie den Tod
Von Ernst und seinen Tapfern, die sie so hart bedroht.
Nur e i n e r bleibt am Leben, auf Ernsts Befehl verschont,
Der später seine Rettung durch treue Liebe lohnt.

XX.

1. Ernst hört einmal, es lebe nicht fern von seinem Land
   Ein wunderniedlich Völkchen, Pygmäen zubenannt;
   Zwei Fuß nur seien die Männer, und die Fraun
   Die seien noch viel kleiner und niedlicher zu schaun.

2. Ernst läßt in seinem Leben nicht gern was unversucht,
   Nach eignem Kosten glaubt er zu kennen nur die Frucht;
   Drum reiset er mit Wetzel und mit dem Riesen hin,
   Das Völkchen zu erforschen mit eignem Aug' und Sinn.

3. Schon senkte sich die Sonne, schon war der Abend nah',
   Als man nicht weit entfernet der Zwerge Städtchen sah.
   Sie reiten raschen Trabes, jetzt sind sie an dem Thor,
   Da kommt schön aufgeputzet die niedliche Menge im Chor.

4. Und alle sind so fröhlich, sie jubeln alle laut;
   Denn heute hat ihr König gefreit die schönste Braut.
   Um sich an Scherzen und Tänzen zu freuen, ziehen sie
   Zum Thor hinaus ins Freie in schönster Harmonie.

5. Man staunt von beiden Seiten, wie kann's auch anders sein?
   Hier Riesen übermächtig, dort Zwerge winzig klein.
   Ernst fragt nach dem und jenem, da tritt ein possierlicher Wicht
   Vor ihn so gravitätisch, erhebt die Stimm' und spricht:

6. „Herr Riese, uns zu schaden kommt ihr nicht, wie ihr sagt,
   Vielmehr uns zu befreien von allem, was uns plagt.
   Uns mangelt's, wie ihr sehet, an nichts, wir sind erfreut, —
   Wär' nur der Riesenvögel so läftige Schar zerstreut!

7. Hat e i n e r was zu besorgen von uns fern von der Stadt,
   Da kann er nachts nur reisen, damit er Ruhe hat.
   Und hat er sich verweilet, vielleicht auch wohl verirrt,
   Muß er in Höhlen bleiben, bis es wieder Abend wird.

8. So müssen wir auch bestellen die Äcker in der Nacht,
   Damit uns nicht erhaschet der Vögel grause Macht.
   Befreit uns, ihr Herrn Riesen, von dieser scheußlichen Brut!"
   „Ich will es", spricht der Herzog, der gerne Gutes thut.

9. Ernst hielt, was er versprochen, er schlug die Vögel tot,
   Befreite so die Zwerge von jeder künftigen Not.
   Drauf ward er von dem König empfangen und zu Tisch
   Geladen und bewirtet mit Braten, Wein und Fisch.

10. Von all den prächt'gen Schätzen, die ihm des Königs Gnad'
Anbot als Dankesgabe, nahm Ernst nichts; er erbat
Sich von den kleinen Leutchen ein Pärchen nur und kam
Nach Haus zurück, eh' dreimal die Sonne Abschied nahm.

XXI.

1. „Ja, glücklich und zufrieden, geehret und geliebt,
So leben wir, und niemand, der kränkend uns betrübt.
Der Fürst von Arimaspi, er nahm uns gütig auf;
Hier ward uns süße Ruhe nach hartem Lebenslauf.

2. Doch ist der Fürst ein Heide, und nimmermehr bekennt
Er sich zu Christi Lehren, im Herzen mir das brennt!
Wie gerne führ' ich weiter nach dem gelobten Land,
Mit Freuden hier entsagend des Herrschens eitlem Tand."

3. So sprach zu seinem Freunde der Herzog, da einher
Sie gingen am Gestade, als über das blaue Meer
Die letzten Strahlen sandte die Sonne. Dämmerschein
Stieg in die Thäler nieder, umfassend Flur und Hain.

4. Sie setzen in Gedanken sich auf ein Felsenriff
Und sehen auf die Fluten, da nahet sich ein Schiff
(Ein froher Anblick beiden) dem Ufer, halb zerschellt;
Die Mannschaft eilt zum Gestade, wo sie betend niederfällt.

5. Ernst hört durch manche Fragen, daß aus dem Mohrenland,
Dem fernen Indien, kommen die Leute, abgesandt
Nach Hilfe zu dem Fürsten Gargota über Meer,
Weil Babyloniens König sie bekriegt mit starkem Heer.

6. Denn er als Heide achtet es für gar großen Ruhm,
Kann er die Indier bringen von ihrem Christentum.
Und auf dem Meer ergriffen von des Sturmes grauser Wut,
Trieb schon drei Tag' die Gesandtschaft auf wild empörter Flut.

7. Und Herzog Ernst im Herzen entflammt durch solches Wort,
Den Christen beizustehen, entscheidet sich sofort.
Der Herrschaft zu entsagen, nimmt seine Wunderleut'
Und eilet, da willkommen der Indier Schiff sich beut.

8. In Indien empfangen wird er gar gut und hold;
Bald prangt er und Graf Wetzel in Seide und in Gold.
Sie sitzen im Rat des Königs, so hoch von ihm geehrt,
Weil im Unglück seinen Leuten sie Hilf' und Schutz gewährt.

XXII.

1. Unsicher, unbeständig ist jedes Erdengut,
   Hier tobt des Winters Kälte, dort sengt der Sonne Glut;
   Und glaubst du, froh zu leben in ruhigem Besitz,
   Trifft oft dein Haus zerstörend des Himmels Flammenblitz.

2. Es kam die Schreckenskunde, daß ein gewaltiger Held,
   Daß Babyloniens König erschienen sei im Feld
   Mit seinem mächtigen Heere, um Mahomeds böse Saat
   Zu säen und zu stürzen des Christentumes Staat.

3. Ganz Indien erbebet, es zittert klein und groß;
   Sie denken bangen Herzens an jenes harte Los,
   Das früher sie betroffen an jenem Unglückstag,
   Als Babyloniens König ihr mutig Heer erlag.

4. Nur Herzog Ernst tritt mutig mit ungebeugtem Sinn,
   Gestärkt durch frommen Glauben, vor seinen König hin
   Und spricht: „Mein Herr und König, an des Verderbens Rand,
   So rufen alle, schwebet das teure Vaterland!

5. Was ist dem frommen Christen, dem Gott das Himmelreich
   In Gnaden hat versprochen, was ist dem Christen gleich?
   Er weiß, wofür er kämpfet, er weiß, wer ihn beschützt,
   Und daß sein Tod im Kampfe so ihm wie andern nützt.

6. Er bebet nicht dem Feinde der Erde, der den Leib
   Nur tötet, den geboren zum Tode ja das Weib.
   An unsrer Seite kämpfet der Heiland Jesus Christ;
   Und sollten wir uns fürchten, wenn Gott selbst mit uns ist?

7. Auf! ziehen wir entgegen den Feinden, voller Mut,
   Für Gott und seine Lehre, nicht für ein irdisch Gut!
   Kämpft Juppiter und Mahomed auch selbst in Feindes Reihn,
   Es fürchten nichts die Christen, die sich dem Tode weihn."

XXIII.

1. Vordringt das Heer der Christen, auf Gottes Schutz und Macht
   Vertrauend, kühn den Feinden entgegen in die Schlacht.
   An ihrer Spitze schreiten drei mächtige Heiden her:
   Der Riese und Graf Wetzel und Ernst, in starker Wehr.

2. Sie wollen jetzo rächen der Christen edles Blut,
   So die Heiden frech vergossen in grauenvoller Wut,
   Indem sie Fraun und Kinder geschlachtet rings im Land
   Und ohne Scheu die Kirchen des Heilands niedergebrannt.

3. Hier dringet Reih' auf Reihe, dort kämpfet Mann mit Mann,
   Stets eilen neue Scharen zum Heldenkampf heran;
   Lang' schwankt des Kampfes Wage, das Zünglein sinkt und steigt;
   Fest steht das Heer der Christen dem Heiden, der auch nicht weicht.

4. Der Riese schlägt so mächtig mit seinem Baumstamm drein,
   Wirft ganze Reihen nieder; das mochte lustig sein
   Dem Christenheer. Die Heiden verdroß zwar solcher Gruß,
   Doch wollten sie nicht wenden zum fliehen Rücken und Fuß.

5. Tief in die Feinde dringet nun Ernst auf schnellem Roß,
   Vor seiner schwarzen Klinge weicht scheu zurück der Troß;
   Nur der König und seine Ritter, sie stehen ungebeugt,
   Wenn auch des Heeres Hälfte vor den Christenhunden fleucht.

6. Hoch in das Reich der Lüfte ein lautes Allah! dringt,
   Und hoch den blutigen Degen so Christ als Heide schwingt.
   Jetzt muß es sich entscheiden. Ernst waget sich zu weit;
   Halt, tapfrer Held, zum Siege, zum Tode dich bereit!

7. Schon lieget schwer getroffen manch mutbeseelter Held,
   Der Heiden Reih'n entrissen, auf blutbedecktem Feld.
   Den Stahl hebt Ernst schon wieder zu neuem Tod, da saust,
   Den Schädel ihm zu spalten, ein Schwert in starker Faust.

8. Graf Wetzel haut dem Kühnen zu Boden Kopf und Arm
   In einem Hieb; der Riese wirft nieder manchen Schwarm;
   Ernst nimmt den König gefangen, — da ist gekämpft die Schlacht,
   Da weht der Christen Fahne, da stürzt der Heiden Macht.

XXlV.

1. Von Indien nahm nun Abschied der sieggekrönte Held
   Und zog mit Babels König, den er besiegt im Feld;
   Der hatte ihm versprochen ein sicheres Geleit
   Zur Stadt, wo unser Heiland gelebt in Niedrigkeit.

2. Der König wird empfangen mit Jubel und mit Lust,
   Er schließt in Liebe Gemahlin und Kinder an die Brust.
   „Der Tapfre da besiegte und rettete mich dann,"
   So spricht er, „ihn bewirtet als einen edlen Mann!"

3. Ernſt will nicht lang' ſich freuen an all der Herrlichkeit,
Doch bleibt, von Lieb' und Ehre beſtimmt, er einige Zeit;
Dann bricht er auf, vom König geehret und reich beſchenkt.
Jeruſalem zu ſchauen, eh' dreimal der Tag ſich ſenkt.

4. Als er am dritten Morgen beim erſten Sonnenſtrahl,
Wie er auf eine Höhe geſtiegen aus dem Thal,
Sie glänzen ſieht, da ſinkt er, von Andacht tief entbrannt,
Zur Erd' und betet zum Vater, der uns das Heil geſandt.

5. Er geht darauf zum Grabe des Heilands hin und fleht
Um Nachlaß ſeiner Sünden mit Thränen und Gebet,
Beſucht die Schädelſtätte, Bethania, Bethlehem,
Gethſemane und Kidron, unfern Jeruſalem.

6. Alsdann wird zu dem Hofe des Königs er geführt
Und ehrenvoll empfangen, wie ſeinem Stand gebührt.
Und ſeine Wundermenſchen, ſie führen manchen Strauß
Des ſpaßhaft komiſchen Kampfes am Hof des Königs aus.

7. Graf Ernſt und Wetzel eilen voll Kühnheit oft zu Roß
Der Heidenſchar entgegen, der Rieſe iſt ihr Genoß;
Sie ſchlagen zurück die Feinde und ſchützen das heilige Land;
Mit Ehrfurcht wird ſein Name von Heid' und Chriſt genannt.

8. Doch denkt er ſtets bei Ehre und Ruhm ans Heimatland,
Denkt an den Ort mit Wehmut, wo ſeine Wiege ſtand,
Sehnt nach dem Schwabenlande ſich immer mehr zurück;
Dort, dort allein nur blühet ihm Ruhe, Freud' und Glück!

XXV.

1. Im Baiernland kam öfters die frohe Kunde an,
Wie Ernſt die Heiden ſchläge als Chriſt und tapfrer Mann.
Gar mancher wünſcht zurücke den Herzog, ſtark und gut,
Daß wiederum er nähme das Land in ſeine Hut.

2. Frau Adelheid, die Schöne, wie härmte dieſe ſich!
Sie warf vor Gott ſich nieder und weinte bitterlich;
Sie flehte zu Maria, der Gottesgebärerin,
In Güte doch zu wenden des Kaiſers harten Sinn.

3. Kaum hat ſie ſo gebetet, ſo tritt zu ihr herein
Der Kaiſer, der kann wahrlich von Gott geſchickt nur ſein.
„Vernimm, o Adelheide, was mir geträumt die Nacht,
Was mir das Herz im Buſen betrübt und fröhlich macht.

4. Ich geh' in unserm Garten entlang das Blumenbeet
   Und komme an die Laube, die auf der Höhe steht,
   Da stürzt mit finsterm Blicke ein kühner Leu auf mich
   Und packt mich mit den Tatzen und brüllet fürchterlich.

5. Ich greife nach dem Schwerte, doch lahm ist mir der Arm,
   Der mächtig sonst getroffen der Feinde dichten Schwarm.
   Ich blicke nun nach oben mit gläubig frommem Sinn
   Und flehe zu Gott und flehe zur Gottgebärerin.

6. Da eilt in fremdem Kleide schnell über Wies' und Feld,
   Den Degen hoch erhoben, zu Hilfe mir ein Held.
   Er stößt den Löwen nieder, wirft ab das fremde Gewand
   Und ist — der Baiernherzog, er kommt aus dem heiligen Land."

7. Zu Füßen sinkt dem Kaiser die edle Kaiserin:
   „O Kaiser! dies erweiche dir den erzürnten Sinn!
   Gott zeigte dir im Traume, wie Ernst dir nützen kann.
   O, nimm, ich flehe innigst, als Sohn ihn wieder an!"

XXVI.

1. Indessen fuhr der Herzog von Joppes fernem Strand
   Und kam bald wohlbehalten in das gesegnete Land
   Italien und eilte hin nach dem ewigen Rom
   Und ging dort, Gott zu danken, in den erhabnen Dom.

2. Nachdem er hier gebetet in hoher Frömmigkeit,
   Begibt er sich zum Papste, dem Haupt der Christenheit,
   Dem Stellvertreter Christi, der ihm auch nicht versagt
   Den Segen, den in Demut er zu erbitten wagt.

3. Der Kirche guter Hirte, der seine Schafe liebt,
   Der, wenn die Not es heischet, für sie sein Leben gibt,
   Er sendet einen Boten vor Kaiser Ottos Thron,
   In Liebe zu empfangen den heimgekehrten Sohn.

4. Zu Regensburg im Parke, da zieht der Kaiser ein,
   Um von des Reichs Geschäften allhier befreit zu sein,
   Um neue Kraft zu sammeln zu seiner Bürger Heil;
   Ihm ist von allen Mühen bestimmt der größte Teil.

5. Dahin kommt Ernst der Herzog; er kennt des Gehorsams Pflicht,
   Er wirft vor seines Vaters, des Kaisers, Angesicht
   Mit seinem Freund sich nieder; auch seine Mutter fleht.
   Und ist so hart der Kaiser, daß er hier widersteht?

6. Er drückt an Brust und Lippen den heimgekehrten Sohn,
Der ihm ja nie gestrebet nach Leben und nach Thron.
Sein Auge füllen Thränen der Reue und der Lust,
Er schließt in Liebe Mutter und Sohn an seine Brust.

7. Ein Festzug wird begangen mit nie gesehner Pracht,
Der Zauber frührer Zeiten scheint wieder neu erwacht.
Man läutet alle Glocken, die Freudenfahnen wehn,
Vors Thor eilt jeder Bürger, den guten Ernst zu sehn.

8. Der reitet zwischen Vater und Mutter, hoch entzückt,
Daß seine Ankunft innig die Bürger all' beglückt.
Dann kommt der treue Wetzel, der kampferprobte Held,
Und dann, geführt vom Riesen, die artige Wunderwelt.

9. Dann drängt sich Meng' an Menge, so weit das Auge schaut,
Und durch die Wolken dringet der frohen Jubellaut:
Heil, Heil dem Vaterlande! dem biedern Kaiser Heil!
Heil, Heil dem edlen Sohne! der guten Mutter Heil!

❧

84. Zum Weihnachtsfest. (1848.)

(An gute Kinder.)

1. Ich kenn' ein schönes Gärtchen voll Blumen, wunderhold,
Hier blau wie Himmelsbläue, dort gelb wie reines Gold.
Es glänzen alle Farben wie Regenbogenglanz,
Und in die Blumen mischt sich der Früchte frischer Kranz.

2. Und in dem Gärtchen spielet der Kinder frohe Schar;
Gesundheit lacht im Antlitz, das Aug' ist hell und klar.
Sie tanzen, jauchzen, springen und singen, daß es schallt,
Zum Festgesang der Vögel im nahen Buchenwald.

3. Und in der Kinder Mitte ein Kind, so anmutreich,
So heilig-hehr, so göttlich, so keinem Menschen gleich,
So freundlich und so lieblich, so sanft und sorgenvoll,
Doch keines ja der Kindlein sich irgend schädigen soll.

4. Christkindchen ist's, das huldvoll zu allen Kindern spricht,
Sie ladend in das Gärtchen: „Kommt her und zögert nicht!"
Wer fromm ist und gehorsam und folgt der Eltern Wort
Und fleißig lernt und betet, der kommt an diesen Ort.

5. Drum lernet ja recht fleißig, folgt gerne, folgt zur Stund
   Der Eltern Wort und betet recht fromm aus Herzensgrund
   Zum guten Christuskinde; dann kommt ihr allzumal
   In jenes schöne Gärtchen, zu froher Kinderzahl.

⚜

85. Von dem heiligen Paulus. (1848.)

(Dixit Dominus: Ex Basan convertam.)

1. Gott der Herr sprach: Mann aus Basan, aus des Götzenglaubens
   Glut
   Will ich nehmen dich und tauchen in des wahren Glaubens Flut.

2. Was Gott sprach, er hat's vollführet: Saulus stürzt zur Erde hin,
   Von der Erd' erhebt sich Saulus, umgewandelt in dem Sinn.

3. Dieses Wunder ist geschehen durch den Heiland Jesus Christ,
   Welcher für uns Mensch geworden, durch den alles ist, was ist.

4. Als den Heiland Saul verfolgte, hörte er das Donnerwort:
   Saul, o Saul, warum doch setzest stets du die Verfolgung fort?

5. Ich bin Jesus, den mit Hasse du verfolgst, doch nicht vermagst
   Du zu widerstehen, wenn du auch der Macht zu trotzen wagst.

6. Von dem Antlitz des Allmächt'gen wird die Erde rings erregt;
   Alles zittert, alles bebet, bald doch ruht es unbewegt.

7. Paulus glaubet, als den Herrn des Weltenreichs er nun erkannt,
   Er verfolgt nicht mehr die Christen, gegen die er sonst entbrannt.

8. Und er wird die Feuerzunge in der Jünger mut'ger Zahl,
   Als er freund aus feind geworden, hingestürzt durch Gottes
   Strahl.

9. In dem Namen aller Priester predigt er im Gotteshaus,
   Ordnet Rechte und Gebräuche, spricht die hohe Wahrheit aus:

10. Der am Kreuzesstamm gestorben, ist der Heiland Jesus Christ;
    Gott ist er wie Geist und Vater, und sein Zeuge Paulus ist.

11. Er, der Priester Feuerzunge, leckt im Alt' und Neuen Bund
    Beide Steine, drin zermalmend, wie es thut der treue Hund.

12. Und die geist'gen Heilungsmittel all' er nun versucht und wagt,
    Um zu stärken, wer noch schwach ist, um zu heilen, wer da klagt.

13. Paulus lehrt den ew'gen Gott, dies sieht das Meer und weicht
zurück;
Viele Juden nun gelangen zu des wahren Glaubens Glück.

14. Und der Heiden Scharen steigen aus der Laster tiefem Grund,
Und es stürzt der Lasterkönig Satan in der Hölle Schlund.

15. Alle beten nun zu Christus, der erschaffen hat das All,
Mensch geworden und am Kreuze uns erlöst vom Sündenfall.

86. Vom heiligen Kreuz. (1848)

(Übersetzung des Laudes crucis attolamus.)

1. Lasset uns des Kreuzes Lob erheben,
Die wir stolz im Ruhm des Kreuzes sind!
Unser Lied soll auf zum Himmel schweben,
Wo der Engel Dreimal-Heilig schallt!
Laßt in süßem Lied das Kreuz uns preisen,
Wie das Lied sei unser Leben rein;
Stimmen Lied und Leben so zusammen,
Dann wird süß der hehre Wohllaut sein.

2. Preisen müßt ihr stets das Kreuz und loben,
Die ihr Diener wollt des Kreuzes sein;
Denn es wurde durch das Kreuz von oben
Euch das ew'ge Leben ja geschenkt.
Preisen soll es jeder, preisen alle;
Allenthalben schall' das Wort mit Macht:
„Sei gegrüßt uns, Heil du aller Zeiten,
Heil'ges Kreuz, das Rettung uns. gebracht!"

3. Wie so glücklich war, wie so erhaben
Strahlte dieser Altar unsers Heils,
Den sie mit dem Blut gerötet haben
Unsers Heilands, dieses Opferlamms!
Dieses Lamm, das keine Fehler kannte,
Das befreit von jeder Makel war,
Reinigte die Menschen aller Zeiten
Dort von Adams Schuld auf dem Altar.

4. Dieses Kreuz, es ist für reu'ge Sünder
Eine Leiter zu dem Himmelsthor;
Und auf ihr führt fromme Menschenkinder
Christus, Herr des Himmels, zu sich hin.

Dieses wird schon durch die Form gedeutet;
Denn nach jedem End' im Weltenreich
Strecket aus das Kreuz die weiten Arme,
Hin zum Heil zu führen all' zugleich.

5. Neu ist nicht des Kreuzes hehre Weihe
Und Verehrung, Huldigung und Preis;
Nicht erfunden ward erst jüngst aufs neue,
Wie man lobt und ehrt das heil'ge Kreuz.
Dieses Kreuz hat früher schon verliehen
Süßigkeit dem Wasser, und alldort
In der Wüste gab der Felsen trinkbar
Wasser durch das Kreuz auf Moses' Wort.

6. In dem Hause ist kein Heil zu finden,
Und kein Heil im wirren Lebensgang,
Sucht der Mensch das Heil sich nicht zu gründen
Auf des Kreuzes heil'gem Weihaltar.
Noch nie hat gefühlt des Schwertes Schärfe,
Wer sich mit dem Kreuz gerüstet hat;
Nie ein Vater hat den Sohn verloren,
Wenn den Weg er mit dem Kreuz betrat.

7. Holz sich sammelnd in Sareptas Auen,
Wo zerstreut es auf dem Boden lag,
Fand die Frau, die ärmste aller Frauen,
Ihres Heiles frohe Hoffnung auf.
Ohne dieses Holz vom Kreuzesstamme,
Das als Stamm des wahren Kreuzes prangt,
Nützet weder Öl noch nützet Feuer,
Noch Getreid', in Menge angelangt.

8. In den heil'gen Büchern doch verhüllet,
Sehen wir des Kreuzes Wohlthat schon;
Was dort dunkel war, ist nun enthüllet
In dem Buch des Neuen Testaments.
Könige glauben nun und Feinde weichen,
Wo das Kreuz als Siegspanier erscheint.
Unter Christi Führung mit dem Kreuze
Zwinget tausend nun zur Flucht ein Feind.

9. Mut'ger ist des Kreuzes Held zu sehen,
Ihm wird stets des Sieges hehrer Kranz.
Kranke heilt das Kreuz, macht Lahme gehen
Und vertreibt der bösen Geister Schar;
Gibt die Freiheit den Gefangnen wieder,
Zeigt ein neues Leben unserm Blick.
Und zum frühern Glanz des Paradieses
Führt die Menschen wieder es zurück.

10. Heil'ges Kreuz, sei immer uns gegrüßet,
Siegreich Holz, du wahres Heil der Welt!
Nimmer noch ein solcher Baum entsprießet,
Gleich an Laub, an Blüt' und Knospenpracht!
Einz'ges Mittel du zum ew'gen Leben,
Hilf Gesunden, Kranke führ' zum Heil!
Wenn uns keine Menschenkraft kann helfen,
Wird durch dich die Rettung uns zu teil.

11. Die das Kreuz in Liedern wir erheben,
Die wir Diener dieses Kreuzes sind,
Jesus Christus, einst nach diesem Leben
Führ' uns in das Reich des wahren Lichts!
Die wir Qualen hier und Martern leiden,
O, befrei' uns von der Hölle Pein!
Wird der Tag einst des Gerichts erscheinen,
Führ' uns dann zum ew'gen Leben ein!

87. Von der Geburt des Herrn.
(Freie Übersetzung des Natus ante saecula Dei filius.)

1. Schon vor der Zeiten Beginn ward Gottes Erzeugter geboren,
Er, den kein Auge gesehn, welchen begrenzet kein Raum;

2. Welcher den Bogen des Himmels erschuf, das Meer und die Erde
Und die Wesen, so hier leben in Dankesgefühl;

3. Welcher die flüchtigen Tage und eilenden Stunden entschwinden
Läßt, sie wieder erneut, wie es sein Wille gebeut.

4. In einstimmigem Ton stets singen die Engel des Himmels
Ihm Loblieder voll Dank: Ehre sei, Preis dir, und Ruhm!

5. Einen gebrechlichen Körper, doch frei von Sündenbefleckung
   Nahm von Maria er an, wandelt in irdischem Fleisch,

6. Um zu tilgen die Schuld von dem ersten Paare der Menschen,
   Das, durch die Schlange verführt, aß von verbotener Frucht.

7. Dieses verkündet der heutige Tag im Glanze des Lichtes,
   Welchem ein längeres Maß wurde durch Gottes Geheiß;

8. Weil heut' Christi Geburt, der die wahre Sonne des Heils ist,
   Scheuchte das Dunkel der Nacht, welches die Sünde gebracht.

9. Und nicht fehlet der Nacht der Glanz des neuen Gestirnes,
   Welches das kundige Aug' jener drei Weisen erschreckt.

10. Nicht auch fehlet das strahlende Licht den wachenden Hirten,
    Welche der mächtige Glanz blendet des göttlichen Heers.

11. Freu' du, Gottesgebärerin, dich! Statt helfender Frauen
    Stehen ja Engel um dich, preisend den Heiland der Welt.

12. Christus, einziger Sohn des Vaters, der du ob unserm
    Heil Mensch wurdest, o, hör' gnädig der flehenden Ruf!

13. Hör' in Gnaden, o Jesu, das Flehen der Menschen auf Erden,
    Denen in Menschengestalt du dich genahet dereinst!

14. Eingeborner des Vaters, Erlöser des Menschengeschlechtes,
    Laß, wir flehen zu dir, einst uns dein Angesicht sehen!

88. Erinnerung an das Leiden Christi. (1854.)

(Moerentes oculi spargite lacrimas.)

1. Trauert, Augen, und laßt fließen der Thränen Flut,
   Und vom klagenden Schmerz halle die tiefe Brust;
   Denn ich zeige die Qual, zeige die Wunden euch,
   Die Gott von den Verruchten litt.

2. Ach! umgürtet mit Wehr, greift der Soldaten Schar
   Unsern Herrn, auf ihn los stürmet mit Prügeln sie,
   Gibt Faustschläge ihm jetzt, jetzt mit gewalt'gem Streich
   Trifft das göttliche Haupt sie ihm.

3. Nicht zu End' ist die Wut; gottlosem Henker wird
Übergeben der Herr, und der Verruchte scheut
Sich nicht frevelnd die Hand gegen den höchsten Herrn
Zu erheben in Übermut.

4. Höret, Völker! es fließt Blut von den Schultern ihm,
Und doch duldet er, Gott! jeglicher Liebe wert
Und unschuldig, den Drang rasender Henker, schweigt
Still, ein duldendes Opferlamm.

5. Ist ein Aug', das nicht weint? Seht, des verruchten Volks
Bosheit sinnet aufs neu' schreckliche Qualen aus;
Ach, des Schmerzes! es drückt spitziger Dornen voll
Ihm die Kron' auf das heil'ge Haupt.

6. O, der Frevel! es wird hin zu der Schädelstatt
Hingeschleppet der Herr, wund von der Stricke Last;
Da erlitt er den Tod, gab in des Vaters Hand
Seinen heiligen Geist zurück.

7. Der für uns du so viel Wunden erlitten hast,
Dir erschall' auf der Erd' schuldiger Preisgesang,
Und das Menschengeschlecht hebe zum Himmel hoch
Deinen heiligen Namen stets!

89. Jesus am Ölberg.

(Adspice, ut Verbum Patris a supernis.)

1. Siehe, wie voll Gnade und liebeglühend
Von den Höh'n des Himmels das Wort des Vaters
Niedersteigt, zu heilen von Schuld der Sünde
Adams Erzeugte.

2. Sich erbarmend über der Welt Verderben,
Und gewillt, vom Falle uns aufzurichten,
Betet dort der Meister und fleht gebeugten
Haupts um Verzeihung.

3. Solches Elend macht ihm das Herz erbeben,
Nimm, so spricht er flehend, den Kelch des Schmerzes
Von mir, Vater; doch es gescheh' dein Wille,
Und nicht der meine.

17

4. Bangigkeit ergreift ihm das Herz und Trauer,
Und er sinkt zu Boden, der Herr, und Blutschweiß
Rinnt vom Antlitz ihm, und den Boden netzen
Blutige Tropfen.

5. Schnell doch kommt vom Himmel herab ein Engel
Zu dem schwach daliegenden Heiland, stärkt ihn;
Wiederkehrt dem Körper die Kraft, vom Boden
Steht er gestärkt auf.

6. Ehre sei dem Vater und auch dem Sohne,
Dem ein Name ward über alle Namen;
Herrlichkeit und Kraft sei dem Heiligen Geiste
Immer und ewig.

90. Jesus am Ölberg.

(Venit e caelo Mediator alto.)

1. Niederstieg der Mittler vom hohen Himmel,
Den die heil'gen Sänger schon längst verkündet;
Darum unterdrücke, o Tochter Sions,
Trauer und Thränen.

2. Wenn auch Tod uns brachte der alte Garten
Mit der Sündenschuld, sieh! es bringet Leben
Dieser neue Garten, in welchem Jesus
Betend die Nacht weilt.

3. Er besänftigt Rache und Zorn des Schöpfers;
Wehrt mit starker Rechte den drohnden Blitzen;
Für die Frevelthaten das Sühnungsopfer
Bringt der Erlöser.

4. So wird er zersprengen der Hölle Bande,
So die lang' verschlossene Pforte öffnen,
Und zurück uns rufen zu seines Reiches
Ewigen Freuden.

5. Ehre sei dem Vater und auch dem Sohne,
Dem ein Name ward über alle Namen;
Herrlichkeit und Kraft sei dem Heiligen Geiste
Immer und ewig.

91. Die Dornenkrone.

(Exite Sion filiae.)

1. Ihr Töchter Sions kommt heraus,
Ihr keuschen Jungfraun kommt und schaut,
Die selber ihm die Mutter flocht,
Die Dornenkron' auf Christi Haupt.

2. Es starrt mit aufgelöstem Haar
Sein Haupt, von scharfen Dornen wund;
Und sein entfärbtes Angesicht
Blickt nach der nahen Todesstund'.

3. O, welches ungefurchte Land,
Mit Dorn' und Disteln übersät,
Hat diese Gab' hervorgebracht?
Wer hat doch diese Frucht gemäht?

4. Jedoch von Christi Blute rot
Wandelt in Rose sich der Dorn;
Fruchtreicher als die Palme, ist
Für Siege besser nun der Dorn.

5. Gepflanzet durch der Menschen Schuld,
Bereiten Dornen, Herr, dir Pein;
Reiß unsre Dornen aus und pflanz'
Die deinen unsern Herzen ein.

6. Dem Vater, Sohn und heil'gen Geist
Sei Ehre, Lob und Herrlichkeit
Und Preis und Kraft zu aller Zeit,
Von nun an bis in Ewigkeit.

92. Kreuzigung.

(Adspice, infami Deus ipso ligno.)

1. Sieh, es hängt Gott selber am Holz der Schande,
Ganz von heil'gem Blut ist er überronnen;
Und die hehren Hände durchbohren schmerzlich
Eiserne Nägel.

2. Sieh, er schwebt, als ob er gedient Verruchten,
An dem Kreuze zwischen unwürdigen Schächern;
So gewollet hat es des harten Volkes
Grausamer Wille.

3. Es erblasset, ach! sein Gesicht; ermattet
Sinkt sein Haupt; es schließet der Herr die Augen,
Und er haucht aus heiligem Mund den Geist aus,
Reich an Verdiensten.

4. Menschenherz, noch härter als Erz, wenn du nicht
Sühnst die Schuld durch Weinen; ans Holz geheftet
Hat ihn deine Schuld und dem furchtbaren Tode
Ihn überliefert.

5. Gott sei Lob und Ehre durch alle Zeiten,
Der aus Liebe unser Geschlecht erlöst hat
Und mit seinem Blute getilgt uns Armen
Flecken des Frevels.

93. Lanze und Nägel.
(Quaenam lingua tibi, o lancea, debitas.)

1. Welche Zunge vermag, Lanze, gebührend dir
Dank zu zollen? Denn du öffnest die heilige,
Lebengebende Seit' unsers Erlösers ja,
Woher unsere Kraft entsprang.

2. Diese Eva, sie geht aus von des Mannes Seit',
Da die Glieder des Manns ruhen in tiefem Schlaf;
Denn da Wasser und Blut ihm aus dem Herzen floß,
Bracht' hervor sie der zweit' Adam.

3. O ihr Nägel, es harrt euer ein gleicher Dank,
Die, ins heil'ge Gebein Christi gesenket, ihr
Das Verzeichnis der Schuld schlugt an das Kreuzesholz,
Ausgelöscht von dem Blut des Herrn.

4. Engel sollen dich, Herr, preisen im Lobgesang,
Da im Himmel du noch zeigest der Nägel Mal
Und der Lanze, wo du herrschest in Lebenskraft
Mit dem Vater und heil'gen Geist.

94. Christi Kreuzestod.

(Saevo dolorum turbine.)

1. Von wildem Schmerzenssturm durchtobt,
   Erfaßt von fürchterlichen Plagen,
   Sieh dort den Heiland Jesus Christ
   Uns harte Kreuzesholz geschlagen.

2. Durch Händ' und Füße dringen ihm
   Die Nägel, rot von heil'gem Blute;
   Bedeckt ist Antlitz, Herz und Brust
   Dem Heiland von hochheil'gem Blute.

3. Er weinet, betet, rufet, stirbt;
   Die Mutter fühlt ein Schwert im Herzen.
   Ach Sohn, ach Mutter! rührten doch
   Uns Undankbare diese Schmerzen!

4. Es spalten Berg' und Gräber sich,
   Es springen Felsen, mit den Flüssen
   Erbebt das Meer, im Tempel ist
   Der hehre Vorhang durchgerissen.

5. Die Erde seufzt, und Sonn' und Mond
   Und Stern' und Himmel trauernd klagen;
   Ihr Männer, Kinder, Bräute, Fraun,
   Laßt auch erschallen eure Klagen!

6. Stellt trauernd hin euch an das Kreuz,
   Und salbt des Heilands heil'ge Füße,
   Wascht sie mit Thränen, trocknet sie
   Und drückt darauf dann reine Küsse!

7. Damit, o Liebesopfer, du
   Hinwegnimmst unsrer Sünden Bürde,
   Schenkst du uns durch dein heilsam Blut
   Der Kinder Gottes hohe Würde.

8. Schenk darum, Jesu, Fried' und Freud'
   Und Leben uns von deinem Throne,
   Sei Führer hier im Leben uns,
   Und dort im Himmel unsre Krone!

95. Christi Leichentuch.

(Gloriam sacrae celebremus omnes.)

1. Laßt den Ruhm des heiligen Tuchs uns alle
Preisen; laßt in fröhlichen Festesliedern
Und Gelübden feiern die sichern Zeichen
Unseres Heiles,

2. Welche stets bewahret das Tuch, das hehre,
Schön gezieret mit dem vergoßnen Blute,
Da des Heilands Leib, von dem Kreuz genommen,
Sanft es umwunden.

3. Dieses Tuch erwecket der Seel' die Schmerzen,
Welche Jesus litt, da er starb am Kreuze,
Er, der Weltheiland, sich der Schuld vom Adam
Liebend erbarmend.

4. Dieses Bild, es zeiget der Seite Wunde,
Händ' und Füß' von Nägeln durchbohrt, von Geißeln
Wundgeschlagne Glieder und auf dem Haupt die
Krone von Dornen.

5. Welcher Fromme könnte mit trocknen Augen,
Ohne tiefen Schmerz in der Brust zu fühlen,
Schaun des ganz unwürdigen Todes klare
Lebende Bilder?

6. Da, o Heiland, unsere Schuld allein dir
War die Ursach' solcher gewalt'gen Schmerzen,
So gebühret ganz dir auch unser Leben;
Nimm es in Gnade!

7. Ehre sei und Ruhm dir, o Sohn des Vaters,
Der mit deinem Blut du die Welt erlöst hast,
Der du mit dem Vater und Heil'gen Geiste
Ewiglich herrschest.

96. Das Kreuz.

(Crux fidelis inter omnes.)

1. Heil'ges Kreuz, du Baum der Treue,
Edler Baum, dem keiner gleich;
Keiner so an Laub und Blüte,
Keiner so an Früchten reich;
Süßes Holz, o süße Nägel,
Welche süße Last an euch!

2. Sing, o Zunge, rühm', o Seele,
Jenes Kampfes Herrlichkeit,
Der das Kreuz zum Siegeszeichen
Im Triumph hat eingeweiht!
Singe, wie der Welterlöser
Sterbend siegt ob Tod und Leid.

3. Mit Erbarmen sah der Schöpfer
Unsrer Eltern Schuld und Not,
Da der Apfel, Frucht des Holzes,
Sie gestürzt in Leid und Not;
Und das Holz wählt er, zu sühnen,
Was vom Holze war gedroht.

4. Also ward von Gott geordnet
Rettung aus dem schweren Fluch,
Daß die Weisheit überwände
Des Verräters List und Trug,
Und von dort die Heilung komme,
Wo der Feind die Wunde schlug.

5. Als nun kam der Zeiten Fülle,
Ward das Wort herabgesandt;
Aus des ew'gen Vaters Reiche
Kam der Sohn ins Todesland,
Und in einer Jungfrau Schoße
Nahm er an des Fleisches Band.

6. Seht den Schöpfer in der Krippe,
Seht das Kind so schwach und klein,
Wie die Mutter seine Glieder
Hüllt in arme Windeln ein;
Eine Jungfrau trägt den Schöpfer,
Bindet Händ' und Füße sein.

7. Dreißig Jahre sind vollendet,
   Und es neigt sich seine Zeit;
   Willig gibt er sich zum Leiden,
   Gibt sich hin der Sterblichkeit.
   Seht das Opferlamm am Kreuze,
   Gottes Sohn, dem Tod geweiht!

8. Gall' und Essig, Rohr und Speichel,
   Nägel, Speer und scharfe Rut'!
   Schau, o Mensch, den Leib durchbohret,
   Sieh das Blut vom höchsten Gut!
   Erd' und Meer und Stern und alles
   Wäscht sich rein in diesem Blut.

9. Neig' die Zweige, Baum der Treue,
   Gib den Gliedern süße Rast;
   Laß erweichen deine Härte,
   Trage sanft die teure Last;
   Sieh, den Leib des höchsten Königs,
   Heil'ger Baum, hältst du umfaßt!

10. Sei gegrüßt, du Baum des Sieges,
    Trägst die Sühnung aller Zeit;
    Gibst der Welt den Rettungshafen,
    Die dem Schiffbruch war bereit;
    Kreuz des Heiles, Baum des Lebens,
    Mit dem Blut des Lamms geweiht!

11. Lob und Ehre sei der ew'gen
    Heiligsten Dreifaltigkeit,
    Lob dem Vater und dem Sohne
    Und dem Geist in Ewigkeit,
    Gleich an Kraft und Macht und Ehre.
    Einig in der Wesenheit!

※

97. Zum Geburtstage Sr. Hoheit des Herzogs Adolf.
(24. Juli 1863.)

1. Auf unsers Landes Bergen steiget
   Die Eich' und Buche himmelwärts
   Und unsers Landes Schoß erzeuget
   In reicher Fülle edles Erz.

An Main und Lahn die Fluren geben
Den Halm, der segenschwer sich bog.
Am Rhein, da wachsen unsre Reben:
Dem schönen Land ein Lebehoch!

2. Wie Feld und Rebe wird gepfleget,
So blüht auch Kunst und Wissenschaft.
Des Glaubens Schatz wird fromm geheget
Von unserm Volk mit Manneskraft.
Und wie die Eich' in Sturmes Grimme,
Steht seine Treu', die nimmer log,
Fest gegen der Verführung Stimme:
Dem biedern Volk ein Lebehoch!

3. Heil Herzog Adolf, der regieret
So treues Volk, so reiches Land,
Zu immer höherm Glück sie führet
Mit liebestarker Vaterhand!
Das Band der Lieb', das Band der Treue,
Das ihn und uns seit lang umzog,
Knüpf' heute fester sich aufs neue!
Der Herzog Adolf lebe hoch!

98. Zur Vermählungsfeier

des Erzherzogs Joseph Karl Ludwig von Österreich
und der Prinzessin Maria Adelheid Clothilde Amalie
von Sachsen = Koburg = Cohary.

(Sommer 1864.)

1. Joseph, edler Sprosse von Habsburgs Stamme,
Eilet hin nach Thüringens schönen Gauen
Zu Coharys Tochter Clothilde, seiner
Herzenserkornen,

2. Zu besiegeln unter der Kirche Segen
Ew'gen Ehebund mit des Landes Perle,
Wie einst mit Elisabeth, Ungarns Tochter,
Thüringens Landgraf.

3. Heil und Segen zweier Geschlechter Bunde,
Deren Söhne zählen in langen Reihen
Starke Fürsten, Krieger und Mäcenate,
Heil'ge der Kirche;

4. Deren Töchter Muster von deutscher Treue,
Gattenliebe, frommen und hohen Sinnes,
Auf dem Thron geschickt, wie die Kunkel, so das
Szepter zu führen.

5. Allwärts zeiget heute sich froher Jubel
Ob dem Maienfeste des allgeliebten
Paares und der Wunsch, daß ein steter Frühling
Blüh' in der Ehe.

6. Coburg schmücket sich mit dem Feierkleide,
Streuet Blumen seiner erlauchten Tochter,
Jubelt laut in freudigen Festakkorden
Wonnigen Herzens.

7. Der Geschütze donnerndes Echo kündet
Allen Völkern Österreichs bis zur fernsten
Mark hin ihres Kaisergeschlechtes Sprossen
Selige Stunde.

8. Thüringen zujauchzet der holden Tochter,
Österreich zujauchzet dem edeln Sohne:
Zwischen Fürst und Fürstin das heil'ge Bündnis
Knüpfte die Liebe.

9. Mög' der Neuvermählten Gestirne dauernd
Hellen Glanz die Sonne des Glücks verleihen,
Auf daß nie dem Doppelgestirn erscheinen
Trübende Wölkchen!

10. Auf daß Herz und Seele vereint im Äther
Reinen Glückes schweben für immer, wie des
Doppelaars gewaltige Schwingen über
Österreichs Landen!

11. Eltern, Brüder, Schwestern, Verwandte flehen
Heut' zu Gott, dem ewigen Herrn des Weltalls,
Höchstden Neuvermählten in Huld des Segens
Fülle zu schenken.

12. Joseph und Maria, des Gottesſohnes
    fromme Eltern, nehmet die Neuvermählten
    Joseph und Clothilde in eurer Liebe
    Schützende Obhut!

❧

99. Feſtode zum Regierungsjubiläum Seiner Hoheit des Herzogs Adolf von Naſſau.

(21. Auguſt 1864.)

1. Heil Herzog Adolf! Unſerem Fürſten Heil!
   Erlauchtem Sproſſen eines Jahrhunderte
   In Treue ſeine Unterthanen
   Liebend regierenden Herrſcherſtammes!

2. Am heut'gen hehren Tage frohlocket laut
   Dein Volk, das du mit ſchützender Vaterhand
   Ohn' Raſt, der Jahre fünfundzwanzig
   Liebevoll leitend, zum Wohle geführt haſt.

3. Preis dringt und Dank dir freudig dein treues Volk.
   Heil Adolf! hallen wieder die Gauen all',
   Sei hoch beglückt! ruft Ahn' und Vater,
   Enkel erzählen vom Jubelfeſte.

4. In Gottes Tempel bitten heut' Greis und Kind
   Den Herrn des Weltalls, daß er noch lange Zeit
   In ſeiner Huld des Segens Fülle
   Reichlich ergieße auf unſern Fürſten;

5. Hinfort auch blühen laſſe ſein ganzes Haus,
   Ein Muſterbild, um welches ſein Volk ſich ſchart,
   In ſeinen Sproſſen ſtets verehrend
   Liebende Herrſcher mit Kraft und Weisheit.

6. Den Enkel Kaiſer Adolfs zu feiern laut,
   Erſcheinen alle heut' vor deinem Thron;
   Im Feſtgewande ſingt die Jugend,
   Nennet in Liebe dich, Fürſt und Vater.

7. Ein Lorbeerkranz wird heute gewunden dir,
   Mäcen der schönen Kunst und der Wissenschaft;
   Heut' huldigt, wer den Degen schwinget,
   Auch wer den Pflug durch die Fluren führet.

8. Und deine Kinder rufen mit Herz und Mund:
   Sei glücklich Vater! Lenke dein Volk noch lang!
   Ein festes Band urdeutscher Treue
   Schlingt sich um uns und um unsern Fürsten!

9. Treu', Ehrfurcht, Liebe Gott und dem Landesherrn!
   Ein heil'ger Dreiklang, welchen der Jugend wir
   Tief in die Herzen prägen wollen
   So durch die That, wie durch Wort und Lehre.

❧

100. Das Landmädchen in der Stadt. (1846.)

(Mundart von Heidesheim.)

1 Waaß werklich nit, was ich do glaawe soll
  Dun dene Harrn do in der große Stadt.
  Die Harrn, denk nor, hunn Spohren an ehren Stiwwel
  Unn Beitsche in de Henn, — vor was dann nor?
5 's sein doch kaa Ritter, dann se hunn kaa Gail,
  's sein aach kaa Kutscher, dann se sein so niedlich.
  Ich waaß werklich nit, was ich glaawe soll.
  Unn Reckelcher hunn se, die sein kordeliert,
  So saan se, glaaw ich; unn bis an die Ohren
10 Hunn se de Hals in Vattermerder stecke,
  Des sein die Halskrae, denk nor, Ammiche!
  Die Naas guckt kaam ervor, unn uff der Naas
  Hunn se e goldig Brill noch sitze, maant mer dann,
  Die junge Leit, die dere¹) nicks mi sih!
15 Die Halsdücheck stihn uff baare Seire²)
  Ervor, als wie die Herner an de Ochse.
  Guck nor emol die Hoose, maant mer nit,
  Die mißte platze jeden Schlaag, so eng sein die.

---

¹) thäten. — ²) beiden Seiten.

Unn an de Hänn do hunn se Hemmeskrause,
20 Grad wie die Kinner Striffeln bei uns
Am Hals hunn. — Was der Deiwel is dann des?
Die hunn jo Werscht[1]) im Maul unn rajche[2]) dra!
Gih, do gefellt mersch gar nit in der Stadt;
Do laaf ich schnell, so schnell ich laafe kann,
25 Zu unsern kerschefrische Borsch
Uff unser Dorf enaus.

---

[1]) Würste. — [2]) rauchen.

Anhang:

Aphorismen aus J. Kehreins
prosaischen Schriften.

Aphorismen.

1. Gott gab dem Menschen die Sprache, um den Menschen zu verherrlichen; und der Mensch soll die Sprache gebrauchen, um Gott zu verherrlichen. („Entwürfe." 6. Aufl. 1876, Nr. 106.)

2. Für die Gebildeten, besonders für den Studierten ist es wenigstens nicht ehrenvoll, wenn er seine vaterländischen (litterarischen) Erzeugnisse nicht in der Ursprache, wie der Grieche seinen Homer, sondern nur in einer neuhochdeutschen Übersetzung lesen kann. („Scenen aus dem Nibelungenlied," Vorwort S. IV.)

3. Wie die Natur nicht das ganze Jahr hindurch Blüten und Früchte trägt, sondern auch eine Zeit hat, um neue Kräfte zu sammeln: so hat auch noch kein Volk eine beständige Blüte der Poesie gehabt. („Kirchen- und religiöse Lieder 2c." 1853, Vorrede S. VIII.)

4. Alle litterarischen Erscheinungen müssen, soll uns anders ein Blick in ihre Natur gestattet sein, in ihrem Zusammenhange untereinander und mit ihrer Zeit betrachtet werden; denn das Wesen eines Dinges kann ja nur dann richtig erkannt werden, wenn man den ursächlichen Grund desselben richtig erfaßt hat. („Die dramat. Poesie der Deutschen." 1840. Vorrede S. VII.)

5. Nicht das heidnische Altertum (die heidnischen Klassiker), dem Gott einen Platz in der Entwickelung der Menschheit angewiesen, an sich trägt die Schuld des für unsere Schulen Schädlichen, sondern die falsche Auffassung desselben vonseiten der meisten Philologen, Philosophen und Dichter; der Götzendienst, den man mit der sogenannten Humanität getrieben hat und noch treibt. (Das. S. XIII.)

6. Welche große Umwandlung das Wollen und Denken unseres Volkes durch die Einführung des Christentums erfahren hat, sehen wir schon am Inhalt der deutschen Sprache. Darum sind gerade die deutschen Ausdrücke hier ganz besonders wichtig, aber auch deshalb in ihrer Grundbedeutung und in ihrer allmählichen Entwickelung vielen unklarer als die lateinischen. (Hilfsbüchlein z. Erkl. kirchlicher Ausdrücke, Vorwort.)

18

7. Erhebend und ehrfurchtgebietend ist der Gedanke, daß die Kirche da, wo sie die Feier der höchsten Ideen, die heiligsten Gefühle und Thatsachen begeht, wo sie mit Gott verkehrt, vor Gott steht und mit Gott spricht, nicht der gewöhnlichen Sprache des Lebens, sondern ihrer eigenen geheiligten Sprache sich bedient. (Das deutsche kath. Kirchenlied ꝛc. 1874, S. 12.)

8. Unter Kirchenlied dürfen wir nicht allein jene Art von Liedern verstehen, welche während des Gottesdienstes in der Kirche vom ganzen Volke gesungen werden, wir müssen vielmehr darunter alle geistlichen Lieder verstehen, welche bei öffentlichen Andachten überhaupt, auch bei Wallfahrten, Prozessionen, Bittgängen und andern gemeinschaftlichen religiösen Handlungen, sei es vom ganzen Volke oder von besondern Sängern, vorgetragen werden. (Die ältest. kath. Gesangbücher ꝛc. Einleitung, S. 4.)

9. Obschon die Kirche dem lat. Choralgesang stets den Vorzug gegeben hat, so hat sie doch den deutschen Gesang als solchen (wenn sein Inhalt nicht ketzerisch war) niemals als etwas Unkirchliches verworfen oder verboten; sie hat ihn nicht gerade mit Vorliebe gepflegt, ihn vielmehr, da er außerhalb der hl. Opferhandlung ertönte, seiner eigenen Entwickelung überlassen und allmählich das Bewährte und vom Volke bereits liebgewonnene sanktioniert. (Daselbst.)

10. Bei weitem günstiger als das 14. Jahrhundert für die Entwicklung und Aufnahme des deutschen Kirchenliedes zeigt sich das 15. Jahrhundert, wozu die kirchlichen Ereignisse (Irrlehren, Kirchenversammlungen) und bald die Erfindung der Buchdruckerkunst, die deutschen Bibelübersetzungen und viele deutsche Erbauungsbücher ganz besonders mitwirkten. (Daselbst S. 11.)

11. Im 16. Jahrhundert steigerte sich die Thätigkeit für das deutsche Kirchenlied so sehr, daß man dieses Jahrhundert ganz eigentlich das Jahrhundert des Kirchenliedes genannt hat, freilich zunächst nur für das protestantische, gewiß in dieser einseitigen Beschränkung mit Unrecht, da auch von katholischer Seite eine gleich löbliche Rührigkeit sich zeigte. (Daselbst S. 13.)

12. Vor dem 16. Jahrhundert ist von weltlicher Beredsamkeit in deutscher Sprache kaum die Rede, während die (katholische) Kanzelberedsamkeit schon seit dem 8. Jahrhundert mehr oder minder vollständige deutsche Erzeugnisse aufweisen kann. (Die weltl. Beredsamkeit d. Deutschen, § 1.)

13. Die gemeine deutsche Sprache des 15.—16. Jahrhunderts, die in einem sehr großen Teile Deutschlands als Sprache der Bücher

und Kanzleien herrschte, ruhete vorzugsweise auf den Mundarten des mittlern und obern Deutschlands, wo diese im 15. Jahrhundert noch meist mit der oberdeutschen Schriftsprache zusammengefallen waren. Die gemeine deutsche Sprache errang allmählich den Sieg über die Mundarten des Nordens und Südens und wurde so, nachdem sie noch den Sturm der „klassischen Gelehrsamkeit" und im „à la mode-Zeitalter" das „galante Kauderwelsch" überwunden hatte, die Schriftsprache für ganz Deutschland. (Grammatik der deutsch. Sprache des 15.—17. Jahrhunderts. Vorwort, S. V.)

14. Wie die Reformation ein Produkt der Zeit, nicht des einzelnen Mannes war: so hat auch in der Sprachentwickelung Luther keine durchaus neue Bahn gebrochen, sondern sich nur der bereits eingeführten höheren deutschen Litteratursprache (der gemeinen deutschen Sprache) in ihrem ganzen Umfang bemächtigt, sie vervollkommnet und mit den Elementen bereichert und gekräftigt, die im Schoße des Volkes ruheten. (Die weltl. Beredsamkeit der Deutschen, § 2.)

15. Der Dramatiker darf nicht einer vorgefaßten Idee wegen den historischen Stoff willkürlich verändern. (Deutsche Geschichte aus dem Munde deutsch. Dramatiker. Vorwort, S. 5.)

16. Es kann von dem Dichter nicht gefordert werden, daß er am Buchstaben der Geschichte hafte; aber die Objektivität des Lebens und des Geistes der dargestellten Zeit, Schicksale und Charaktere der geschilderten Völker, die großen historischen Verhältnisse und Zustände müssen gewahrt werden. (Daselbst.)

17. Wenn die verkündete und zu verkündende Lehre des Erlösers auch nicht im engsten Sinne national, d. h. nicht für eine Nation bestimmt ist; so verträgt sie sich, eben weil sie für alle Völker ist, auch mit jeder Nationalität und mit jeder Regierungsform. (Handbuch der Erziehung 2c. 1876, § 10.)

Wir sind Deutsche, gehören der deutschen Nation an, wir können, ja, wir sollen darum gute Christen und gute Deutsche sein. (Das. § 11.)

18. Wir haben eine dreifache Aufgabe zu erfüllen: Wir sollen im Leben religiös gegen Gott, liebevoll gegen unsere Mitmenschen, national inbezug auf unser Volk (unsere Nation) sein. (Das. § 12.)

19. Erziehe den Menschen für seine übernatürliche Bestimmung, also für sein ewiges Heil und demnach zur Nachfolge Christi; erziehe den Menschen zur lebendigen, werkthätigen Nächstenliebe; erziehe den Menschen zum würdigen Gliede seiner Nation, zu einem echten Freunde seines Vaterlandes, zu einem wahren Patrioten. (Das. § 13.)

20. Das elterliche Haus soll nach Gottes heiligem Willen und Ratschluß durch alle Geschlechter hindurch die erste und wesentlichste, durch die Religion und Natur zugleich geheiligte Pflanz= und Bildungs= schule der Jugend sein. (Osterprogramm des Gymnasiums zu Hadamar. 1853.)

21. Wir werden die Kindesnatur kennen lernen, wenn wir auf unsere eigene Jugend zurückgehen und uns nicht bloß unserer damaligen Neigungen, Triebe und Zustände, sondern auch alles dessen möglichst erinnern, was auf uns bestimmend und Richtung gebend einwirkte. (Handb. der Erzieh. 2c., § 33.)

22. Es ist die Aufgabe der Erziehung, die Naturtriebe nicht ersticken zu wollen, wohl aber sie zu leiten, vor Ausartung zu be= wahren und sie zu veredeln, was besonders dadurch geschieht, daß man sie unter die Herrschaft der Vernunft stellt. (Das. § 70.)

23. Bei der Erziehung von Kindern zu tüchtigen Mitgliedern der Familie, der bürgerlichen Gesellschaft, der Kirche und des Staates kann hier unter Charakter nur das Handeln nach christlichen Grundsätzen verstanden werden, wozu die christliche Pädagogik in dem Kinde den Grund zu legen hat, auf welchem dann das Leben das Gebäude aufführen und mit dem gehörigen Geräte versehen wird. (Das. § 82.)

24. Die Volksschule ist weder bloße Unterrichts= noch bloße Er= ziehungsanstalt; es müssen vielmehr in ihr Unterricht und Erziehung harmonisch zusammenwirken. („Entwürfe", Nr. 89.)

25. Eine Schule, der es an Zucht fehlt, richtet hinsichtlich der sittlichen Bildung größeres Verderben an, als sie hinsichtlich der Ver= standesbildung Vorteile gewähren kann. (Daselbst, Nr. 88.)

26. So hoch wir auch die Bildung des Schönheitssinnes, des ästhetischen Gefühles anschlagen; so dürfen wir uns doch nie zu der Behauptung versteigen, die Schönheit, die Kunst sei geeignet, an die Stelle der Religion zu treten. Die Religion, die ja den Menschen sittenrein und heilig, also schön im edelsten Sinn des Wortes machen will, nimmt darum den Schönheitssinn, das ästhetische Gefühl, die Kunst als Mitarbeiter an, niemals aber als Stellvertreter. (Hand= buch der Erzieh. 2c., § 105.)

27. Seid euren Schülern in jeder Hinsicht nachahmungswerte Vorbilder! (Entlassungsrede 1869.)

28. Handle, wie du lehrest, und lehre, wie du handelst. (Ent= lassungsrede 1858.)

29. Fanget eure Lehrerwirksamkeit an mit Gott, setzet sie fort mit Gott; so werdet ihr sie auch vollenden mit Gott. (Entlassungs-rede 1870.)

30. Würdige Berufsansicht führt zu hoher Berufsfreudigkeit. (Entwürfe", Nr. 56.)

31. Führe deinen Schüler vom Standpunkte seiner Kraft in rechter Stufenfolge und auf eine wahrhaft bildende Weise zu dem Grade geistiger Bildung, den er seiner Bestimmung nach erreichen soll, um die dreifache Aufgabe seines Lebens (Nr. 18) zu erfüllen. („Handb. der Erzieh." 2c., § 126.)

32. Sehen wir in die gegenwärtigen Zeitverhältnisse hinein, so drängt sich uns alsbald die Überzeugung auf, daß es ganz besonders not thut, alle Staatsangehörigen für die Lehren des Christentums zu gewinnen und zu begeistern. (Osterprogramm des Gymnasiums zu Hadamar. 1853.)

33. Wenn je einer Zeit, so thut der unsrigen das siebenfache Gnadengeschenk des Heiligen Geistes not, wo die Grundübel der Zeit: der Unglaube und die falsche Wissenschaft, die Genußsucht und die Unwahrheit ihr Versteck verlassen und siegestrunken auf offnem Markt erscheinen. (Anrede an den Bischof Dr. Peter Joseph Blum von Limburg 29. Juli 1869.)

34. Seien wir in christlichem Sinne wahr gegen Gott, wahr gegen unsere Mitmenschen, wahr gegen unsern Landesherrn! (Herzogs-Geburtstagsrede 1862.)

35. Handeln wir als fromme Christen, als gewissenhafte Männer, als treue Bürger! (Herzogs-Geburtstagsrede 1866.)

Chronologische Übersicht

der litterarischen Thätigkeit J. Kehreins.

I. Prosaisches.

1. Bücher.

1839 Beispielsamml. z. Lehre v. d. Figuren und Tropen. (Berlin, Duncker u. Humblot.)

1840—44 Sammlung deutsch. Musterreden. (Mainz, G. Faber.)

1840 Lat. Anthologie aus christl. Dichtern. (Frankfurt, J. D. Sauerländer.)

„ Die dramat. Poesie der Deutschen. 2 Bde. (Leipzig, J. C. Hinrichs.)

1842—52 Grammatik der neuhochdeut. Sprache. 4 Bde. (Leipzig, O. Wigand.)

1842 Leben der Heiligen. 3 Bde. (Regensb., G. J. Manz.)

1843 Geschichte der kath. Kanzelberedsamkeit der Deutschen. 2 Bde. (Daselbst.)

1844—46 Die Beredsamkeit der Kirchenväter. 4 Bde. (Daselbst.)

1845 Stunden christkath. Andacht. 2 Bde. (Mitarbeiter.) Stuttgart (J. F. Cast.)

1846 Die weltl. Beredsamk. der Deutschen. (Mainz, G. Faber.)

„ Scenen aus dem Nibelungenlied. (Wiesbaden, H. W. Ritter.)

1848 Kurze Lebensbeschreibungen der Dichter und Prosaiker 2c. (Weilburg, L. C. Lanz.)

„ Überblick der deutschen Mythologie. (Göttingen, Dietrich.)

„ Tabellen der got., althochd. Deklination und Konjugation. (Wiesbaden, H. W. Ritter.)

1849—50 Proben der deutsch. Poesie u. Prosa v. 4.—18. Jahrh. 2 Teile. (Jena, F. Macke.) 1. Teil 2. Aufl. 1851.

1850 Deutsches Lesebuch. (Leipzig, O. Wigand.) 2. Aufl. 1851.

1851 Geschichte der deutsch. Bibelübers. vor Luther. (Stuttgart, J. F. Cast.)

1852 Deutsches Lesebuch in 2 Bden. (Leipzig, O. Wigand.) Untere Lehrstufe 5 Aufl. bis 1870. Obere Lehrstufe 5 Aufl. bis 1873.

„ Kleine deutsche Schulgrammatik. (Das.)

1853 Kirchen- u. relig. Lieder (deutsche) aus d. 12.—15. Jahrh. (Paderborn, F. Schöningh.)

„ Entwürfe z. deutschen Aufs. u. Reden. (Das.) 6 Aufl. bis 1876.

1852—1853 Onomatisches Wörterbuch. 2 Bde. 2. A. 1862. (Wiesbaden, H. W. Ritter.)

1854—56 Grammatik der deutsch. Sprache des 15.—17. Jahrh. 3 Bde. (Leipzig, O. Wigand.)

1855 Handbuch deutscher Prosa. 2 Bde. (Leipzig, O. Wigand.) 2. A. 1859.

1856 Auswahl dramat. Deklamationsstücke. (Coblenz, R. Fr. Hergt.)

„ Schulgrammatik der deutschen Sprache. (Leipzig, O. Wigand.) 3. Aufl. 1865. Mit besond. Berücksichtigung der Klassiker des 18. u. 19. Jahrh.)

„ Liederbrevier. (Das.) 2. Aufl. 1859.

1858 Aufgaben z. Sprach- und Stilübungen in d. Elementarschulen. (Hadamar, H. Mathi.)

„ Anhang z. Lesebuch für d. Elementarsch. (Das.)

„ Kurze Geschichte des deutschen kathol. Kirchenliedes bis z. Jahre 1631. (Würzburg, Stahel.)

1859—65 Katholische Kirchenlieder, Hymnen, Psalmen ꝛc. 3 Bde. (Würzburg, Stahel.)

1861—64 Volkssprache u. Volkssitte im Herzogtum Nassau. 3 Bde. (Weilburg, L. E. Lanz.)

1861 Wörterverzeichnis u. Regeln z. deutschen Rechtschreibung. (Leipzig, O. Wigand.)

1863 Sammlung alt- u. mittelhochd. Wörter. (Nordhausen, Ferd. Förstemann.)

1864 Hilfsbüchlein z. Erklärung kirchl. Ausdrücke. (Paderborn, F. Schöningh.)

1864 Deutsches Stilbuch. (Daf.)

1865 Älternenhochd. Wörterbuch. (Würzburg, Stahel.)

„ Hilfsbuch z. deutsch. Sprachunterricht in allen Klassen der Elementarsch. (Paderborn, F. Schöningh.)

„ Das Annolied. (Frankfurt, G. Hamacher.)

„ Pater Noster u. Ave Maria. (Daf.)

1868—71 Biographisch-litterarisches Lexikon der kath. deutsch. Dichter 2c. 2 Bde. (Würzburg, L. Woerl.)

1872—76 3. Bd. (Manuskript.)

1871 Wörterbuch der Weidmannssprache. (Wiesbaden, Chr. Limbarth.)

1872 Deutsche Geschichte aus dem Munde deutsch. Dramatiker. (Soeft, Nasse.)

1873 Lateinische Sequenzen des Mittelalters. (Mainz, Fl. Kupferberg.)

„ Überblick der Geschichte der Erziehung u. des Unterrichtes. (Paderborn, Ferd. Schöningh.) 4 Aufl. bis 1876.

1874 Blumenlese aus kath. Dichtern des 19. Jahrdts. (Aachen, L. Tepe.)

„ Das deutsche kath. Kirchenlied in seiner Entwicklung von den ersten Anfängen bis zur Gegenwart. (Neuburg a. D., L. Auer.)

1876 Handbuch der Erziehung u. des Unterrichtes. (Paderborn, Ferd. Schöningh.)

„ Fremdwörterbuch. (Stuttgart, J. G. Cotta.)

2. Abhandlungen 2c.:

1835 ff. Jahrbücher f. Philol. u. Pädag. (v. Jahn u. Seebode): Abhandlungen 2c.

1837—40 Frankfurter kath. Kirchenzeitung; Großh. Heff. Zeitung; Mainzer Unterhaltungsblätter: Abhandlungen, Skizzen 2c.

1840—42 N. Nekrolog der Deutschen. Jahrg. 18. 19. 20: Beiträge.

1843 f. Archiv f. d. Unterricht im Deutschen (v. Diehoff): Abhandlungen, Rezensionen 2c.

1845 ff. Germaniens Völkerstimmen (v. Firmenich): Beiträge (prosaische u. poetische) zur Dialektforschung.

1845 Gymnasialblätter (v. Baur u. Kehrein): Abhandlungen, Rezensionen 2c.

1846 ff. Archiv f. d. Studium der neueren Sprachen u. Litteraturen (v. Herrig u. Diehoff): Abhandlungen, Kommentare, Rezensionen 2c.

1845 ff. Allg. Naff. Schulblatt: Beiträge, Rezensionen ꝛc.

1846—49 Allg. Realencyklopädie f. d. kath. Deutschland: Beiträge.

1848 Geschichte des Gymnasiums zu Hadamar (Programm).

1847 f. Freiburger Kirchenlexikon: Beiträge.

1853 ff. Allg. Litteratur-Zeitung (v. Dr. Wiedemann-Wien).

1834 ff. Hausbuch für christl. Unterhaltung (v. Lang): Beiträge.

1858 Über deutsche Orthographie (Programm).

1861 ff. Schulfreund (v. Schmitz): Reden, Abhandlungen, Rezensionen.

1862 ff. Litterar. Handweiser (v. Dr. Hülskamp): Rezensionen.

1862 Die grammat. Kunstausdrücke (Programm).

1863—66 Realencyklopädie des Erziehungs- und Unterrichtswesens
(v. Rolfus u. Pfister): Beiträge. 2. A. 1872—74.

1865 Gliederung des deutsch. Sprachunterrichtes in d. Elementarsch.
(Programm).

1867 Beiträge zur Geschichte der Stadt und Burg Montabaur.
(Broschüre.)

1868 ff. Zeitschrift f. Erziehung (v. Kentenich u. Alleker): Abhandlungen, Rezensionen.

1874 Deutscher Hausschatz (Regensburg, Pustet): Beiträge.

II. Poetisches.

1829—34 Gedichte. 6 Bdchn (lyrische, dramatische, didaktische), teilw.
gedruckt (in der „Didaskalia" und im „Abendblatt"
1832—34).

1834 Amor u. Psyche (Gießen, J. Ricker).

„ Lat. u. deutsch. Gratulationsgedicht (Ode). Gießen (G. F. Heyer).

1834—1837 Gedichte. 1 Bd (lyr. u. didakt.), teilw. gedr. in Tagesblättern.

1836 Wilhelmine ꝛc. (Singspiel). Darmstadt.

„ Lat. Hochzeitsgedicht (Ode). Darmstadt.

1840 Lat. u. deutsches Hochzeitsgedicht (Ode). Mainz (Th. Zabern).

1841 Erinnerung an Mainz. (Im Gedenkbuch der Jubelfeier der
Erfindung der Buchdruckerkunst.)

1842—45 Die Bettlerin von Locarno; der Unbekannte oder der
maskierte Feldherr (Melodrama in 3 Akten); lyrische Gedichte: teilw. gedruckt in Tagesblättern.

1843 Das Hohelied Frauenlobs (Übersetzung). Mainz (Seifert).

1845—48 Gedichte (epische u. lyrische), teilw. gedr. im Beiblatt zum „Nass. Zuschauer" (1848), darunter „Herzog Ernst" (26 Romanzen).

1850 Lat. Übersetzung der deutschen Singmesse.

1854—55 Metrische Übersetzung lateinischer Hymnen (gedr. im „Liederbrevier").

1863 Vaterlandslied.

1864 Hochzeitsgedicht (Ode).

„ Zwei Festgedichte (Oden) zur Jubiläumsfeier des Herzogs Adolf.

Personen- und Ortsregister.

Inhaltsverzeichnis.

Lightning Source UK Ltd.
Milton Keynes UK
UKHW020402081118
331957UK00009B/786/P

9 780483 134775